目次

岩 波 文 庫
32-308-1

白　　　鯨

(上)

メルヴィル作
八木敏雄訳

岩 波 書 店

Melville

MOBY-DICK
OR
THE WHALE

1851

Illustrations by Rockwell Kent
By permission of the Plattsburgh State Art Museum,
Plattsburgh College Foundation, Rockwell Kent Gallery
and Collection, Plattsburgh, New York, USA,
bequest of Sally Kent Gorton.

挿絵＝ロックウェル・ケント

主要登場人物

イシュメール　物語冒頭に語り手として登場するが、「第一人称の語り手」の分限を遵守《じゅんしゅ》するのは第二二章まで。あとはピークオッド号での役割を最小限に果たしながら、船上の出来事や洋上の冒険を「参加者」の視点から、また「全知全能者」の視点から語る。ピークオッド号乗船以前からクイークェグの「こころの友」となり、船上では「白鯨」の追跡を誓う乗組員のひとりになるが、最後にただひとり生き残り、この物語を語る。

エイハブ　ピークオッド号の隻脚《せっきゃく》の初老の船長。自分の片脚を食いちぎった「白鯨」モービィ・ディックに対する復讐の怨念《おんねん》に燃えて広大な海にこの鯨を追うが、その執念には鯨に対する憎悪ばかりか、世界の不条理に対する復讐の念もふくまれていて、そう単純ではない。エイハブは「大学にいたこともあり、人食い人種のあいだにいたこともある」人物で、低い情念ばかりか高い知性にもめぐまれ、彼なりの「人情」にもこと欠かない複雑な人間である。しかし、最終的には「白鯨」に対するみずからの偏執狂的復讐心の犠牲となって、海の藻《も》屑《くず》と消える。

スターバック　ピークオッド号の一等航海士。ナンタケット島生まれの敬虔《けいけん》なクエイカー教徒であるが、冷静沈着な鯨捕りであり、実利を重んじるリアリストでもある。エイハブの無謀な「白鯨」追跡に反対して船長殺害さえはかるが果たさず、ピークオッド号ともに水没する運命に甘んじる。

スタッブ　二等航海士。コッド岬生まれの楽天家で、どんな危険にも無造作に立ち向かっていくが、臆病でもなければ勇敢でもない。いつもパイプをふかし、ユーモアをわすれず、フランスの捕鯨船「バラのつぼみ号」をたぶらかすときのように、みずから道化役を演じることもあるが、マストに打ちつけられたダブロン金貨の謎を解くときなどには、なかなかの学識を披露する。

フラスク　三等航海士。マーサズ・ヴィニャード生まれの、小柄で、頑丈で、戦闘的な若者。何ものにも象徴的意味を見いださないのが特徴で、「白鯨」も「巨大なハツカネズミ」くらいにしか見なさず、マストに打ちつけられた意味ありげな模様が刻まれた金貨も、ただの一枚の金貨以上には見ない。

クイークェグ　ピークオッド号筆頭の銛《もり》打ち。南海の島ココヴォコの生まれ。「真の場所が地図にのることはない」ので正確には不明。父はその島の大酋長《だいしゅうちょう》で、その正当な後継者だが、キリスト教世界で銛打ちをしながら武者修行をしている。その清廉潔白さは通常のキリスト教徒をしのぎ、「高貴な野蛮人」の典型。イシュメールの「こころの友」になる。このクイークェグが死期を悟って船大工に注文した棺桶《かんおけ》をブイにして、イシュメールはひとり生還することになる。

タシュテーゴ　マーサズ・ヴィニャードはゲイ・ヘッド岬生まれの誇り高き生粋のインディアン。スタッブの捕鯨ボートに属する銛打ち。ピークオッド号で最初に「白鯨」を見つけた男であり、ピークオッド号が沈むときに、最後にマストから手をのばしてトウゾクカモメを道連れに水没した男でもある。

ダグー　アフリカで捕鯨船に乗り組み、以後「奴隷制度」に汚染されたいかなる土地にも住みついたことのない巨大なアフリカ人。フラスクの「従者」である銛打ち。

フェダラー　エイハブが特別の配下として、他の四人の「東洋人」とともにピークオッド号にもぐりこませた者のひとり。拝火教徒。エイハブの「不死」をほのめかす曖昧《あいまい》な預言をくりかえしながら、結局はエイハブをモービィ・ディックの手中に追い込む不可解な人物。

ピップ　黒人の少年。鯨の追撃中に海に投げ出され、一晩放置されたために気がふれ、その後は「道化」として、またエイハブが格別に寵愛する「召使」としてピークオッド号にとどまり、船と運命をともにする。

ピークオッド号の航跡

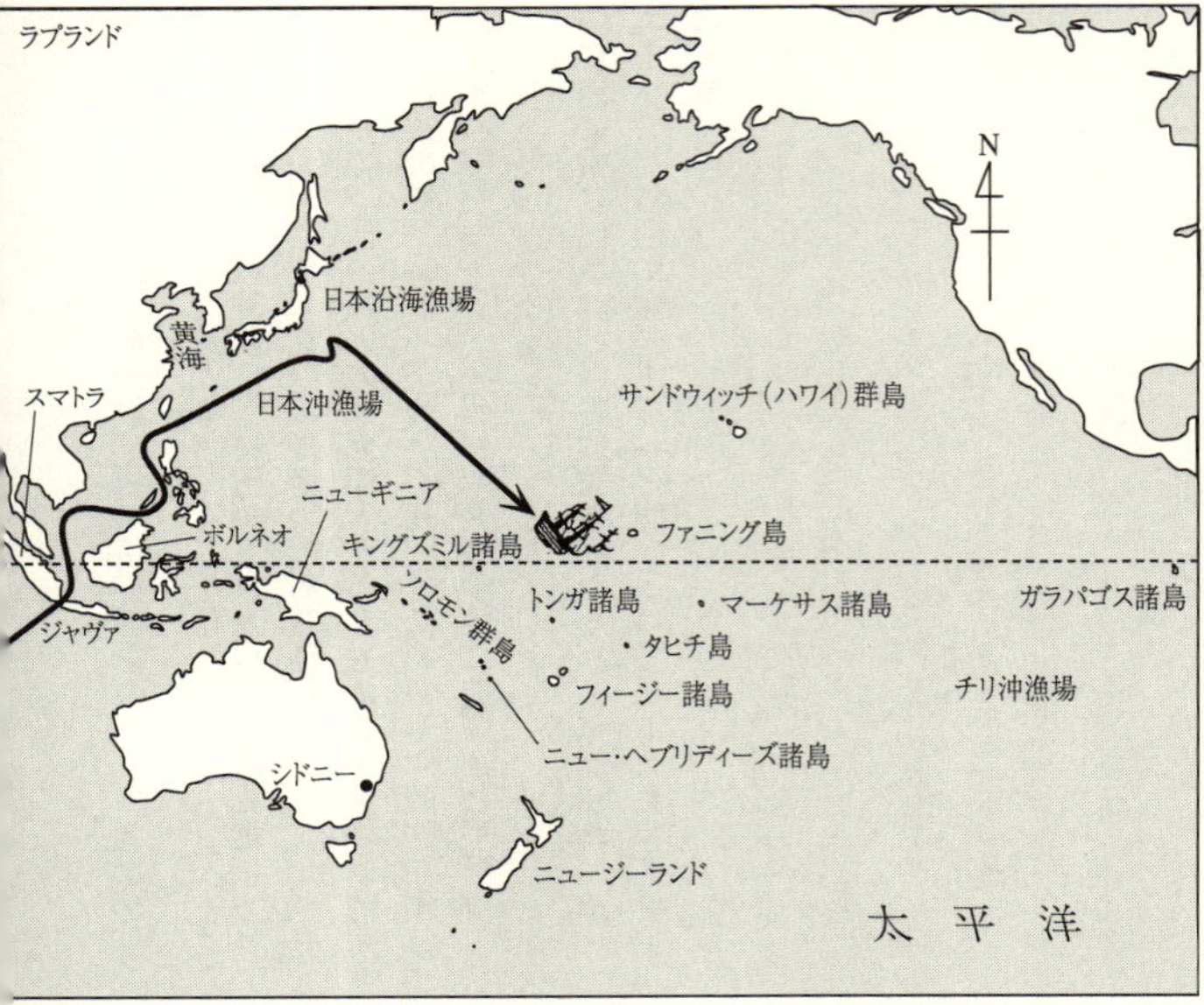
ラプランド
N
日本沿海漁場
黄海
スマトラ
日本沖漁場
サンドウィッチ（ハワイ）群島
ニューギニア
ボルネオ
キングズミル諸島
ファニング島
ソロモン群島
トンガ諸島
マーケサス諸島
ガラパゴス諸島
ジャヴァ
タヒチ島
フィージー諸島
チリ沖漁場
ニュー・ヘブリディーズ諸島
シドニー
ニュージーランド
太平洋

ニュー・イングランド
セイラム
ボストン
マサチューセッツ湾
コッド岬
プリマス
ニュー・ベッドフォード
フェアヘイヴン
至ニューヨーク
ゲイ・ヘッド
マーサズ・ヴィニャード
ナンタケット
ピークオッド号の航跡
イシュメールの航海までの道程
グリーンランド
アイスランド
シェトランド諸島
バルチック海
北海
ニュー・ベッドフォード
ニューヨーク
ナンターケット
アゾレス諸島
カディス
地中海
黒海
ニネヴェ
ヨッパ(現テルアヴィヴ・ヤッファ)
ペルシャ湾
バーバリ海岸
カナリー群島
アンティル諸島
ボンベイ
ベンガル湾
ヴェルデ岬諸島
ギニア海岸
ラカディヴ諸島
ポーパヤン
キト
リマ
サンタ
セント・ヘレナ島
セイシェル漁場
カロル漁場
ファン・フェルナンド諸島
ヴァルパライソ
プレート漁場
喜望峰
パタゴニア
ラプラタ川
大西洋
クロゼ諸島
インド洋
ホーン岬

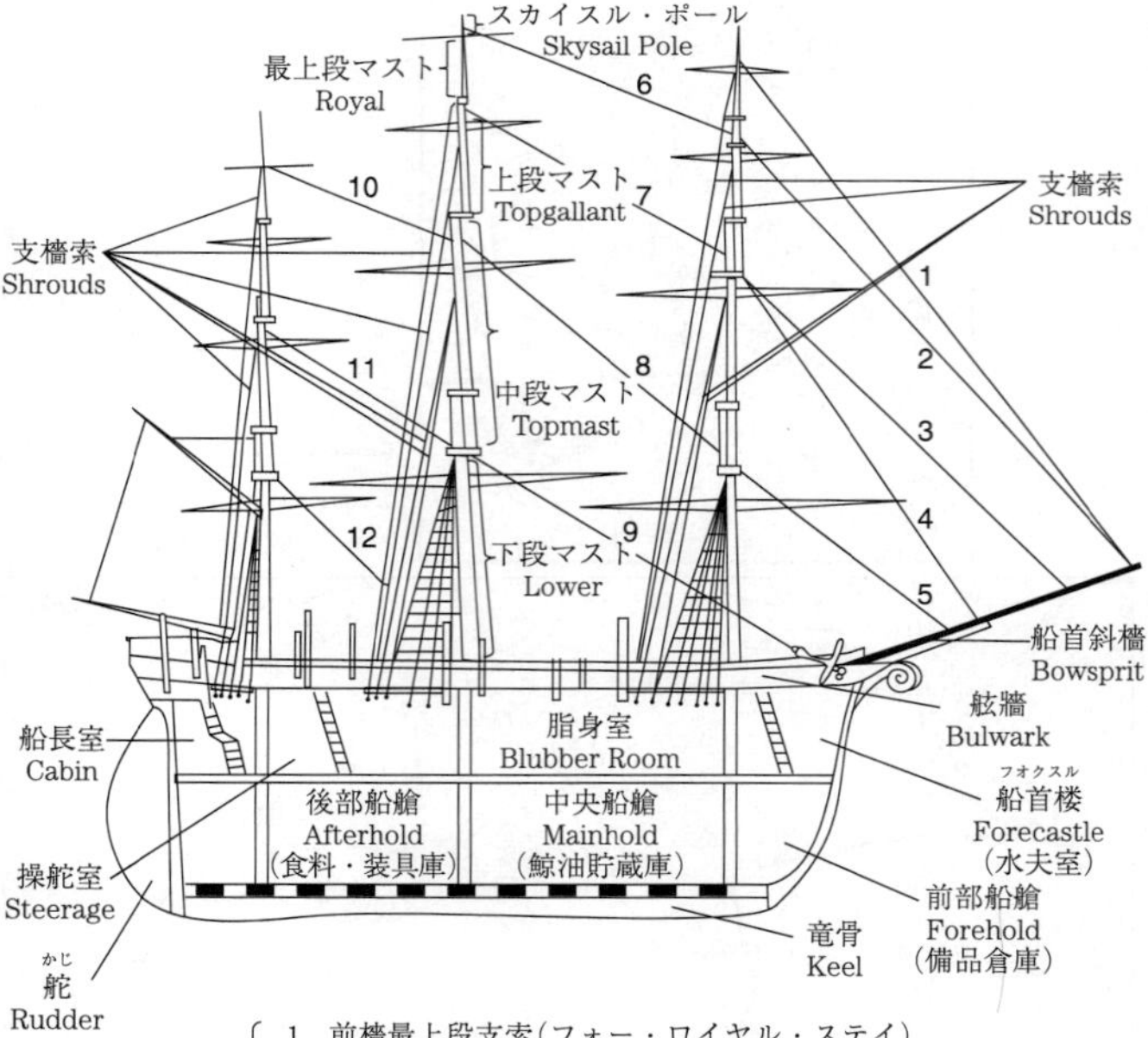

索具

1 前檣最上段支索(フォー・ロイヤル・ステイ)
2 前檣上段支索(フォー・トガン・ステイ)
3 船首三角帆支索(ジブ・ステイ)
4 前檣中段支索(フォー・トップマスト・ステイ)
5 前檣支索(フォー・ステイ)
6 主檣最上段支索(メイン・ロイヤル・ステイ)
7 主檣上段支索(メイン・トガン・ステイ)
8 主檣中段支索(メイン・トップマスト・ステイ)
9 主檣支索(メイン・ステイ)
10 後檣最上段支索(ミズン・ロイヤル・ステイ)
11 後檣中段支索(ミズン・トップマスト・ステイ)
12 後檣支索(ミズン・ステイ)

捕鯨船の船体と索具

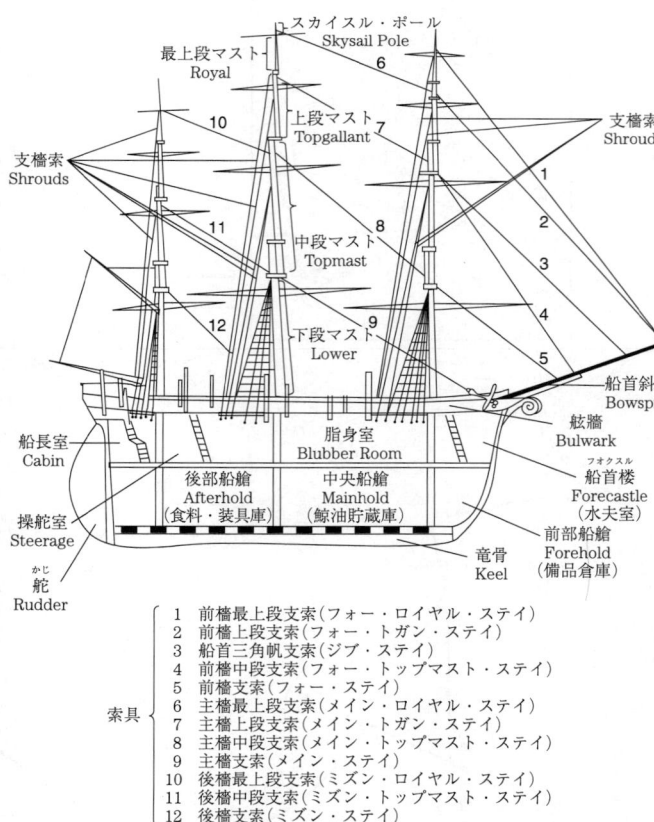

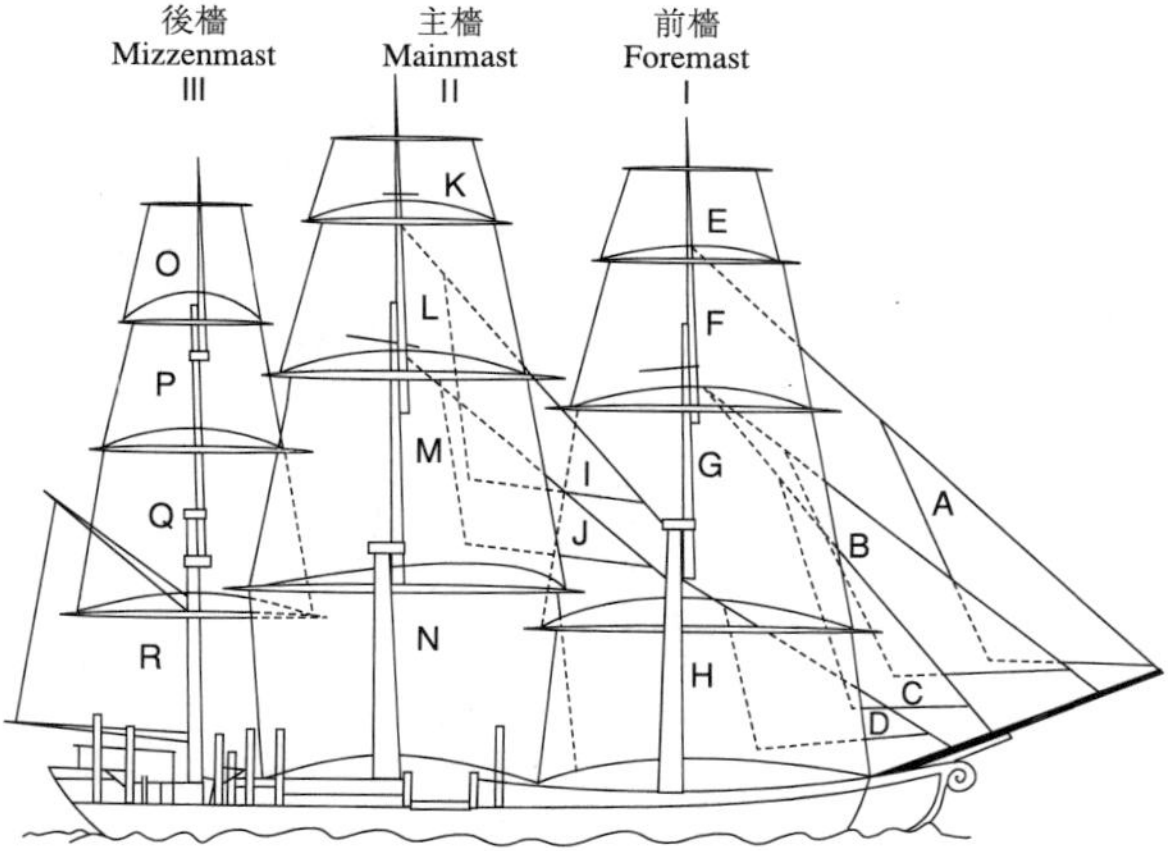

マスト
- I 前檣(フォーマスト)
- Ⅱ 主檣(メインマスト)
- Ⅲ 後檣(ミズンマスト)

帆
- A 前檣上段三角帆(フォー・トガン・ステイスル)
- B 船首三角帆(ジブ)
- C 前檣中段三角帆(フォー・トップマスト・ステイスル)
- D 前檣三角帆(フォー・ステイスル)
- E 前檣最上段横帆(フォー・ロイヤル)
- F 前檣上段横帆(フォー・トガンスル)
- G 前檣中段横帆(フォー・トップスル)
- H 前檣下段横帆(フォー・コース)
- I 主檣中段三角帆(メイン・トップマスト・ステイスル)
- J 主檣三角帆(メイン・ステイスル)
- K 主檣最上段横帆(メイン・ロイヤル)
- L 主檣上段横帆(メイン・トガンスル)
- M 主檣中段横帆(メイン・トップスル)
- N 主檣下段横帆(メイン・コース)
- O 後檣最上段横帆(ミズン・ロイヤル)
- P 後檣上段横帆(ミズン・トガンスル)
- Q 後檣中段横帆(ミズン・トップスル)
- R 後檣補助帆(スパンカー)

捕鯨船の帆

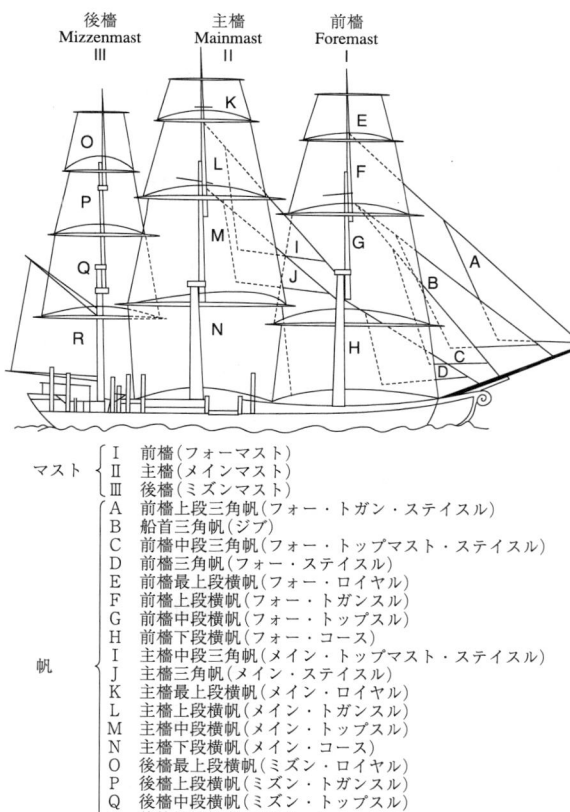

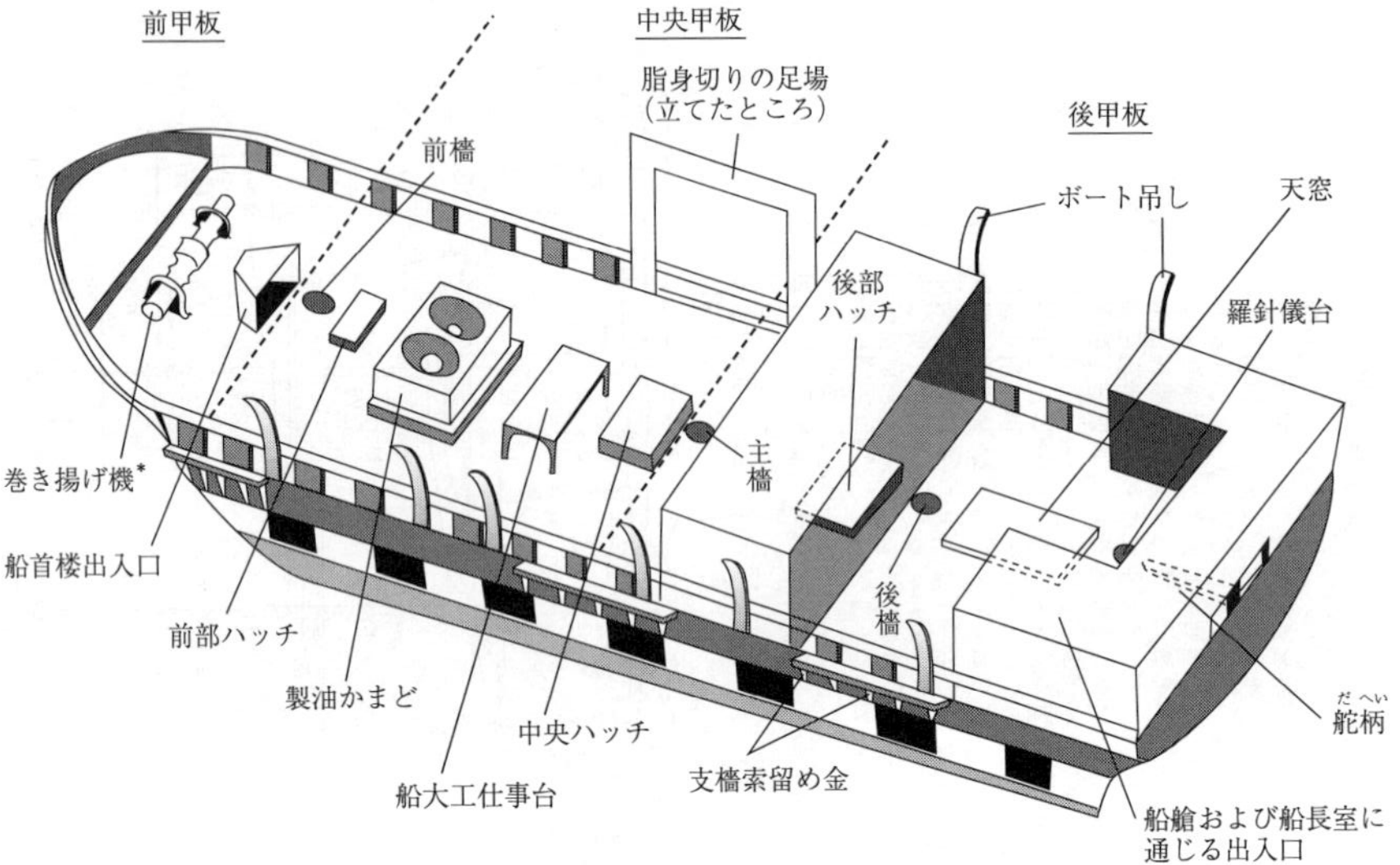

捕鯨船の甲板

＊ 巻き揚げ機には，水平に設置された巻き取り車軸を回転させて巻き揚げるウィンドラスと，台座に垂直に設置された取っ手のついた綱巻き胴(バレル)を回転させて巻き揚げるキャプスタンの２種類がある．この図はウィンドラス．

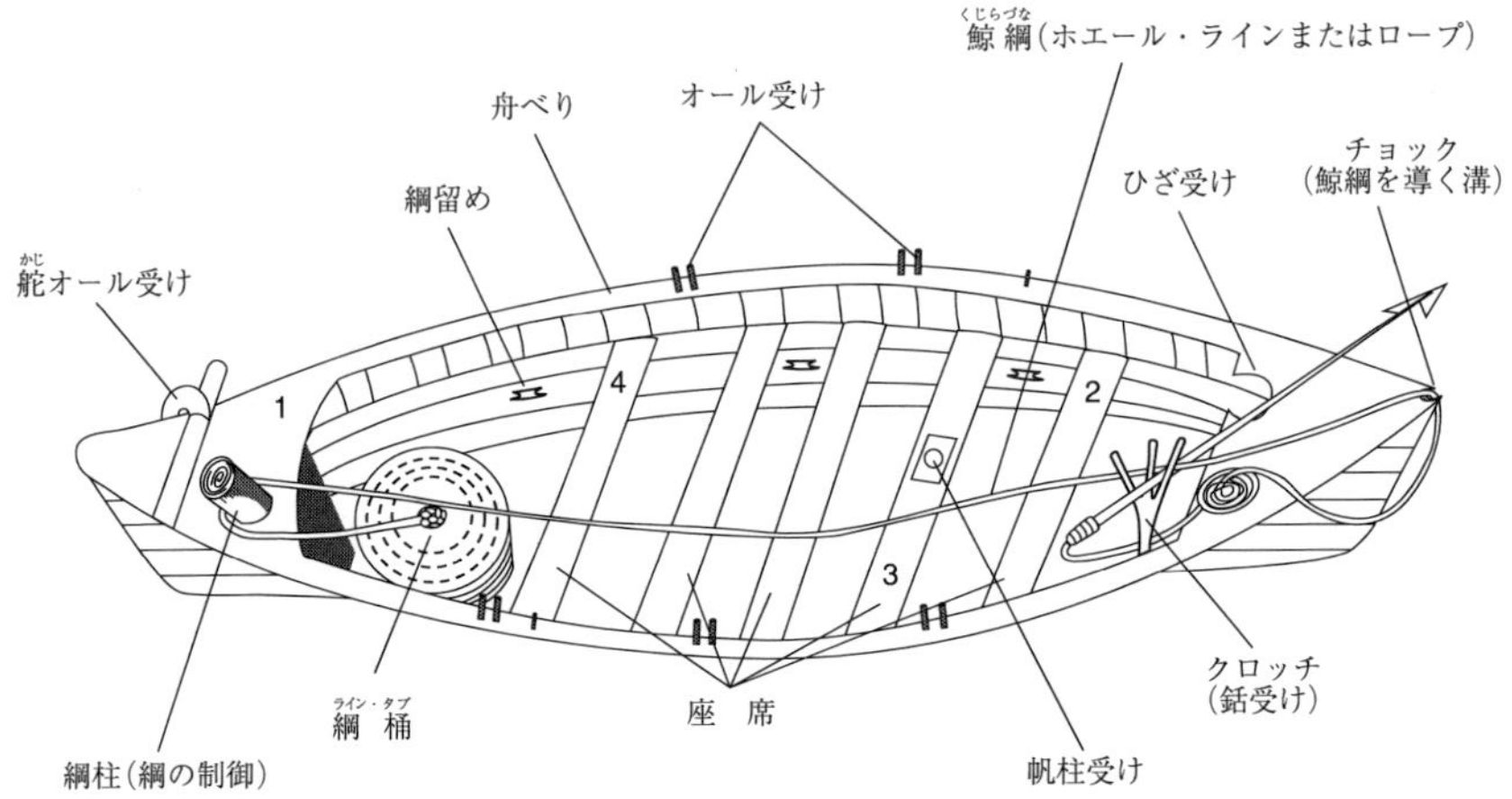

座席　1. 艇長(航海士)　2. 操舵手(銛打ち)　3. 前オール　4. 後オール

捕鯨ボート

白　鯨（上）

――または、モービィ・ディック――

ナサニエル・ホーソーンに
その天才へのわが賞賛のしるしに
本書をささげる

語　源

(肺病で死んだ某グラマー・スクール代用教員(1)の提供による)

[顔青ざめたる代用教員よ——服装も、こころも、体も、脳もぼろぼろの代用教員よ。わたしはその者をいまも眼前に見る思いがする。彼はいつも奇妙なハンカチで辞書や文法書のちりを払っていたが、そのハンカチたるや、皮肉なことに、あでやかな万国旗でかざられていた。彼は古い文法書のちりを払うのを愛したが、それがそこはかとなく自分の死をしのばせたからだろう]

語　源(2)

「きみもし他人を教える仕事に手を染め、わが国語にて鯨なる魚(whale-fish)の名を伝授せんとて、無知蒙昧《もうまい》なるがゆえに、Hの文字を抜かすことあらば、きみは真実ならざることを伝授するなり。この語の意義の大方はその一文字により定まるがゆえなり」

——ハクルート〔一五五二頃—一六一六〕

「WHALE……スウェーデン語、デンマーク語ではhval。この動物の体軀《たいく》がまるまるしていること、あるいはそれを輾転《てんてん》とさせることに由来する。デンマーク語でhvaltは『アーチ状の』または『丸天井のような』の意」

——ウェブスター辞典

「WHALE……より直接的には、オランダ語およびドイツ語のWallenから。アングロ・サクソン語のWalw-ianは『ころがる』『のたうつ』を意味する」

——リチャードソン辞典

תן　ヘブライ語
κητος　ギリシャ語
CETUS　ラテン語
WHÆL　アングロ・サクソン語

語源

HVAL　デンマーク語
WAL　ドイツ語
HWAL　スウェーデン語
HVALUR　アイスランド語
WHALE　英語
BALEINE　フランス語
BALLENA　スペイン語
PEKEE-NUEE-NUEE　フィージー語
PEHEE-NUEE-NUEE　エロマンゴ語

抜　粋(3)

（さる図書館司書の「補の補」の提供による）

「これからお目にかけるのは、世にもあわれな図書館司書の「補の補」が、世界の大図書館から露天の古本屋にいたるまで、ありとあらゆるところをあさりまわり、ほじくりかえして、聖俗の区別などあらばこそ、本という本からすこしでも鯨に言及ある箇所があらば、これを手あたりしだいに拾い集めし労作とおぼしい。それゆえ読者は、何ごとにも例外はつきもののことゆえ、以下の抜粋に見られるてんやわんやの雑然たる鯨に関する言説のことごとくを、出所が由緒正しいからとて、福音書的な正統鯨学の一部と勘違いしてはならない。それはとんでもない勘違いである。一般的に、ここに登場する古代作家および詩人に関して言うなら、これらの抜粋が有益かつ興味深いのは、われわれ自身をもふくめたおおくの国々や世代の人びとが鯨《レヴィヤタン》について、いかにさまざまのことを言い、かんがえ、想像し、かつ歌ったかについての鳥瞰図《ちょうかんず》を得んがためという一事に限定される。

では、さらば、あわれなる司書の「補の補」よ。これからは、わたしがそなたの注釈者をつとめよう。そなたはこの世のいかなるワインにも温められることを知らぬ救いなき血気とぼしき人種、例の淡口《うすくち》の青シェリー酒でさえバラ色が濃すぎて強すぎると感じるたぐいの人間であるが、ところがたまには、そのような人種と席をともにし、落魄《らくはく》の気分をあじわいたいとねがう好事家もいるものゆえ、さような御仁は、グラスは空《から》のくせに目には涙を満杯にたたえ、その涙のせいで陽気にもなり、その悲しみの甘美さに酔いしれて、ぶっきらぼうにこう言ってのける――あきらめるのだな、「補の補」よ！　この世の者をよろこばせようとして努力すればするほど、ますます世間から無視されることになるのが落ちだ！　だがわたしは、そのたぐいの人間のために、できることなら、ハンプトン宮殿やチュイルリー宮殿を空き家にしてさしあげたい！　とにかく涙をのみこみ、勇を鼓して最上段《ロイヤル》マストにかけのぼれ！　おぬしらの先に行った連中が七層の天界をきれいに掃除し、ガブリエルだの、ミカエルだの、ラファエルだのといった大天使どもをおっぱらって、おぬしらの到来にそなえているところさ。この世では、おぬしらにできることは砕けたこころを寄せあわせることだけだが――あの世では、砕けることのないグラスをあわせ、乾杯することもできるのさ！」

抜粋

「神巨《おほい》なる魚《うを》を創造《つく》り給《たま》へり」

——「創世記」〔一・二一〕

「鱷《レビヤタン》、己《おの》が後《あと》に光《ひか》る道《みち》を遺《のこ》せば　淵《ふち》は白髪《しらが》をいたゞけるかと疑《うたが》はる」

——「ヨブ記」〔四一・三二〕

「さてヱホバすでに大《おほい》なる魚《うを》を備《そな》へおきてヨナを呑《の》ましめ給《たま》へり」

——「ヨナ書」〔一・一七〕

「舟《ふね》そのうへをはしり汝《なんぢ》のつくりたまへる 鱷《レビヤタン》 そのうちにあそびたはぶる」

——「詩篇」〔一〇四・二六〕

「その日《ひ》ヱホバは硬《かた》く大《おほい》なるつよき剣《つるぎ》をもて　疾《と》く走《はし》るへびレビヤタン曲《まが》りうねる蛇《へび》レビヤタンを罰《ばっ》しまた海《うみ》にある鱷《わに》をころし給《たま》ふべし」

――「イザヤ書」〔二七・一〕

「この怪物の口の混沌に入り来《きた》るものは、獣にせよ、舟にせよ、石にせよ、またその他いかなるものにせよ、たちまちその不潔なる食道を落下して、その太鼓腹の深淵に消滅するなり」

――ホランド〔一五五二―一六三七〕訳のプルタルコス〔四六頃―一二〇頃〕『倫理論集』〔一六〇三年〕

「インド洋は世界最大級の魚を産する。なかんずくバレーネと称する鯨および渦巻魚は、土地の広さにして四エーカーないし四アルパンにおよぶ」

――ホランド訳のプリニウス〔二三頃―七九〕〔『博物誌』一六〇四年〕

「海をはしること二日とたたぬうちに、日の出のころ、鯨およびその他の海の怪獣が出現した。前者の一頭はとほうもなく大きい体軀《たいく》をしていた……こいつがあんぐり口をひらき、四方八方に波をたて、前方に泡をかきたてわれわれにむかってきた」

——トゥック〔一七四四—一八二〇〕訳のルキアノス〔一一七頃—一八〇頃〕『本当の話』〔一八二〇年〕

「彼がこの国を訪れたもうひとつの目的は、馬鯨なるものを捕獲することにあった。この鯨の骨は義歯として非常に利用価値が高く、その一部は王にも献上された……最上の鯨は彼の母国で捕獲され、あるものは全長が四八フィートに達し、なかには五〇フィートに達するものもあるよし。われは二日で六〇頭の馬鯨をしとめし六人のうちのひとりなり、と言明している」

——西暦八九〇年、アルフレッド大王〔八四九—八九九〕が筆記したオーテル、ないしオクテルなる人物の口頭陳述

「その他すべてのものは、獣にせよ舟にせよ、この怪物(鯨)の口という恐るべき深淵にはいれば、たちまちのみこまれて消滅するのであるが、ゴービィという海ハゼの一種

だけは安全無事にそのなかに身をひそめて安眠するという」

——モンテーニュ「レイモン・スボンの弁護」〔『エセー』第二巻第一二章、一五七二—一五八〇、一五八八年〕

「逃げろ、逃げろ！　もしあれが、モーセさまが、あの辛抱強いヨブの話のなかでお書きになったレヴィヤタンでなかったら、首を賭けてもいいぜ」

——ラブレー〔『ガルガンチュワとパンタグリュエル』第四の書第三三章、一五五二年〕

「この鯨の肝臓は荷馬車二台分あった」

——〔ジョン・〕ストウ〔一五二五頃—一六〇五〕『年代記』〔一五九二年〕

「海をば煮えたぎる鍋《なべ》のごとくに沸き立てる大いなる魚レヴィヤタン」

——ベーコン卿訳「詩篇」〔一〇四・二六、一六二五年〕

「かの鯨類の巨大な体軀《たいく》に関しては、何も正確なことはわかっていない。ただし、一頭の鯨から信じがたいほど大量の油が抽出されることからして、鯨が極端に肥満していることは容易に想像しうる」

――ベーコン卿『生と死の歴史』〔一六三八年〕

「打ち身にはなんといっても鯨脳油が一番でござる」

――〔シェイクスピア〕『ヘンリー四世』〔一・一・三・五七―五八〕

「まったく鯨そっくりで」

――〔シェイクスピア〕『ハムレット』〔三・二・三八二〕

「傷を癒《いや》さんとても、医者の技量はおよぶまじ。
されば、にっくき敵のもとに、いざ取って返さん、
槍《やり》をもて胸を突き、痛みうずく傷をあたえし敵のもとに。
いざ疾《と》くと行かん、岸にむかう鯨のごとくに」

――〔スペンサー〕『妖精の女王』〔六・一〇・三一、一五九六年〕

「大いなること鯨のごとく、ひとたびその巨体をうごかさば、平穏の海も沸き立たんばかりなり」

――ウィリアム・ダヴェナント卿〔一六〇六―一六六八〕『ゴンディバート』の序〔一六五一年〕

「鯨脳油とは何ぞや、と人が問うのは異とするにたりぬ。かの博学のホフマヌスにしても、その三〇年にわたる労作のなかで、Nescio quid sit〔ワレソノ何タルカヲ知ラズ〕と明言している」

――トマス・ブラウン卿「鯨脳油とマッコウ鯨について」、『謬見の伝染』〔一六四六年〕参照

「スペンサーの鉄人タルスが振るう鉄のから竿《ざお》さながらに
その巨大なる重き尾をもてなべてを滅ぼさんとす。

…………………

脇腹には投げ槍の林をよろい、
背中には矛《ほこ》の森を負いて」

——ウォラー〔一六〇六—一六八七〕『サマー諸島の戦い』〔一六六四年〕

「共和国《コモンウエルス》ないし国家《ステート》(ラテン語では Civitas)と呼ばれる怪物《リヴァイアサン》が人工的に創造されたが、これは人造人間にほかならない」

——ホッブズ『リヴァイアサン』〔一六五一年〕の冒頭

「おろかなマンソウルはまるでそれを鯨の口中のニシンのように咀嚼《そしゃく》もせずにのみこんだ」

——〔バニヤン〕『聖戦』〔一六八二年〕

「かの海の怪獣レヴィヤタン、
神の創《つく》りし最大のものにして、わだつみをゆく」

——〔ミルトン〕『失楽園』〔一・二〇〇—二〇二、初版一六六七年、改訂版一六七四年〕

「……かしこのレヴィヤタン、
生き物のうち最大のものなるが、海のうえに
岬のごとく拡がりて、かつ眠り、かつ泳ぎ、
その泳ぐさま、動く島にさも似たり。その鰓《えら》からは
大海を吸い、その鼻からは大海を吹き出す」

——同右〔七・四一二—四一六〕

「水の海を泳ぎながら、内には油の海をたたえる鯨」

——フラー〔一六〇八—一六六一〕『世俗国家と神聖国家』〔一六四二年〕

「岬の影に身をひそめ
大いなるレヴィヤタン、餌《えさ》をまつ。

追うまでもなく、あごを開けば
　迷いこむ小魚をひとのみに」

——ドライデン『驚異の年』(一六六七年)

「鯨がまだ船尾に浮かんでいるうちに、頭を切断して、できるだけ海岸の近くまでボートで曳行《えいこう》するのであるが、水深一二フィートか一三フィートのところで海底につかえてしまうのがつねである」

——トマス・エッジ「スピッツベルゲンへの一〇航海」、『パーチャス』(一六二五年)所収

「航海中、彼らはおおくの鯨がたわむれながら、自然がその背中にあたえた管と気孔から気ままに水を吹きあげているのを見た」

——T・ハーバート卿(一六〇六—一六八二)『アジア・アフリカ紀行』(一六三八年)、ハリス(一六六六—一七一九)編『航海記集成』(一七〇五年)所収

「ここで彼らは鯨の大群に遭遇したので、船を鯨に衝突させないように細心の注意を払って航海しなければならなかった」

——スハウテン〔一五六七頃—一六二五〕『第六回世界周航記』〔ハリス編『航海記集成』所収〕

「われわれはエルベ川から、北東の風を受け、『鯨の中のヨナ号』という船に乗って出帆した。……

鯨は口をあけることができないと言う者がいるが、それは神話にすぎない。……

水夫たちは鯨を見つけようとしてしばしばマストに登った。最初に鯨を見つけた者は報酬として一ダカットもらえるからであった。……

ヒットランド付近で捕獲された鯨の腹の中から一バレル以上のニシンが出てきたという話を聞かされた。……

銛《もり》打ちの一人がわたしに告げたところによれば、スピッツベルゲンで全身これ白一色の鯨をしとめたことがあるという」

——『グリーンランド航海記』西暦一六七一年、ハリス編『航海記

集成』所収

「ここ(ファイフ)の海岸にも何度か鯨が接近してきたことがある。主《しゅ》の年一六五二年にも、全長八〇フィートにおよぶヒゲ鯨のたぐいが出現したが、(聞くところによると)大量の油のほかに分銅五〇〇個分の重さの鯨ひげがとれたという。あご骨はいまピットフェレンの庭園の門として立っている」

——シバルド卿〔一六四一—一七二二〕『ファイフ州およびキンロス州』〔一七一〇年〕

「わたし自身、このマッコウ鯨を制御して殺すことができるかどうか試してみることに同意しました。というのも、わたしはそれまでその種の鯨が人間の手によって殺されたという話を聞いたことがなかったからです。それほどこの鯨は獰猛《どうもう》かつ敏捷なのであります」

——リチャード・スタフォード「バーミューダ通信」、『王立協会会報』西暦一六六八年所収

「海の鯨も
神の声にしたがう」

――『ニュー・イングランド初等読本』（一七二七年）

「われわれはまた、おびただしい数の巨鯨を見た。この南の海には、わが国から北にある海にくらべて、百対一の割合で鯨がたくさんいると言ってもよいだろう」

――カウリー船長『地球周航（一六八三―一六八六年）記』（ウィリアム・ハック編『航海記集成』所収）西暦一七二九年

「……そして鯨の息はしばしば耐えがたい悪臭をともない、脳が異常をきたすのではないかと思われるほどである」

――ウリョア（一七一六―一七九五）『南アメリカへの航海』（一七五八年）

「誉《ほま》れも高き五〇人の美女たちよ、
くれぐれもおわすれなく、ペティコートを。
七重《ななえ》の垣も脆《もろ》きは世の常、
フープの守りいと固く、鯨骨の鎧《よろい》いと強《こわ》くとも」
——〔ポープ〕『髪の毛盗み』〔二・一一七—一二〇、一七一四年〕

「陸上の動物を、大きさの点で、深海に棲息《せいそく》する動物と比較するなら、卑小なること お話にもならない。疑いもなく、鯨は創造された動物のうち最大のものである」

——ゴールドスミス『動物誌』〔一七七四年〕

「雑魚《ざこ》についての寓話をお書きになろうとなさっても、あなたなら雑魚に鯨みたいな口をきかせておしまいでしょうな」
——ゴールドスミス、ジョンソン博士に言う〔ボズウェル『サミュエル・ジョンソン伝』一七九一年刊、一七七三年の項参照〕

「午後にいたり、われわれは岩礁《がんしょう》とおぼしきものを見たが、まもなく死んだ鯨と判明した。これを殺したのはアジア人種で、岸へ曳行《えいこう》している途中だったが、彼らはわれわれに見られるのをさけるため、鯨の背後に隠れようとした」

——〔ジェイムズ・〕クック『航海記』〔一七八四年刊、一七七八年九月三日の項参照〕

「彼らが大型の鯨を攻撃することはまずありません。海に出ても、彼らはある種の大型鯨を極度に恐れ、その名を口にすることさえはばかり、糞尿、硫黄《いおう》、ビャクシン材などの強烈なにおいのするものを船につみこみ、鯨をおびえさせて寄せつけないようにします」

——バンクス〔一七四三—一八二〇〕およびソランダー〔一七三六—一七八二〕による一七七二年におけるアイスランドへの航海に関するウーノ・フォン・トロイルの書簡〔『アイスランド書簡集』一七八〇年所収〕

「ナンターケット島民が発見したマッコウ鯨は活発凶暴な動物でありまして、その捕獲には絶大なる技量と豪胆さを要するものであります」

——トマス・ジェファソンが一七八八年にフランス公使に宛てたフランスの鯨油輸入禁止措置に抗議する覚書

「さて、議員諸君、世界にこれに匹敵するものがありましょうか？」

——エドマンド・バークの議会におけるナンターケット捕鯨業に関する言及〔一七七五年三月二二日〕

「スペイン——これはまさしくヨーロッパの岸辺に打ち上げられた大きな鯨であります」

——エドマンド・バーク（出所不明）〔英国下院における演説、一七八〇年頃〕

「国王の通常歳入の第一〇項目は王室魚《ロイヤル・フイッシュ》の権利にかかわるものであるが、その法的根拠は領海の治安ならびに海賊・強盗に対する防衛にかかわる国王への対価であることに存し、王室魚とは鯨および蝶《ちょう》ザメのことを言う。両者は、陸地に打ち上げられたるものと沿岸で捕獲されたるものとを問わず、王室の所有に帰す」

——ブラックストーン〔一七二三—一七八〇〕〔『英国法注釈』一七六五年〕

「舟子らは、死の競技へと勇み立ち、
ロドモンドは必殺の銛《もり》をば頭上にかかげ
虎視《こし》眈々《たんたん》とあたりをうかがう」

——フォルコナー〔一七三二—一七六九〕『難破』〔一七六二年〕

「屋根も伽藍《がらん》も尖塔もあかあかと
祝いの花火は空駆けのぼり
しばし天空にたゆたいて
炎《ほのお》の浮き橋かけにけり

火を水にたとえれば、

わだつみの大空に
鯨は潮吹きあげるなり
御幸《みゆき》をばことほぎて」

——〔ウィリアム・〕クーパー「女王のロンドン行幸を祝して」〔一七八九年三月一七日〕

「心臓を一撃すれば、一〇ないし一五ガロンの血が猛烈な勢いで噴き出す」

——ジョン・ハンター〔一七二八—一七九三〕による〔小型〕鯨の解剖報告〔『王立協会会報』七七号、一七八七年〕

「鯨の大動脈はその口径においてロンドン橋の水道本管より大きく、そのパイプを通って流れる水も、水圧と水流において、鯨の心臓から排出される血とくらべると劣ること数等である」

——ペイリー〔一七四三—一八〇五〕『自然神学』〔一八〇二年〕

「鯨とは後ろ足のない哺乳《ほにゅう》動物である」
——〔ジョルジュ・〕キュヴィエ男爵〔一七六九―一八三二〕〔『動物界・第四巻哺乳類』一八二七年〕

「南緯四〇度の海域で、われわれはマッコウ鯨を目撃することになったが、五月一日までは一頭も捕獲できなかった。その日、海は鯨でおおわれていた」

——コルネット『マッコウ捕鯨業拡張のための航海』〔『南大西洋航海記』一七九八年所収〕

「眼下の海に泳ぐのは
言葉もえがけず、水夫も知らぬ
千変万化の色や形の魚たち、
たわむれに、あらそいに、追いつ、抜かれつ
のたうちまわる。恐ろしい鯨から
波ごとに無数にやどる虫にいたるまで、

浮島のように群がりて
ふしぎな本能にみちびかれ、海の荒野の道なき道を
面《つら》やあご、剣や鋸《のこぎり》、螺旋《らせん》の角《つの》や鉤《かぎ》ある牙で身をよそおう
鯨やサメや怪獣どもに襲われながらも
ただひたすらに進みゆく」

——〔ジェイムズ・〕モンゴメリー〔一七七一—一八五四〕「大洪水以前の世界」〔詩集『ペリカン島その他』一八二七年所収〕

「いざ、讃《たた》えよ、いざ、歌え
鰭《ひれ》もつ魚族の王のために。
大西洋の海原《うなばら》にも
これより強い鯨はないぞ。
北極海の氷海にも
これより太った鯨はないぞ」

——チャールズ・ラム「鯨の凱歌」〔『エグザミナー』一八一二年三月

〔一五日〕

「一六九〇年のこと、数人が高い丘に登って、鯨が潮を吹き、たがいに戯《たわむ》れあっているのを見ていた。そのときひとりが海原《うなばら》を指さして言った――あそこに見える緑の牧場にだな、わしらの子どもの曾孫《ひまご》たちがパンを稼ぎにゆくことになるだろう」

――オービッド・メイシー『ナンターケットの歴史』〔一八三五年〕

「わたしはスーザンと自分のために小さな家を建て、鯨のあご骨を組み合わせてゴシック風のアーチの門をこしらえた」

――ホーソーン〔「村の伯父さん」〕『トワイス・トールド・テールズ』〔第二版、一八四二年〕

「彼女は四〇年も前に太平洋で鯨に殺された初恋の人の墓石を注文するためにやってきました」

――〔ホーソーン「鑿《のみ》で彫る」〕同右

「『いや、あれはセミ鯨ですよ』とトムは答えた。『わたしはやつの潮吹きを見ました。キリスト教徒ならだれでも見たくなるような虹色《にじいろ》の潮を二本吹きあげていましたからね。本物の油樽《あぶらだる》ですよ、あいつは』」

——〔フェニモア・〕クーパー『水先案内人』〔一八二三年〕

「数種類の新聞がもちこまれたが、われわれは『ベルリン・ガゼット』で鯨が舞台に登場したという記事を読んだ」

——エッカーマン『ゲーテとの対話』〔マーガレット・フラー訳、一八三九年〕

「『おや、チェース君、いったいどうしたのだ?』『鯨に穴をあけられたようです』とわたしは答えた」

——『太平洋上において巨大なるマッコウ鯨に襲われ、ついに沈没するに至ったナンタケットの捕鯨船エセックス号にまつわる遭難の物語』同船の一等航海士オウエン・チェース著。ニュー

ヨーク、一八二一年

「小夜《さよ》ふけて、水夫ひとり支檣索《シュラウズ》のうえにとまり
　風は飄々《ひょうひょう》と吹きつのり
青く冴《さ》えたる月、また照り、また翳《かげ》る。
燐光《りんこう》を放っておぼろに光るは
　海にのたうつ鯨のわだち」

——エリザベス・オークス・スミス〔一八〇六—一八九三〕〔「溺死《できし》せし水夫」、『スミス詩集』一八四五年所収〕

「この一頭の鯨を捕獲するために繰り出されたロープの総量は一万四四〇ヤード、およそ六マイルに達した……
　鯨はときにその尾を空中高く振りあげて鞭《むち》のように打ちすえる。その音は三、四マイルの遠方までとどく」

——スコーズビー〔一七八九—一八五七〕〔『極地報告、および北洋捕鯨の

歴史と記述』一八二〇年〕

「この新手の攻撃から受けた苦痛に耐えかね、ついに鯨は怒《いか》り狂い、反転に反転を繰り返しながら、その巨大な頭をもたげ、大口を開いて手あたり次第にかみつき、ボートには頭突きをくわせてくる。ボートは必死で逃げるが、なかには追いつかれて完全に破壊されるものもある。

……これほど興味をそそり、商業的見地からすれば、これほど重要な（マッコウ鯨のごとき）動物についての考察がこれほど無視されてきたとは、またこれほどおおくの有能な人士のまともな関心をひかなかったとは、まことに奇異なことである。ましてや、近年に至っては、この動物の習性を観察する機会はふんだんに増し、その手段も格段に便利になったことをかんがえるなら、なおさらのことである」

――トマス・ビール『マッコウ鯨の博物誌』一八三九年

「カシャロ（マッコウ鯨）はその体の両端に恐るべき武器を有している点において、ホン鯨（グリーンランド鯨あるいはセミ鯨）よりはるかによく武装されているばかりでなく、これらの武器をはるかに頻繁に攻撃に利用する。またその利用法たるや、まことに巧妙、豪胆、悪辣《あくらつ》至極であるゆえ、今日しられているあらゆる鯨類のうちで攻撃を仕掛けられるといちばん厄介な種類の鯨であると目されている」

——フレデリック・デベル・ベネット『世界一周捕鯨航海記』一八四〇年

「一〇月一三日。『潮吹きだ！』という声が檣頭《マスト・ヘッド》からかかった。
『どっちの方向だ？』船長が聞いた。
『船首より風下側《かざしも》に三ポイントです』
『舵《かじ》、風下にとれ！　進路そのまま、ようそろ！』
『進路そのまま、ようそろ』
『おーい、檣頭の者！　いま鯨は見えるか？』
『アイ、アイ、サー！　マッコウの群れです。そら、吹いた！　そら、跳《と》んだ！』
『さけべ！　そのつどさけべ！』
『アイ、アイ、サー！　そーら、吹いた！　そーら——そーら——そーら——吹いた

——吹いた——吹ううういた！』
『距離はどうだ？』
『二マイル半です』
『これはしたり！　そんなに近いのか！　全員集合！』」
——J・ロス・ブラウン『ある捕鯨航海の素描』一八四六年

「これから物語るつもりの恐るべき事件が起きたのはナンタケット島に籍をおく捕鯨船『グローブ号』上においてだった」
——生存者レイとハッシーによる「『グローブ号』反乱の証言録」西暦一八二八年

「かつて自分が傷を負わせた鯨に追跡されて、彼は、当初のところ、槍《やり》で適当にあしらっていたが、ついに鯨がボートにむかって突進してくるにおよび、彼とその仲間は襲撃がさけがたいことを悟り、海に飛びこんで事なきを得た」
——タイアマンおよびベネット『伝道日誌』（ジェイムズ・モンゴメリ

ー編『航海と旅の日記』ロンドン、一八三一年。ボストン、一八三二年所収〕

「ウェブスター氏曰《いわ》く――『ナンターケットそのものが、わが国の国益にとってきわめて重要かつ特異な地位を占めるのであります。かの島は七千ないし八千の人口を擁《よう》し、海に生き、大胆にして勤勉なる生業《なりわい》によって、わが国の富の増大に多大の貢献をなしているのであります』」

――ナンターケットの防波堤建造請願にあたり、合衆国上院において行なわれたダニエル・ウェブスター〔一七九二―一八五二〕の演説録、一八二八年〔五月二日〕

「鯨はまともに彼の体のうえに落ちてきた。おそらく即死であったろう」

――ヘンリー・T・チーヴァー師〔一八一四―一八九七〕『鯨とその捕獲者、またはプレブル提督が帰航の途次に収集せる捕鯨者の冒険談と鯨の生態』〔一八四九年〕

「『ちょっとでも音をたててみろ』サミュエルは答えた、『地獄に送ってやるからな』」

——その弟ウィリアム・コムストックによる『サミュエル・コムストック(反乱者)の生涯』(一八四〇年)。捕鯨船「グローブ号」反乱物語の異本(一八四五年)

「オランダ人およびイギリス人による北洋航海は本来インドへの航路発見を意図したものであったが、その主要目的の達成には失敗したとはいえ、鯨の牙城への途を開いた」

——マカロック(一七八九—一八六四)『商業事典』(一八三二年)

「両者は相互補完的なものである。ボールははね返されても、また弾《はず》むようなもので、鯨の漁場を開拓する意図を抱いて、捕鯨業者は同様に神秘的な北西航路を間接的に発見したものとおぼしい」

——未刊行の「某書」より

「洋上で捕鯨船に出あう者は、その外見を一瞥《いちべつ》しただけで感銘を受けずにはいられない。捕鯨船が帆を縮《ちぢ》め、檣頭《マスト・ヘッド》に見張りをつけ、周囲の大海原《おおうなばら》を虎視眈々《こしたんたん》と監視しているさまは、定期航路に従事している他の船舶とはまったく異なった雰囲気をもっている」

——〔チャールズ・ウィルクス〕「海流と捕鯨」、『アメリカ合衆国探検物語』〔一八四四年〕

「ロンドン近郊その他を散策したことのある者なら、湾曲した大きな骨が地面に立てられ、アーチ状の門構えや庭園の入口として利用されているのをご覧になったことがあろう。また、それらが鯨の肋骨《ろっこつ》であるという説明を聞かれたことであろう」

——〔ロバート・P・ギリーズ〕『北極海へ捕鯨航海に出たある船乗りの物語』〔一八二六年〕

「白人の船員たちが鯨の追跡からボートで本船に戻ってみると、驚いたことに、船は水夫として雇った蛮人たちの血なまぐさい手によって簒奪《さんだつ》されていることが判明した」

――捕鯨船「ホボモック号」の簒奪と奪還に関する新聞記事

「(アメリカの)捕鯨船の乗組員で、乗り組んだ船に乗って戻ってくる者が僅少であることは周知の事実である」

――〔ジェイムズ・A・ローズ〕『捕鯨艇航海記』〔一八四八年〕

「突然、巨大なかたまりが水中から姿をあらわし、垂直に空中へ跳《と》びあがった。それは鯨だった」

――〔ジョゼフ・C・ハート〕『ミリアム・コフィンまたは鯨捕りの男たち』〔一八三四年〕

「たしかに鯨に銛《もり》を打ち込むことはできる。だが、かんがえてもみたまえ、元気溌剌《はつらつ》たる若駒の尻尾《しっぽ》の根もとに縛《しば》りつけたロープ一本で若駒をあやつれるものかどうか」

――〔W・A・G〕『肋材と檣冠』〔一八四二年〕の鯨に関する一章から

「あるときわたしは、おそらくオスとメスだと思われる二頭の怪物(鯨)が、ブナの木が枝をひろげる(ティエラ・デル・フェゴの)海岸から石を投げればとどくほどのところを、あい前後して、ゆっくりと泳いでいるのを見た」

——ダーウィン『一博物学者の航海』(『ビーグル号航海日誌』一八三九年)

「『後退!』と航海士がさけんだ。振りむくと、巨大なマッコウ鯨が大口をひらいてボートの舳先《へさき》に迫り、いまにもボートを粉砕しようという勢いだった——『後退だ! 命がけでこげ!』」

——(ハリー・ハリヤード)『鯨殺しのウォートン』(一八四八年)

「そらゆけ若いの、どんといけ
鯨めがけて銛《もり》が飛ぶ、どんとな」

——ナンターケット民謡(前掲J・ロス・ブラウン『ある捕鯨航海の素描』から)

「おお、年古《ふ》りにし鯨の長老《おさ》よ、
風吹き荒れる海こそが汝《なんじ》の住処《すみか》。
そこでは力が正義、正義が力、鯨が力、
大海原《おおうなばら》の王者、おお、鯨よ」

——「鯨の歌」(前掲チーヴァー師『鯨とその捕獲者……』のタイトル・ページから)

第一章　まぼろし

わたしを「イシュメール」(4)と呼んでもらおう。何年かまえ——正確に何年まえかはどうでもよい——財布がほとんど底をつき、陸《おか》にはかくべつ興味をひくものもなかったので、ちょっとばかり船に乗って水の世界を見物してこようかと思った。それがわが凶暴性をなだめ、血行をととのえるわたしなりの方法だった。口をへの字にゆがめている自分にふと気づくときとか、こころに冷たい一一月の霧雨《きりさめ》がふるときとか、棺桶《かんおけ》屋の店先でふと足をとめたり、道で葬列にあうと、われにもあらず行列のしんがりについて行くようなときとか、また憂鬱《ゆううつ》の気がいやまさり、よほどの自制心を発揮しないと、わざわざ通りにとびだし、人さまの帽子をひとつひとつ叩き落としてやりたくなるようなときとかには――そういうときには、海に出かける潮時だ、とわたしはいつも納得する。これがわたしのピストルと弾丸《たま》の代用品だ。カトー(5)は哲学的な美辞麗句をならべたうえで剣のうえに身をふした。わたしはだまって船に乗る。これはべつに驚くにあたらない。海のことをすこしでも知っておれば、ほとんどあらゆる人間は、程度の差こそあれ、いつの日か、大海原《おおうなばら》に対して、わたしときわめて酷似した感情をいだくにいたるものである。

さて、かつてマンハットー族が住んでいた島(6)に今では都市がたち、インドの島々がサンゴ礁にかこまれているように波止場にかこまれ――貿易の波に打ち寄せられている。右へ行こうと左へ行こうと、道はみな水辺に通ずる。島のはずれの下町が砲台になっていて、その高貴な防波堤は波に洗われ、二、三時間まえには陸地から見えない洋上にあった涼風にそよ吹かれている。そこに群がる水に見入る者たちを見よ。

夢見るような安息日の昼下がりにでも、この町をひとめぐりしてみるがよい。コーリアズ・フックからコエンティーズ・スリップへゆき、そこからホワイトホール街を北上する。すると、何が見えるか？――町のまわりを何千何万という生身の人間が海の瞑《めい》想《そう》にふけりながら哨兵《しょうへい》のように黙然と立ちつくしているのが見える。杭《くい》にもたれている者がいる。岸壁のへりに腰かけている者がいる。シナからきた船の舷牆《ブルワーク》からのぞきこんでいる者がいる。もっとよく沖まで見ようという魂胆か、帆柱高く、索具《さくぐ》に腰かけている者がいる。しかし、この連中はみな陸地の人間なのだ。週日は木摺《きずり》と漆喰《しっくい》に、つまり壁にかこまれ——帳場につながれ、椅子《いす》に釘《くぎ》づけにされ、机にしばりつけられている連中なのである。これはいったいどうしたことか？　緑の草原が消滅したとでもいうのか？　ここで彼らは何をしているのか？

だが、見よ！　もっと大勢の連中がやってくる。海辺にむかってまっしぐらに、そのまま飛び込まんばかりの勢いで。奇妙なことだ！　陸地の果ての果てまでゆかねば気がすまないのだ。あのへんの倉庫の小暗《おぐら》い風下《かざしも》をうろついていたのでは満足できないのだ、断じて。転落ぎりぎりのところまで水際にせまらなければ満足できないのだ。そして、そこに彼らは立ちつくす——何マイルも、何リーグも——列をなして。みんな陸《おか》の人間なのだ。それが路地から、横丁から、小通りから、大通りから——北から、東から、南から、西からやってくる。しかも、ここでみんながひとつになる。海辺に浮かぶ船たちの羅針盤の磁力が連中をそこにおびき寄せるのだろうか？

再度、言う。きみが都塵をはなれた、湖の点在する高原にいるとしよう。どんな小道をゆこうと、十中八九、きみは山あいの渓流のよどみのほとりにたどりつく。そこには魔法がある。瞑想癖がある人物に、深い夢想にふけらせ――両足で立たせ、足を動かすようにしむけてみよう。あたりに水があるかぎり、かならずやその男は、きみを水辺にいざなうだろう。もしきみがアメリカの大砂漠を幌《ほろ》馬車で進行中で、喉《のど》がかわき、かつ一行に偉大な哲学教授がひとりいるとしたら、この実験をしてみるがよい。しかり、万人周知のごとく、瞑想と水とは永遠に結ばれているのである。

しかし、ここにひとりの画家がいるとする。画家は、ソーコ渓谷(7)のロマンティックな風景のなかでも、ことさらに夢幻的で、陰影にとみ、静謐《せいひつ》で、魅惑的な「絵」をきみにえがいてみせたいとねがう。画家は主題に何をえらぶか？　かなたには、仙人が住むのか十字架像がひそむのか、それぞれの幹に空洞をもつ木々が立ちならび、こなたには、牧草地がまどろみ、家畜がまどろみ、そのむこうの田舎家《いなかや》からは眠たげな煙が立ちのぼる。はるか森林の奥深くへと一条の小道がまがりくねり、はては青々とつらなる山並みの山襞《やまひだ》に消えてゆく。だが、この一幅の絵がこのようにまどろんでいようと、またその松の木が枝をふるわせてため息を松葉のように牧童の頭上にふりそそいでいようと、その牧童の視線が眼前の魔法の水の流れにひたとそそがれていなければ、すべては無益なのだ。六月に大草原《プレリーズ》をたずねてみたまえ。何十マイルにもわたって鬼ユリに膝までひたってあるいたところで——何か魅惑がひとつ欠けてはいまいか？——水だ——あそこには水が一滴もない！　もしナイアガラが砂の瀑布《ばくふ》だったら、きみは千マイルもの旅をしてまで、あれを見にいくだろうか？　かのテネシーの貧乏詩人が、はからずも、ふたつかみほどの銀貨を手にしたとき、ひどく必要としていた外套《がいとう》を買うか、それともロカウェイ・ビーチ(8)までの徒歩旅行の費用にするか、で思いなやんだのはなぜか？　頑強で健全な魂をそなえた頑強で健全な少年は、ほとんど例外なしに、一度は海に行きたいという熱にうかされるのはなぜか？　船客としてはじめて航海に出た者が、船がはや陸《おか》の見えない沖にさしかかったことをはじめて知らされると、なぜ、あれほどふしぎな戦慄《せんりつ》をおぼえるのか？　なぜ、いにしえのペルシャ人は海を聖なるものとかんがえたのか？　なぜ、ギリシャ人は海に独自の神格をさずけ、主神ジュピターの弟分としたのか？　たしかに、これらすべてにはそれなりの意味がある。それにもまして深甚な意味が、水面《みなも》にうつる悩ましくもやさしいまぼろしをつかもうとして果たせず、ついに泉に身を投じて溺《おぼ》れ死んだ、あのナルキッソスの話にはある。しかし、そのおなじまぼろしを、われわれ自身があらゆる川や海に見るのだ。それこそが捕らえようとして果たせぬ人生のまぼろしの似姿であり、これこそが人生のすべてを解く鍵である。

さて、目がかすんできたり、肺臓のことがやたらと気になりはじめるときには、わたしは海にゆくのをならいにしてきたと言ったが、船客として海にゆくと思ってもらってはこまる。船客として海にゆくとなれば、財布がいる。それに財布は何がしかの中身がなければ、ただの布切れだ。そのうえ、船客は船酔いをする——けんかっぱやくなる——夜よく眠れない——つまり、一般論として、船客はあまりたのしめない。だから、わたしは船客として海には行かない。これでもわたしはいっぱしの船乗りのつもりではあるが、提督、船長、司厨長などとして海に出るのではない。そういう仕事の栄光と名誉は、そういうものがほしい連中にくれてやる。わたしは、あらゆる種類の、高貴で尊敬すべき苦労、試練、艱難《かんなん》とやらはごめんだ。自分自身の面倒をみるだけで精いっぱいだ。三本マストにせよ、二本マストにせよ、スクーナーにせよ、とても船の心配まではしきれない。料理人として海に行くのも——船では料理人は上級船員あつかいで、その職責たるやかなり栄光にみちたものであることは認めるにしても——さりとて、わたしは自分が鶏《とり》を料理するさまを想像したことはない。もっとも、いったん焼きあげ、慎重にバターをぬり、分別をはたらかせて塩と胡椒《こしょう》をふりかけたブロイルド・チキンとなれば、敬虔《けいけん》にとまではいかぬまでも、敬意をこめて語ることにかけては人後に落ちるものではない。古代エジプト人がトキの丸焼きやカバのローストをこよなく好んだからこそ、あのピラミッドという巨大な天火のなかにトキやカバのミイラが見られるのである。

さて、かくして、わたしが海にゆくときには、ただの平水夫としてゆき、前檣《マスト》のまんまえ(9)に陣取り、船首楼《フォクスル》にもぐりこんだり、最上段檣頭《ロイヤル・マスト・ヘッド》によじのぼったりする。たしかに、あれこれ命令される立場で、五月の牧場のバッタよろしく、あっちの帆桁《ほげた》からこっちの帆桁へと飛びまわらせられる。はじめのうちは、この種の仕事は不愉快きわまる。とりわけ、きみがヴァン・レンスラー家とか、ランドルフ家とか、ハルディカヌート家(10)とかいった名家の出となると、自尊心が傷つく。もっとひどいのは、この水夫稼業に手をそめる寸前まで田舎教師(11)をしていて、いちばん背の高い少年でさえ、おののきおびえさせるほどの権勢をふるっていた者のばあいだ。教師から水夫への転落はじつに過酷なものだ。その落差を笑みを浮かべて耐えるためには、セネカ(12)とストア派をあわせて調合したほどの強力な煎《せん》じ薬が必要だ。が、これもやがて時が解決してくれる。

いやったらしい老いぼれ船長がわたしに、ほうきをもってきて甲板を掃除しろと命令したからといって、それがどうしたというのか？　その屈辱は、たとえば、新約聖書の事例に則して勘案するなら、何ほどのことがあろうか？　わたしが老いぼれの命令に唯々《いい》諾々《だくだく》と応じ、命じられるがままに仕事をしたからといって、かの大天使ガブリエルがいくらかでもわたしをよけいに軽蔑するだろうか？　この世に奴隷でないような者がいるだろうか？　いるなら、言ってもらいたいものだ。となれば、老いぼれ船長がどんな命令をわたしに発しようと――どんなにわたしをこき使い、小突きまわそうと、それはそれでよいのだとわたしは納得して文句は言わない。だれもが、何がしかの流儀で、おなじような仕打ちをうけている――肉体的見地からしても精神的見地からしても、ということだ。だから小突かれるのは世のならい、全員おたがいに傷をなめあって、満足しているよりほかないのだ。

　くりかえすが、わたしはいつも水夫として海にゆく。水夫としてゆけば、仕事には駄賃がでる。ところが一セントにもせよ船客に金を支払うという話は聞いたことがない。反対に、船客は金を支払わねばならない。ところで、支払うのと、支払われるのとでは大ちがいだ。支払うという行為は、あのアダムとイヴというふたりの果樹園泥棒が人類にのこしてくれた迷惑のなかでも最たるものである。しかし、支払われる――これはいったい何に比肩しうる悪なのか？　人間が金を受け取るさいの優雅な物腰は、金こそこの世の諸悪の根源にして、金持は天国に入りがたし、(13)ということがまともに信じられているることを勘案するなら、まことに驚嘆すべきことである。ああ！　われわれはなんと無邪気に破滅に同意していることか！

これで最後にするが、わたしはいつも水夫として海にゆく。前甲板には健康にほどよい運動と、きれいな空気があるからだ。娑婆《しゃば》でとおなじように、船上でも舳先《まえ》からくる風のほうが船尾《うしろ》からくる風よりも(ピタゴラスの金言(14)に違反しないかぎりの話だが)よほど上等であることになっているが、後甲板にいる提督はたいてい前甲板にいる平水夫から二番手の空気をもらっていることになる。自分ではお初を吸っているつもりなのだが、そうではないのだ。他のおおくのばあいもそうで、平民が指導者を指導しているのに、指導者にはそれがほとんどわかっていない。それにしても、商船の乗組みとしていくども海の香りをかいだことのあるこのわたしが、どうして捕鯨航海に出かけようと思い立ったのだろうか。これについては、目に見えぬ「運命(15)」という密偵、いつもわたしに目を光らせ、ひそかにわたしにつきまとい、なんともいわく言いがたい手口でわたしに影響をあたえつづける密偵――こいつがいちばんよく承知している。たしかに、わたしがこの捕鯨航海に出ることは、とうのむかしに作製されていた神意の大番組の一部に組み込まれていたにちがいない。わたしの出番は前後に大出し物をひかえた短いひとり芝居か幕間《まくあい》狂言といったもの。わたしの出番にかかわる芝居のビラはだいたいこういうものだったにちがいない。

「合衆国大統領をえらぶ大選挙戦」

「イシュメールなる者による捕鯨航海」

「アフガニスタンにおける血なまぐさい戦闘(16)」

どうして「運命」なる舞台監督が、このわたしには捕鯨航海などというさえない役柄をあてがいながら、ほかの連中には崇高《すうこう》なる悲劇の壮麗なる役柄、客間喜劇の短く簡単な役柄、笑劇の陽気な役柄をあたえたりするのか、わたしにはしかと理解しかねる——しかとは理解しかねるが、諸般の事情を思い返してみると、動因とか動機がさまざまな扮装をまとって狡猾にも立ち現れて、わたしをたぶらかせてくだんの役柄を演じさせながら、それがもっぱらわたし自身の不動の自由意志と賢明な判断力に由来する選択の結果にほかならないとする錯覚にさそいこむ仕組みが、その動因と動機の正体ともども、わたしにもすこし見えてきたような気もする。

こういう諸動機のうちの主たるものは、巨大な鯨そのものの圧倒的な観念である。このような強力にして神秘的な怪物はわたしの好奇心をそそってやまない。鯨がその島のような巨体をくねらせる遠い荒海、名状しがたい鯨の脅威、それにともなう数かぎりないパタゴニア的(17)とでも言うべき光景と音響の驚異が、わたしのこころをゆさぶり願望をかきたてた。おそらく余人には、こんなことは誘因とはならなかったろうが、わたしときては、遼遠《りょうえん》なる事物につきせぬ渇望をおぼえているのだ。わたしは禁断の海を帆走し、蛮地に上陸するのをこのむ。善なるものを無視するわけではないが、わたしは恐怖にも敏感であり、そうでありながら——できうるならば——恐怖とも共存していきたい。人が住むところ、生きとし生けるものが仲良くやっていくのはよいことではないか。

以上のような理由により、捕鯨航海はわが望むところであった。驚異の世界の大いなる水門が打ち開かれると、わたしをこの目的へといざなった狂おしい想念のなかに浮かんできたのは、二頭ずつ連なる鯨の列がわが魂の最深部へと遊弋《ゆうよく》してゆく光景であった。そして、その行列のどまんなかには、空にそびえる雪山のように巨大な頭巾《ずきん》をつけた妖怪のまぼろしがあった。

第二章　カーペット・バッグ⒅

　わたしは使いふるしのカーペット・バッグにシャツを一、二枚つめこむと、それを小脇にかかえて、ホーン岬と太平洋をめざして出発した。なつかしのマンハットーの町に別れを告げると、ほどなくニュー・ベッドフォードについた。時は一二月の、とある土曜の夜。残念ながら、ナンターケット行きの小型連絡船はもう出たあとで、かの地へゆく手段は翌週の月曜日までは皆無という。

　捕鯨という苦難と懲罰《ちょうばつ》にすすんで参加しようとする若者は、たいていこのニュー・ベッドフォードに足をとめ、それから海に乗り出すのだが、わたしにそのつもりがなかったことは、話しておいたほうがよかろう。わたしはナンタ一ケット以外の船で海に出るつもりはなかったのだ。それというのも、かの由緒あるナンタ一ケット島にまつわるものには、いずれもすぐれて豪快な何かがあって、それがいたくわたしの気にいっていたからである。最近でこそニュ一・ベッドフォ一ドが捕鯨産業を徐々に独占しつつあり、この点については、かの古き不憫《ふびん》なるナンタ一ケットは遅れをとっているが、ナンタ一ケットこそはニュ一・ベッドフォ一ドの生みの親――カルタゴに対するチュロス(19)――であって、アメリカで最初に、死んだ鯨が岸に打ち上げられた場所でもある。いったいナンタ一ケット以外のいかなる土地から、かの原住民の鯨捕りたる赤色人種が最初にカヌ一に乗って出撃し、巨鯨を海に追ったとかんがえられるだろうか？　それにまた、ナンタ一ケット以外のいかなる土地から、最初の小さな一本マストの果敢な小舟が、積荷の一部に本土からもちこんだ丸石をつんで船出し――と伝承にあるのだが――それを鯨に投げつけ、船首斜檣《バウスプリット》から銛《もり》を打ち込む距離の目安にするというような果敢な行為に打って出ることになろうか？

さて、一夜と一日、さらにもう一夜、目的の港に到着するまでにニュ一・ベッドフォ一ドに滞在しなければならないとなれば、そのあいだ、どこで寝て、どこで食べるかが問題になってくる。その夜はきわめてうろんな気がする、いや、やけに暗くて陰気で、身を刺すように冷たく、わびしい夜だった。この地に知人はいなかった。不安になってポケットを指先でひっかいてみたが、銀貨が二、三枚ひっかかってきただけ——そこでわたしは、バッグを肩に、わびしい通りのどまんなかに立ち、北側の暗がりと南側の暗がりとを見くらべながら、なあ、イシュメールよ、どっちへ行って、どこで一夜をすごすにしてもだな、親愛なるイシュメールさんよ、まずは値段をたしかめ、あまり贅沢《ぜいたく》は言わんことだな——と自分自身に語りかけた。

おずおずした足取りで通りをすすんでいくと、「銛十字館《クロスト・ハープーンズ》」という看板のまえをとおりかかった——しかし、そこは高すぎるし、にぎやかすぎるように思えた。もうしばらく行くと、「剣魚亭《ソードフィッシュ・イン》」の明るく赤い窓から、熱い光がさしだしていて、そのせいか、この宿のまえだけは氷雪のかたまりはとけてなくなっていた。というのは、ほかの場所では、凍《い》てついた霜柱が一〇インチほども堅固なアスファルトの舗道に根を生やしていたからだが——それにしても、そのとんがった霜柱を足でふみつけるのは、なんとも気の滅入る仕事だった。過酷で容赦ない使い方をしたものだから、わがブーツの靴底は見るも無残な状態になっていたのだ。一瞬足をとめ、路上にもれてくる明るい光をながめ、屋内から聞こえてくるグラスのふれあう音を耳にしながら、ここも高すぎるし、

にぎやかすぎるな、とわたしはまたしてもかんがえた。さあ、行くのだ、イシュメール、聞こえないのか？　その入口のところから身をひけ。おまえのつぎはぎだらけのブーツが出入りの邪魔をしているぞ。かくしてわたしはその場を去り、こんどは本能的に海辺へ通じる道をえらんですすんだ。そちらのほうには、豪奢《ごうしゃ》ではないにしても、安い宿がありそうだった。

なんと荒寥《こうりょう》たる通りだろうか！　両側にあるのは、暗黒の固形物で、家ではない。それに、ところどころに、ロウソクの火が見え、それがまるで墓石のまわりを動いているように見える。夜のこの時刻だというのに、しかも週の最終日だというのに、町のこの界隈《かいわい》はさながら廃墟だ。しかし、やがてわたしは軒の低い、間口のひろい一軒の建物から煙にくすんだ一条の光がさすあたりにさしかかった。その入口は人を招き入れるかのように開いていた。公共の用に供するための施設にありがちな、さりげないたたずまい。そこで、入場することにしたが、とたんにわたしをみまった災難は、灰の箱につまずくことだった。やれ、やれ、と舞い上がる灰に息をつまらせながら、わたしは思った——こいつは神罰によって焼きつくされたあの悪徳の都市ゴモラ(20)の灰じゃあるまいな？「銛十字館」「剣魚亭」——となれば、おつぎは「罠屋《トラップ》」とこなくてはなるまい。ままよ、

わたしは立ちあがり、屋内からする大声にこころひかれて、歩をすすめ、二番目の、内側の扉をあけた。

それはさながらトペテにおける大暗黒会議の議場。百もの黒い顔がいっせいに振り向いて、わたしを見た。そして、かなたの祭壇では、裁きの黒天使が一冊の本を打ちたたいていた。それは黒人教会だった。説教の題目は暗闇の黒さ(21)についてであり、そこで泣き、わめき、歯ぎしりする者についてであった。いやはや、イシュメールよ、とわたしはあとじさりしながら、つぶやいた――「罠屋」という看板にいつわりなしか、とんでもないご相《しょう》伴《ばん》にあずかったものだ！

なおもあるきつづけて、波止場の近くまで

くると、おぼろな灯火《ともしび》らしき光を目にし、空中にわびしげにきしむ音を耳にした。見上げると、扉から吊り看板がひとつぶらさがり、扉には白っぽいペンキ絵がえがかれていて、それは高く垂直にたちのぼる霧のような鯨の潮吹きにどことなく似ていなくもなく、その下には――「潮吹き亭《スパウター・イン》――ピーター・コフィン」という文字が見える。

コフィン？　棺桶《コフィン》？　潮吹き《スパウター》？　この取り合わせには何やら不吉なものがあるぞ、とわたしは思った。ところが、人の言うところによれば、コフィンはナンターケットではざらにある苗字だそうだから、このピーターはナンターケットからここに移住してきたのだろう。照明はひどく暗く、宿屋としては、当座のところ静寂だし、そのうえ荒れ果てた小さな木造家屋そのものには、どこか焼け跡から引きずってきたようなけはいがあり、それにあの吊り看板は貧困にあえぐような悲鳴をあげていることにかんがみ、これぞお目当ての安宿、上等の豆コーヒーにありつける場所とわたしは判定した。

奇異な感じのする場所だった――切妻《きりづま》壁の古屋敷で、まるで中風で半身不随になったように、無残に一方にかしいでいる。それに建物は吹きっさらしの角地にたっていて、ここを襲う烈風ユーロクリドン(22)は聖徒パウロの小舟を転覆させようとした烈風にいやまさる。しかしこのユーロクリドンも、家のなかにいて、暖炉の仕切り石に足をのせて暖をとりながら寝支度をする者にとっては、まことにここちよい微風《そよかぜ》にすぎない。「かのユーロクリドンなる疾風をかんがうるに」と、あるいにしえの著作家が書いていて、その著作の現存する唯一の古装飾本をわたしは保持しているが、それによると——「霜をことごとく外に追いやりて、それを窓ガラスの内側より見るのと、霜が内にも外にもありて、それをガラスなき窓を通して見るのとでは大違いなり。後者に属する唯一のガラス細工師は死神にほかならず」とある。この文言《もんごん》を思い出したとき、わたしは深いうなずきとともに納得した——黒文字(23)の筆者よ、うまいことをおっしゃるではないか。しかり、この目は窓で、この体は家だ。あちこちの節目や割れ目に目張りをしたり、詰め物をしておいてくれなかったのは残念至極。しかし、いまでは改良しようにも手遅れだ。宇宙はもはや完成している。仕上げの笠石はすでに置かれ、削りくずは百万年もまえに片づけられている。そこの、あわれなラザロ(24)よ、路傍の縁石を枕に歯の根もあわず、震えのために身につけたぼろまで払い落としかねない人よ、両の耳にぼろ布で栓をし、口にトウモロコシの穂軸をつっこんだところで、あの疾風ユーロクリドンの難をさけることはできまい。ユーロクリドン！　と老いたる大富豪は、赤い絹のころもを身につけて（あとでもっと赤いのを身につけた）言う——ふむ、ふむ！　なんとよい霜がふる夜じゃ、オリオンのあのきらめきはどうじゃ、ああ極北のオーロラの光よ！　永遠の温室たる東洋の常夏《とこなつ》について語りたい者には語らせておこう。が、このわしには石炭でおのれの夏をつくる特権をあたえたまえ。

　しかしラザロはどうかんがえるのか？　その紫色の手を極北のオーロラの光にかざして暖をとるのか？　ここよりむしろスマトラにいたいと望まないのか？　赤道に沿って身をながながと横たえていたいとは思わないのか？　さよう、神々よ、霜をさけるために、地獄の業火のもなかに下りていってはなりませぬか？

　さて、ラザロが富豪ダイヴズの戸口の縁石に頭を置いて座礁するということは、モロッコ諸島のひとつに氷山が流れつくより奇異なことだ。ところが大富豪ときては、民衆の凍ったため息でできた氷の宮殿に住むロシア皇帝さながらの生活をしており、そのうえ禁酒協会[25]の会長でもあるから、孤児の

なまあたたかい涙でものむしかないのである。

油を売るのはこれくらいにしておこう。われわれは捕鯨に出るのだ。油ならこの先いくらでもある。まずは凍てついた足から氷をかきおとして、この「潮吹き亭」なる場所がどんなところか、見とどけようではないか。

第三章　潮吹き亭《スパウター・イン》

切妻《きりづま》づくりの「潮吹き亭」に一歩足を踏み入れると、そこは幅広く、天井の低い、奥行きのある入口の間《ま》で、古風な腰板が張りめぐらされていて、廃船寸前の老朽船の舷牆《ブルワーク》をしのばせる。片側の壁面にはむやみに大きな油絵がひとつ掛かっているが、一面が油煙ですすけているうえ、いたるところが破損していて、そのうえ不安定な干渉光のもとで見なくてはならないとあっては、よほど熱心に目をこらして吟味し、系統的な鑑賞をかさね、慎重細心に関係者の意見を徴するのでなければ、その絵の目的を理解するのは不可能に思われた。このなんとも説明のつかない色彩や陰影のかたまりを最初に目撃した者は、まずたいてい、ニュー・イングランドに魔女が出没した時代、さる野心的な若い芸術家が、魔にとりつかれた混沌の様相を絵にしようとこころみたのだろうとかんがえたことだろう。しかし、よくよく思案し、くりかえし熟考し、とくに入口の間《ま》の奥にある小窓を明けはなして観察すると、そのような考えは一見無稽なものにみえようとも、まったくの見当はずれでもないという結論に達することだろう。

しかし何よりも人をまどわせ、困惑させるのは、絵の中央の、その名状しがたい泡立ちのなかに、三本の青く、おぼろで、垂直な線が見えてきて、そのうえに、何やら長く、しなやかで、まがまがしい黒いかたまりが浮遊しているさまである。どうもベトベト、ヌルヌル、ドロドロした絵で、神経質な者なら目をそむけたくなるような代物《しろもの》だ。それでもこの絵には、どこか人のこころを魅惑してやまない、無限で、とらえがたく、想像を絶した崇高《すうこう》の気がただよい、よし、きっとこの奇妙な絵の意味を解いてみせずにおくものか、とわれにもあらず誓わせる何かがあった。見ているうちに、ときおり卓見が、だが結局はあだし思いが、ひらめいては消える――真夜中の嵐の黒海――四大元素(26)の超自然的闘争――嵐のあとのヒースの草原――極北の冬景色――氷結した「時」の流れが溶解するさま。が、そのような思いつきのことごとくは、やがて絵の中央の、あのまがまがしい強力な何ものかに収斂《しゅうれん》されてしまう。あれさえわかれば、あとはおのずとわかるのだが。だが、まてよ、あれは巨大な魚にどこか似ていないか？　あの偉大なレヴィヤタン(27)にさえ、似ていないか？

　事実、画家の意図は以下のようなものであったらしい。ただし、このわたしの最終理論のひとつにしても、わたしひとりの発明にかかるものではなく、この主題についてわたしが議論をかわした年配の人たちの意見を参考にしてまとめあげたものである。すなわち、この絵は暴風にもまれるホーン岬まわりの船をえがいたものである。なかば海中に没した船が、帆のちぎれた三本マストだけを見せて波間に翻弄されているところを、たけり狂った一頭の鯨が船を跳《と》びこそうとして、あわやその巨体を三本マストに串刺しにしようとしている図(28)である。

　この入口の間《ま》の反対側には、壁一面に異教徒のものらしい奇っ怪な棍棒《こんぼう》や槍《やり》がかざってあった。なかには白くきらめく歯がぎっしり埋めこまれたものもあって、さながら象《ぞう》牙《げ》製の鋸《のこぎり》といったものもあれば、人間の頭髪を房飾りにしたものもあった。また刃が鎌型をしたものもひとつあり、それには大きな柄《え》がついていたが、その曲がりぐあいときたら、長柄の草刈鎌で草地をさばいたときにできる刈り跡のように弓なりに湾曲していた。きみは見るだけでおぞけをふるい、こんな恐怖の撲殺道具をふりかざして死の収穫に奔走した極悪非道の食人種や野蛮人が実際にいたことを信じがたく思うことだろう。これらにまじって、錆《さ》びついた捕鯨用の槍や銛《もり》もあったが、いずれも古びて変形していた。なかには由緒ある用具もあった。いまでこそひどく曲がっているが、かつてはすらりとのびたこの長い槍で、五〇年まえ、ネイサン・スウェインが日の出から日没までに一五頭の鯨をあげたという。またあの銛は――いまでこそコルクの栓抜きみたいにねじれているとはいえ――かつてジャヴァ海で投擲《とうてき》され、そのまま鯨にもっていかれたが、その鯨は何年もたってからブランコ(29)岬の沖でしとめられた。もともと銛が打ち込まれたのは尾の付近だったのに、人間にはいりこんだ針が体内をうごきまわるように、銛は鯨の体内をまるまる四〇フィートも旅をして、とうとう背中のこぶのなかに安住しているのが見つかったという。

この薄暗い入口の間《ま》をすぎ、低いアーチ状の廊下――むかしはまわりにいくつもの暖炉がついていた中央大煙突をぶち抜いたものらしかったが――そいつをくぐり抜けると広間に出る。ここはなおさら陰気な場所だった。頭上には太い梁《はり》が低くはしり、下には古びた、しわだらけの床板が張ってある。とくにこの夜のように風がうなり、角地に錨《いかり》をおろしたこのおんぼろの箱舟がガタピシゆれるときには、老朽船の船底に足をふみいれたような気にもなるというものだ。一方の側には長くて低い棚のようなテーブルがあり、うえにはひびのはいったガラス・ケースがずらりと並んでいて、そのなかにはこの広い世界の隅々からあつめてきた珍品の数々がほこりをかぶって安置されていた。部屋のむこう側の隅に突堤のようなかたちの陰気くさい洞穴《ほらあな》がある――つまりバーがある――セミ鯨の頭部に似せようとしたお粗末な代物だ。しかし、その出来はともかく、そこに立っているのはアーチ状をなす鯨のあご骨で、その幅広さときたら、ゆうに馬車一台がとおり抜けられるほどである。内側には粗末な棚があり、古びたデカンター、ボトル、フラスコがずらりと並んでいる。そのすみやかなる滅びのあぎとのもなかに、かの呪われしヨナ(30)さながらの(事実、男はその名で呼ばれていた)しなびた小柄な老人がせわしなく立ち働いていて、水夫たちに、金《かね》と引き換えに、酩酊《めいてい》と死を高く売りつけていた。

いまわしきは、かの老人が毒をそそぐタンブラーの仕掛け。外側から見るとほんとうの円筒形をしているが――内側は、悪辣《あくらつ》にも、緑色の先細眼鏡さながらに下にいくほど先細りになっていて、あげくは上げ底。ガラスの表面には平行する子午線が何本もぞんざいに刻まれていて、この追いはぎまがいのゴブレットの周囲をぐるりとめぐっている。この線までだと、お代はたったの一セント。この線までだと、もう一セント。そんなあんばいで満杯まで――ホーン岬までってことだが、そこまで一シリングで行けるというわけ。

この部屋にはいったとき、一群の若い船乗りたちがテーブルをとりかこみ、うす暗い光をたよりにさまざまな鯨歯細工《スクリムシャンダー》(31)の品定めをやっていた。わたしが宿の亭主をさがして、一部屋ご都合ねがいたい、と言うと、返ってきたのは、満杯だ、という返事だった――あいてるベッドはひとつもない、と言うのだ。「だが、ちょっとまった」と亭主は額《ひたい》をポンとたたいて、「おまえさん、銛打ちとひとつ毛布で寝るのに文句はねえだろうな、え？　捕鯨に行こうってんだろう、そういうことにもなれておいたほうがよかろう」と言った。

ひとつのベッドにふたりで寝るのはわたしの趣味ではない。だが、どうしてもそうせざるをえないとなれば、相手の銛打ちがどういう御仁かが問題になる。やつ(亭主のこと)がほんとにわたしに寝場所を都合できず、銛打ちが絶対的に受け入れがたい御仁でないというのなら、こんな寒い夜に見知らぬ町をこれ以上さまよいあるくよりは、まともな男と毛布を半分わけして寝るほうがましだ――とわたしは言った。

「そうくると思った。よしきた。すわりな。晩めしは？　晩飯がくいたいか？　晩めしなら、すぐに一丁あがりだ」

わたしは古ぼけた長椅子《ながいす》に腰をかけた。それはバタリー公園(32)のベンチのように一面が彫り傷だらけだった。いまも長椅子のむこうの端では、ひとりの水夫が、物思いにしずみながらも、しごく熱心に、開いた股のあいだに頭を埋めるようにして、その空間にジャック・ナイフで装飾をほどこしている最中だった。どうやら順風満帆のめでたい船を彫ろうとしているらしいが、あまり進捗《しんちょく》していそうにないな、とわたしは思った。

やがてわれわれ四、五人に、隣室で食事だ、という声がかかった。その部屋はアイスランドのように寒かった――火の気がまったくない――亭主が言うには、そんな余裕はないのだ。火の気といえば、陰気な獣脂ロウソクが二本、ロウ流れの経帷子《きょうかたびら》にくるまれて置いてあるだけ。われわれはモンキー・ジャケット(33)のボタンを襟元《えりもと》までかけ、かじかんだ手をカップにそえて、やけどしそうに熱いティーを口元まではこぶよりすべはなかった。しかし食事は実質的なもので――肉にジャガイモ、それに、ゆで団子。やったぜ！　晩めしにゆで団子とは！　緑色の御者用マントを着た若造がひとり、猛然とゆで団子にしゃぶりついていた。

「お若いの、悪夢を見ることうけあいだな」と亭主は言った。

「親方、あいつが銛打ちじゃないでしょうね？」とわたしは小声でつぶやいた。

「ちがう、ちがう」亭主は、いたずらっぽい笑いを浮かべて言った。「銛打ちは肌の黒いやつだよ。やつはゆで団子なんかくわない――ステーキしかくわない、しかもレアでしか」

「すごいやつだ」とわたしは言った。「その銛打ちはどこにいるのですか？　宿ですか？」

「もうすぐくるさ」という返事。

わたしはその「肌の黒い」銛打ちというのが気になって仕方なくなってきた。ともかく、そいつといっしょに寝るはめになったら、まずそいつに着物をぬいでベッドにお入りいただくとしよう、こっちより先に、と思いさだめた。

夕食がすむと、一行はバー・ルームにもどったが、わたしとしては格別に用事もなかったので、寝るまでの時間を傍観者としてすごすことにした。

しばらくすると、おもてでさわがしい声がした。亭主はとっさに声をあげた。「グランパス号の連中だな。けさ沖合いに船の姿が見えたからな。四年ごしの航海だ。しかも鯨油は満杯。大漁だ、ばんばんざいだ。フィージー諸島のほやほやのニュースが聞けるぞ」

入口に水夫靴のドタバタする音がし、ドアがさっと開き、あらくれた水夫の一団がなだれこんできた。毛足の長い防寒コートに身をつつみ、継ぎはぎだらけでぼろぼろの毛糸のスカーフを頭に巻きつけ、ひげにはつららをぶらさげた連中は、まるでラブラドルからやってきた熊の一団のようだった。彼らは上陸したばかりで、これが最初に足をふみいれた家だった。彼らが鯨の口めがけて――つまりバーめがけて――突進したのもうなずける。すると、そこをつかさどる小柄のしなびたヨナ老人は、すかさず酒をなみなみとついだ杯《さかずき》を一同にくばった。ひとりが風邪をひいてひどく頭が痛いとぐちると、ヨナはたちどころにジンと糖蜜を調合した暗褐色の飲み物を調合し、これさえやれば、どんな風邪でもカタルでも、どんなに尾をひくしつこいやつでも、ラブラドル海岸沖でひいたやつだろうが、氷山の風上《かざかみ》でひいたやつだろうが、風邪なんか、ぴたり一発でなおる、と断言した。

どんな名うての大酒飲みにしても、海からあがったばかりの酒は格別で、たいていは頭にくるものだが、このアルコールもたちまち彼らの頭にきて、上を下へのどんちゃん騒ぎがはじまった。

しかし、そのなかにひとり、すこし群れをはなれている男がいるのに、わたしは気づいた。しらふでいるのが仲間のどんちゃん騒ぎに水をさす結果になるのを好んでいないようでありながら、およそ他の連中といっしょになって大声をだすことはなかった。わたしは即座にこの男に興味をいだいた。海の神々のはからいで、わたしはこの男とおなじ船に乗り組むことになったので(といっても、この物語に関するかぎり、「講仲間」どまりだったが)、ここでこの人物についてすこしばかり語らせていただくことにする。背丈はゆうに六フィートをこえ、ゆたかな肩幅に、コッファー・ダム[34]のように分厚い胸をしている。こんなに筋骨たくましい男にはめったにお目にかかれるものではない。顔は赤《しゃく》銅色《どういろ》に日焼けし、ために白い歯がいっそうまぶしい。その深いかげりのある目は、何か回想をこばむていの追憶をたたえている。その口調からすぐに南部人とは知れたが、その見事な背丈だけから判断するに、ヴァージニア州はアレガニー山脈の背の高い連中がおおい地方の出だと思われた。仲間のどんちゃん騒ぎが最高潮に達したころ、この男はだれにも気づかれずに姿をけし、わたしは、その後、おなじ船に乗ることになるまで会うことはなかった。しかし、数分もすると、どうやらよほど人気者だったらしく、彼がいなくなったことに気づいた船乗りたちはすっかり動揺して、「バルキントン！[35]　バルキントン！　バルキントンはどこへ行った？」とさけびながら、彼のあとを追って宿から駆け出していった。

　時刻は九時ごろだった。あの乱痴気騒ぎのあとで、部屋はほとんど超自然的に静まりかえっていた。そのせいか、あの船乗りたちが闖入《ちんにゅう》してくる直前にわたしの頭に浮かんだ妙案のことを思い出して、これは好都合だと合点した。

　誰だってひとつのベッドにふたりで寝るのは好まない。兄弟とだって、いっしょに寝るのは願い下げだ。どういうわけだか知らないが、人間、寝るときぐらいはひとりでいたい。それに見知らぬ町の、見知らぬ宿で、見知らぬ男と寝るとなれば、また、その見知らぬ男が銛打ちとなれば、だれだって嫌悪の情はいや増しに増す。水夫だからといって、ベッドにふたりで寝なければならない理由など毛頭ない。陸上の独身の王さまがベッドでひとりで寝るように、海上の水夫だってベッドでひとりで寝る。たしかに水夫はひとつの部屋にいっしょに寝るが、自分自身のハンモックがあり、自分自身の毛布にくるまり、自分自身の肌につつまれて寝るのだ。

あの銛打ちのことをかんがえればかんがえるほど、そやつと寝るという考えが耐えがたくなってきた。なにせ銛打ちなんだから、そやつの下着は、木綿にせよ毛にせよ、清潔至極でも、上等至極でもありえないことは、まず穏当に予想できる。体じゅうがむずむずしてきた。それに、もう夜もかなりふけてきた。かたぎの銛打ちなら、もう帰ってきて、寝支度をするころだ。この調子では、真夜中におれのところに転がりこんでこないともかぎらない——そやつがどんな不潔な穴ぐらからご帰館だか、わかったもんじゃない。

「親方！　あの銛打ちとの件はやめにします——そいつと寝るのはごめんです。このベンチで寝ます」

「どうでも好きなようにするんだな。だけど、テーブル・クロスを敷布がわりに使わせるわけにはいかんぞ。それに、この板はそうとうデコボコしている」——と亭主は椅《い》子《す》の節目や切り傷をなでながら言った。「だが、ちょっとまった、スクリムシャンダー(36)さんよ。バーに大工用のかんながある——まちな、いいか、わしがスベスベにしてやるから」そう言うと彼はかんなをもってきて、まず古ぼけた絹のハンカチでベンチのほこりをはらい、猛然とわたしのベッドにかんなをかけはじめたが、そのあいだずっと猿のように歯をむきだしにしていた。かんなくずは右に左にとびちり、とうとうかんなの刃が頑固な節目にぶつかる始末。亭主はすんでのところで手首をくじくところだった。そこでわたしはやめるように懇願《こんがん》した——ベッドはもうわたしにはほどよい柔らかさになったし、いくらかんなをかけたところで松の板が羽ぶとんになるわけでもあるまいし、と。すると亭主はまた猿みたいに歯をむいてから、かんなくずをかきあつめて、部屋のまんなかに鎮座ましますストーヴのなかにほうりこみ、自分の仕事にもどり、わたしはひとり物思いにふける仕儀にあいなった。

ベンチの長さをはかってみると、わたしには一フィートたりないことがわかった。だが、それは椅子をつぎたせばなんとかなる。しかし、椅子のほうは一フィート幅がせまいし、部屋にあるもうひとつのベンチは、かんなをかけたやつより四インチほど背が高いとくる——そうなると、この組合せも役に立たない。そこで最初のベンチを、そこだけがあいている壁の側面に、背中がしっくり収まるだけの隙間《すきま》をのこして、横づけにしてみた。ところが、窓枠の下から冷たい隙間風が吹きおろし、そのうえ、おんぼろの扉からくるもうひとつの風の流れが隙間風と合流して一連のミニ台風となり、わたしが一夜をすごす予定にしていた場所のあたりで猛威をふるうことがすぐに判明した。

鋲打ちのやつめ、鬼にでもくわれてしまえ、とわたしは思った。だが、まてよ、やつを出し抜く手があるぞ――内側から扉にボルトをかけ、ベッドにもぐりこみ、どんなにはげしくノックしても起きてやらないってのは、どうだろう？　それは悪くない考えに思えたが、かんがえなおして、やめにした。朝、部屋を出たとたん、何がおこるかわかったものじゃない。鋲打ちめが、わたしを叩きのばそうと待ちかまえていないともかぎらない！

そこで、もう一度あたりを見まわして、他人とベッドを共用するよりほかに一夜を無事にすごす手段が皆無であることを見とどけると、こんどは、自分がこの見知らぬ鋲打ちにいわれのない偏見をいだいているのではないか、とわたしはかんがえるようになった。もうすこしまとう、やつはもうすぐもどるだろうさ、とわたしはかんがえた。そして、しっかり品定めをしてみると、すこぶる愉快な同床の友ということにならないともかぎらない――いずれ世の中、先のことはわからない。

ほかの宿泊客はひとりで、ふたりで、また三人でもどってきて部屋に消えていったが、そのなかに鋲打ちの姿はなかった。

「親方！」わたしは言った。「やつはどんなタイプの人間ですか？　いつも夜ふかしなんですか?」時刻はほとんど一二時だった。

亭主はまたしても例の思わせぶりな薄笑いを顔に浮かべ、わたしにはさっぱり見当もつかないことでひどくおもしろがっているようだった。「いや、やっこさん、いつもは早起き鳥だ——早寝、早起き——そう、早起き鳥は虫にありつく。——しかし、今晩は行商に行ったのだから、どうしてこんなに遅いのかわからんね。やつの頭が売れなかったとでもかんがえないと、理屈が立たんな」

「やつの頭が売れない? あんまりでたらめな話をするのはよしてください」わたしは頭にきて言った。「親方、あなたの言いたいことは、あの銛打ちが、この聖なる土曜日の夜に、いやもう日曜日の朝方だけど、自分の頭を売るために町をほっつきあるいているってことですか?」

「ずばり、そのとおり」亭主は言った。「わしはやっこさんに言ってやった、ここでは頭は売れない、市場がだぶついとるからな、って」

「だぶついてるって、何が?」わたしは声を荒げた。

「むろん頭だ。この世には頭がおおすぎると思わんかね?」

「親方、ほんとのことを言わせていただきますがね」わたしは、つとめて冷静に言った。「そういう子どもだましみたいな話はやめてください——わたしはそんなにうぶじゃない」

「たぶんそうじゃあるまいが」と亭主は木切れをひろってナイフで爪楊枝《つまようじ》をけずりながら言った。「だけど、おまえさんがあの銛打ちの頭にけちでもつけてみろ、うぶもいわさず、たたきのめされちまうぞ」

「そんな頭、こっちがたたきわってやる」またしても亭主がわけのわからぬことを言うのに、わたしはカッとなって言った。

「それがもう、われている」と亭主。

「われている——いかれている？」とわたし。

「そのとおり、それだからこそ売れないでいる、とわしはにらんでる」

「親方」わたしは吹雪《ふぶき》のさなかのヘクラ火山[37]のように、冷静に亭主にちかづきながら言った。「親方、爪楊枝をけずるのはやめてください。わたしたちはおたがいに理解しあう必要があります。しかも早急に。わたしはあなたの宿にきてベッドをひとつ所望した。そしたら、ベッドは半分しかない、残りの半分は、とある銛打ちのものだ、とあなたはおっしゃる。そして、この銛打ちについて、わたしは一面識もないというのに、あなたは神秘めかした愚にもつかない話ばかりして、わたしと同衾《どうきん》させようとしている当の男に対して不快感をかきたてる――ベッドを共用する関係というのはですよ、親方、最高に親密かつ昵懇《じっこん》な関係にほかならない。ですから、この銛打ちがどういう素性のどういう人物で、一夜をともにしてもあらゆる点で安全かどうかについて、いまここで明言していただきたい。それに、まずは、その男が自分の頭を売りにあるいているという話を取り消していただきたい。もし話がほんとうなら、その銛打ちは正真正銘の狂人であるという証拠ですし、わたしは狂人といっしょに寝るつもりは毛頭ありません。いいですか、親方、あなたはですね、いいですか、わたしを故意にさような行為にいざなうとあらば、刑事訴追を免れないことになりますよ」

「やれやれ」亭主は長いため息をついて言った。「ところどころでとちったけど、若造にしては、まあまあの長広舌《ちょうこうぜつ》だった。しかし、落ち着いて、落ち着いて。わしがおまえさんに話してきたその銛打ちは、南洋からついたばかりの玉で、やっこさん、香でいぶしたニュージーランドの頭(これがなかなかの一品なんだ)をしこたま仕込んできたのはいいが、ひとつだけ売れ残った。その売れ残りを今晩さばこうという魂胆だ。とにかくあしたは日曜日だし、みんなが教会にゆく日に人間さまの頭を道端で売るのは、具合が悪かろう。このまえの日曜日には、やっこさん、本気で売るつもりだった。頭を四つ、タマネギみたいに紐《ひも》にとおして、行商に出かけるところを、わしが止めてやった」

この話でようやく謎もとけ、結局のところ、宿の亭主に悪気はなかったこともわかった――しかし、同時に、土曜日の夜から聖なる安息日にかけて、宿を留守にして、死んだ偶像崇拝者の頭を売るという食人種じみた商売にはげむ銛打ちのことをどうかんがえたらよいのだろうか？

「ことによると、親方、その銛打ちは危険な人物ではありませんか」

「支払いはちゃんとしている」という返事。「ところで、もうひどく遅い、もう転がったほうがよかろう――いい寝台だ。サルとわしが結婚初夜に寝た寝台だ。ふたりで飛んだり跳《は》ねたりしても余裕たっぷりの寝台だ。とにかく、でかくて頑丈なベッドだ。まだあのベッドを使っていたころには、サルは息子のサムと赤ん坊のジョニーをそのすそのところで寝かせたもんだ。ところが、ある晩、わしが夢を見て、のたうちまわり、何かの拍子でサムが床にほうりだされて、腕を折りそうになった。そのあとのことだ、サルがあのベッドはもうやめようと言いだしたのは。さあ行こう、すぐ灯《ひ》をともしてあげるから」亭主はそう言いながら、ロウソクに火をともし、わたしのほうにかざし、ついてくるように合図した。しかし、わたしはためらった。亭主は片隅の時計を見ると、大声で「もう日曜日だ――あの銛打ち、今晩中に帰港しそうにないな。どこかに錨を下ろしたらしい――だから、くるのだ、こいというのだ、きたくねえのか？」とさけんだ。

わたしはしばらく事態を熟考してから、いっしょに二階にのぼり、部屋に案内された。部屋は凍《い》てつく寒さだったが、なるほど、途方もなく大きいベッドが置いてあり、これなら銛打ちが四人並んで寝ても大丈夫だった。

「さあ、ここだ」亭主はそう言いながら、洗面台とセンター・テーブルの役をかねる水夫用の古ぼけた小物入れの箱のうえにロウソクを置いた。「さあ、ここでゆっくりしな、おやすみ。」ベッドから目をそらすと、もう亭主はいなかった。

ベッド・カヴァーをめくりあげ、寝台をくまなくしらべてみる。とてもエレガントとは言えないが、充分に詮索にはたえる代物だ。つぎに部屋を見てみる。ベッドとセンター・テーブルのほかには、備品としての家具といったものは皆無で、あるのはただお粗末な棚がひとつ、壁が四面、紙を貼った炉板が一面だけで、炉板の紙には鯨を銛で打つ男の絵がかいてあった。本来部屋に属していないものには、床の片隅に紐でくくったハンモックがひとつと、大きな水夫用のバッグがひとつ。バッグは陸地用のトランクの代用品で、なかには銛打ちの衣類がつまっているにちがいない。そのほか、暖炉のうえの棚には奇妙な魚の骨でつくった釣り針がひと包み置いてあり、ベッドの頭のところにはひとふりの長い銛が立てかけてあった。

箱のうえにあるのは何だ？　わたしは手にとり、光にかざし、手でなで、においをかぎ、それに関して満足のいく結論に達するべく、あらゆる努力をかさねた。それは大きなドア・マットに似ているとしか言いようがない代物。縁飾りには鈴のついた房がついていて、それがインディアンのモカシンのまわりを飾る着色されたヤマアラシの針にいくらか似ている。このマットの中央には、南米のポンチョなみに、穴というか、裂け目がある。正気な銛打ちがこのドア・マットを頭からかぶり、そんな格好でキリスト教徒の町の通りを練りあるくなんてことはかんがえがたい。わたしもためしに身につけてみたが、ひどくけば立って厚ぼったく、そのうえ、あの奇妙な銛打ちが雨の日に着用したらしく、すこし水をふくんでいて、重しのようにずっしりきた。わたしはそれを着たまま壁に掛けてあった小さい鏡のまえまで行ったが、そこで見たのは前代未聞のおのれの姿だった。わたしは衣装をあまりにもあわてて ぬぎ捨てたので首の筋をちがえてしまったほどだ。

わたしはベッドの端に腰をおろし、あの頭を売りにあるいている銛打ちのこと、あのドア・マットのことをかんがえはじめた。ベッドの端でしばらくかんがえてから、わたしは立ちあがり、モンキー・ジャケットをぬぎ、それから部屋のまんなかに立ち、またもかんがえた。それから上着をぬぎ、シャツだけになって、またすこしかんがえた。しかし、もう半分はだかも同然、ひどく寒さが身にしみてきたので、亭主が銛打ちは今晩は帰館しまいと言ったことを思い出し、夜もずいぶんふけたことでもあり、もうじたばたするのはやめにして、ズボンをぬぎ、ブーツをぬぎ、灯《ひ》を吹きけし、ベッドに転げこみ、あとは天の配慮にゆだねることにした。

マットレスにトウモロコシの穂軸が入っているのか瀬戸物のかけらが入っているのか、知れたものではなかったが、とにかくわたしは輾転《てんてん》反側して、なかなか眠れなかった。それでも、どうやらうつらうつらと眠りに落ちかけ、眠りの国の沖あいにかなりちかづいたころ、廊下に重い足音がして、扉の下から光の筋がもれてくるのが見えた。

やれやれ、とうとうきやがった、あの銛打ちにちがいない、あの地獄落ちの頭売りにちがいない、とわたしはかんがえた。わたしは微動だにしなかった。何か話しかけられるまで、ひとことも言うまい、とかたくこころに決めていた。ひとつの手に灯をもち、もうひとつの手に例のニュージーランドの頭を手にして、素性の知れぬ男は入ってきたが、ベッドのほうは見向きもせず、わたしからかなりはなれた床のうえにロウソクを置いて、この部屋にあったものとして先にわたしが言及した、あの大きなバッグの紐をほどきにかかった。わたしは顔を見たくて仕方なかったが、やつはバッグの口をあけるまでのしばらくのあいだ、顔をあちらにそむけていた。しかし、この仕事がおわると、やつは振りむいた――そのとき、ああ、なんという眺め！　なんという顔！　その浅黒く、紫色がかった、黄色の肌のいたるところに黒ずんだ大きな四角形の文様がはりついている。そうだ、思ったとおりの、おそるべき同床の相棒だ。やつはけんかに巻き込まれ、めった切りにされ、ただいま外科医のところからもどってきたばかり、といった風情。そのとき、やつの顔が明かりのほうをむき、その両ほほの黒い四角形がバンソウ膏《こう》でないことが、はっきりした。一種のしみだ。はじめ、その正体はわかりかねた。しかし、やがて真相がぼんやりと見えてきた。わたしは人食い人種につかまって入れ墨をされたある白人――しかも鯨捕り――のことを思い出した。この銛打ちは、遠い海原《うなばら》を冒険するうちに、おなじような目にあったのだ、とわたしは結論づけた。が、それがいったいどうだというのだ！　それは見かけだけのことだ。どんな外見をしていたところで正直なやつは正直だ。だが、それはともかく、この世のものとも思えぬ肌色はどう解すればいいのか――あの部分、四角い入れ墨のまわりの部分、入れ墨とは完全に無関係な部分は、どう解すればよいのか。たしかに、赤道直下でこんがり焼けるとこうなるのかもしれないが、白人が強烈な太陽で日焼けすると紫がかった黄色になるという話は聞いたことがない。しかしながら、わたしは南洋へは行ったことがない。南洋の太陽は皮膚にそのような格別の効果をもたらすのかもしれない。瞬時のあいだに、わたしの脳裡《のうり》に以上のような考えが稲妻のようにひらめいたとしても、この銛打ちのほうは、わたしの存在にはまったく気づいていなかった。やっこさんはいくらか苦労してバッグの紐をとくと、やおら手をバッグにさしこみ、やがてインディアンの石斧《トマホーク》みたいなものと、毛が生えているアザラシの皮の財布をひとつ取り出した。銛打ちはこのふたつを部屋の中央にあった古ぼけた木箱のうえに置くと、こんどはニュージーランドの頭――あの不気味な商品――をつかみ、バッグのなかにねじこんだ。それがすむと、帽子を――新調のビーヴァー・ハットを――ぬいだが、そのときわたしは、新鮮なおどろきのあまり、すんでのところで声をあげるところだった。その頭には毛が生えていなかった――すくなくとも語るにたるほどの毛はなかった――額《ひたい》にちょっぴり縮《ちぢ》れ毛がひとふさあるだけ。そのはげあがった紫色の頭は、何にもまして、かびの生えた頭蓋骨《ずがいこつ》に似ていた。あの男が入口をふさいでいなかったら、わたしは電光石火の早業で、あの入口からずらかっていたはずである。

窓から逃げる考えが浮かばなかったわけではないが、そこは二階の裏部屋になっている。わたしは臆病者ではないが、この頭を売りあるく紫野郎がなんともわたしの理解をこえていた。無知は恐怖の親と言うではないか。わたしはこの男には完全に度肝を抜かれ、狼狽《ろうばい》しきっていた。告白するが、まるで真夜中に無断で家にはいりこんできた悪魔そのもののように、わたしはこの男におびえた。あまりにおびえていたので、そのとき相手に話しかけ、相手の不可解な行為や正体について納得いく説明を求めるほどの余裕はなかった。

そのうちにも、男のほうは着物をぬぐ作業を続行し、ついに胸と腕をあらわにした。ふだんは衣類でおおわれている部分も、顔のとおなじ市松模様でおおわれている。背中もそうで、一面がおなじ黒い四角い模様でおおわれている。まるで三〇年戦争に従軍して、体じゅうバンソウ膏だらけになって帰還したばかり、といった風情だ。そのうえ、脚にも、ヤシの若木を一群の青黒いカエルがはいあがっているような模様がついている。

これでかなりわかってきたが、こいつは忌まわしい野蛮人か何かで、南の海で捕鯨船に乗り組み、たまたまキリスト教国に上陸することになったにちがいない。そう思うと震えがきた。それに頭をあきなっている――自分の兄弟の頭かもしれない。おれの頭に惚《ほ》れこまないともかぎらない――こりゃたまらん！　あのトマホークを見ろ！

しかし身震いしているいとまはなかった。いまや野蛮人は、完璧にわたしを魅了したふしぎな作業に着手したからである。これでわたしはこの男が異教徒であることを確信した。男はまず、さきほど椅子に投げかけた、グレゴというか、ラップオールというか、ドレッドノートというか、自分の厚手の外套《がいとう》にちかづき、ポケットをまさぐり、あげくに背にこぶをつけた醜怪な小さな人形のようなものを取り出した。その色はちょうど生まれて三日目のコンゴ黒人の肌色といったところ。わたしは例の香でいぶした頭のことを思い出したので、とっさにこの黒い人形はおなじ方法で燻製《くんせい》にした赤ん坊だと思いこむところだった。しかしよく見てみると、それにはしなやかさがないし、磨きあげた黒《こく》檀《たん》のようなつやつやした光沢があったので、木の偶像以外のものでありえないと結論づけたが、やはりそのとおりだった。さて、野蛮人は火の気のない暖炉にちかづき、暖炉の紙ばりのおおいをはずし、薪架《まきうま》のあいだに、ボウリングのピンのように、このせむし

の像を立てた。暖炉の脇柱も内部のレンガもひどくすすけていたので、そのコンゴの偶像にはうってつけの神殿ないし教会になる、とわたしは思った。
　不安な感じをいだきながらも、見え隠れする偶像にわたしはじっと目をこらした——つぎに何がおこるかを見逃すまいとして。銛打ちは、まず最初に外套のポケットから、かんなくずをふたつかみほど取りだし、それを慎重に偶像のまえに置く。つぎに、そのうえにビスケットをひとかけらのせ、ロウソクの火でかんなくずに点火し、いけにえの火をおこす。それから、いきなり、指を何度も火のなかに突っ込み、突っ込むよりはやくまた引っこめ(そのせいで指にかなりひどいやけどをしたもようだ)、これを何度もくりかえし、とうとうビスケットを取り出すことに成功した。するとこんどは、ビスケットに息を吹きかけてさまし、灰も吹

きはらい、うやうやしく小さなニグロにそれを献上した。しかし、この小悪魔はさような乾物には興味がないとみえ、くちびるを動かそうともしなかった。このような奇妙なふるまいには、なおいっそう奇妙なしわがれ声の伴奏がつき、それは帰依者の喉《のど》の奥かられる賛美歌ないし異教徒の念仏か声明《しょうみょう》のようなものらしかったが、やっこさんはそれを世にも奇妙に顔をひきつらせてうなった。最後に火をけすと、まことに無造作に偶像を取り上げ、まるでハンターが死んだヤマシギを袋にしまうように、ぞんざいに外套のポケットにしまった。

こういう奇妙な手順にわたしは不安をつのらせていたが、いまやその作業手順も最終段階に到達し、つぎはベッドに飛び込んでくる段という顕著な徴候を見てとると、いま、灯《ひ》が消される寸前のいまをおいて、長らくわたしをしばってきた呪縛から解放される好機はない、とわたしはかんがえた。

しかし、言うべきことを思案するのについやした寸時が致命的であった。男はテーブルから例のトマホークを取り上げ、その頭のところをちょっと吟味し、取っ手のところを口にくわえて灯にかざし、パクパクと大量のタバコの煙を吐き出した。つぎの瞬間、明かりは消え、この野蛮な人食い人種が、口にトマホークをくわえたまま、わたしのいるベッドに飛び込んできた。わたしは悲鳴をあげた。そうせざるをえなかったのだ。やっこさんも驚きのうなり声をあげると、わたしをまさぐりはじめた。

　自分でもわからないことを何やら口走り、やつの手をのがれて壁ぎわに転がっていき、どこのどなたさまか知らないが、どうぞお静かに、どうかわたしに灯をつけさせてください、と懇願した。しかし、やつのだみ声の反応が、わたしの意図を誤解しての反応であることは、すぐにわかった。

「おまえ、だれ」――やつはとうとう言った――「さわぐない、いいか、ころす」そう言いながら、火のついたトマホークを暗闇のなかで振りまわしはじめた。

「親方、たのむ、ピーター・コフィン！」わたしはさけんだ。「親方！　おまわり！　コフィン！　神さま！　助けてくれ！」

「はなせ！　おまえ、だれある、はなすない、ころす！」蛮人はまたうなり声をあげ、トマホークを手荒に振りまわすので、熱いタバコの灰が飛び散り、下着に火がつくのじゃあるまいかと思った。ところが幸い、宿の亭主が明かりを手にして部屋にはいってきた。わたしはベッドから飛びおり、亭主の胸元にしがみついた。

「もう恐れることはない」亭主は、またしてもにやにやしながら言った。「このクイークェグはおまえさんの頭の毛一本だっていためはせん」

「にやにやするのはやめてください」わたしはさけんだ。「それに、どうしてあの地獄行きの銛打ちが人食い人種だということをおしえてくれなかったのですか？」

「わしは知っているものだとばかり思ってた――言わなかったかね、やつが頭を売りあるいていることを？――まあ、またベッドにもぐりこんで、寝るがいい。おい、クイークェグ――おまえ、わし、わかる――わし、おまえ、わかる――この男、おまえ、ねる――おまえ、わかる？」

「わかる、たくさん」――そうクイークェグはだみ声で言うと、またパイプをふかし、ベッドのうえに腰をすえた。

「おまえ、はいる」クイークェグは、トマホークでベッドにはいるように合図をし、衣類を片側によせながら、言いそえた。男はこういう動作を、上品なばかりか、ほんとうに親切で慈悲ぶかい仕草でやってのけた。わたしはしばらく立ったままやつを見ていた。入れ墨こそしているが、なかなかに清潔で、ハンサムな人食い人種。この騒ぎはいったい何だったのだろう、とわたしは思った――こいつもおれとおなじ人間だ、おれがこいつをこわいのなら、こいつだっておれのことがこわいだろう。酔っぱらいのキリスト教徒と寝るよりは、しらふの人食い人種と寝るほうがましだ。

「親方」わたしは言った。「そのトマホークというのか、パイプというのか、その何とかを、どうにかするように言ってくれませんか？　つまり、タバコをやめてほしいのです。そしたら、彼と寝ます。タバコを吸っている男と寝るのはいやなんです。危険ですよ。それに、わたしは保険にはいってませんので」

これがクイークェグにつたわると、さっそく承知して、またしてもていねいにベッドにはいるように手招きし、片側にゴロリと身をよせた——まるで、おまえさんの脚にはさわらんよ、とでも言うかのように。

「おやすみ、親方、お引き取りください」わたしは言った。

わたしはベッドにはいり、こよなく眠った。

第四章　掛けぶとん

あくる朝の夜明け、目を覚ましてみると、クイークェグの片腕が、いともやさしく、いとも愛情ぶかげに、わたしの体に巻きついていた。まるでわたしがクイークェグの妻にでもなったようなあんばいだ。掛けぶとんは色とりどりの四角や三角のはぎれからなるパッチワークで、その腕はクレタ島の迷路[38]の図柄さながらにくまなく入れ墨がほどこされていたうえ、そのどの部分の色合いも同一ではなかった――海上でクイークェグは腕を無原則に日にさらしたり、影にかくしたり、シャツの袖を不規則にたくし上げたり、下げたりしたせいだろうが――その腕はどう見てもふとんのパッチワーク・キルトの一部としか見えなかった。実際、わたしがはじめて目覚めたとき、腕は掛けぶとんのうえにあり、両者の色合いがあまりにも絶妙にブレンドされていたので、わたしにはほとんど腕とキルトとの区別がつきかねた。クイークェグがわたしを抱いているのに気づいたのは、もっぱら重量感と圧迫感のせいだった。

なんとも奇妙な感覚だった。それを説明してみよう。子どものころだが、これとおなじような事態におかれたことをわたしはよく記憶している。それが夢だったか、うつつだったか、いまだにはっきりとは決めかねる。事態はこうだ。わたしは何かいたずらをした――数日まえに煙突掃除の小僧が煙突を掃除するのを見たので、そのまねをして暖炉の煙突をはいのぼろうとしていたのだと思う。わたしの継母《ままはは》は、どういうわけだか、年中わたしを鞭《むち》で打ったり、夕食抜きで寝室にとじこめたりするのだったが――この継母がわたしの両足をつかんで煙突から引きずり出し、この北半球では一年でいちばん日が長い六月二一日のまだ午後二時だというのに、わたしに寝室行きを命じたのである。仕方がないので、わたしは三階の小部屋へのぼり、なるべく時間をかけてゆっくりと服をぬぎ、うらめしいため息をつき、ふとんにもぐりこんだのだった。

復活《よみがえり》までにはまだ一六時間もまたねばならない、とわたしはみじめな気持で計算した。ベッドのなかで一六時間！　かんがえただけで腰のくびれのあたりが痛くなる。それに日はまだ高く、日光は窓辺にさし、通りからは馬車の行きかう音がし、家は陽気な声にみちあふれている。わたしはだんだん我慢がならなくなっていった――そして、とうとう起きあがり、服を身につけ、靴下をはいて、そのままそっと階段をおり、継母をさがしだし、突然その足下にひれふして、どうぞ、スリッパで打ちすえるなり何なりして、気のすむまで罰してください、でも、やたらに長いあいだベッドで寝かせる罰だけは勘弁してください、と懇願した。しかし彼女は継母としては最良の継母であり、そのうえことさらに良心的な継母だったので、わたしは自分の部屋に逆もどりするよりほかに手はなかった。数時間のあいだ、わたしはしっかり目覚めたままベッドに横たわっていたが、そのときの苦痛といったら、それまでのいかなる苦痛よりつらく、その後のいかなる試練よりも耐えがたいものだった。そのうちわたしは胸苦しい悪夢を見ながらどろんだらしい。そして、ゆっくりと、まどろみから覚めていった――なかば夢見ながら――わたしは目をあけた。先ほどまで日がさしていた部屋は夜のとばりにつつまれていた。とたんに、戦慄《せんりつ》が全身をつらぬいた。何も見えず、何も聞こえず、ただ超自然的な手がわたしの手のうえに置かれている。わたしの片腕は掛けぶとんのうえに出ていたが、名状しがたい、想像しがたい、物言わぬ姿が、まぼろしが、ベッドの横に寄りそうようにすわり、わたしの手のうえに手を置いているのである。太古のむかしからと思えるほどの長いあいだ、わたしは恐怖のあまり身をこわばらせ、手を引っこめる勇気もなく、それでいて手をほんの一インチでも動かすことができれば、この恐るべき呪縛からのがれることができるのに、とかんがえていた。こういう譫妄《せんもう》状態からどのようにして脱け出したかは不明だったが、翌朝目覚めると、わたしはその一部始終をおぞけをふるいながら思い出し、その後、何日も、何週も、何カ月も、その神秘を解明しようとこころみたけれども、無益だった。いや、いまになっても、ときおりわたしはあの神秘に頭をなやまされる。

さて、恐怖を差し引けば、あの超自然的な手がわたしの手に重ねられていたときの感じは、その奇妙さにおいて、目覚めて異教徒クイークェグの腕がわたしにからまっているのを見たときに覚えた感じに酷似《こくじ》していた。しかし、やがて昨夜のことを、ひとつひとつ、確たる現実として冷静に思いかえしてみると、自分がおかれた事態の滑稽さだけが、ことさらに意識されるのだった。というのも、たとえわたしがクイークェグの腕をはらいのけようとしても――その花婿の抱擁《ほうよう》をほどこうとしても――眠りながらも、死によるほかにわれらを分かつものなし、と言わんばかりに、クイークェグはなおもわたしをつよく抱きしめたからである。わたしは相棒をおこそうとした──「クイークェグ!」と──しかし相棒の返事はいびきだけ。そこで寝返りを打ってみたが、わたしの首は馬の首輪をはめられたも同然にこわばっている。と、突然、何かにかるく引っかかれたような感じがした。そこで掛けぶとんをはがしてみると、例のトマホークが、まるでまさかりの顔をした赤ん坊のように、蛮人に添い寝しているではないか。これはまずいな、とわたしはかんがえた──あやしげな宿屋で、昼のさなかに、トマホークをかかえた蛮人と、ひとつベッドでおねんね、とは! 「クイークェグ!──おねがいだから、クイークェグ、おきてくれ!」とうとう、大いに身もだえしたおかげと、それに、男の相棒を花嫁を抱く流儀で抱くことがいかに不調法なことであるかについて声高に諄々《じゅんじゅん》と説いたおかげで、ようやくわたしはクイークェグのうめき声を引き出すことに成功した。やがて相棒は腕をはなし、水から出たばかりのニュー・ファウンドランド犬のように身震いし、槍《やり》の柄《え》のように背筋をぴんとのばしてベッドのうえに身をおこし、はじめは、なぜわたしがここにいるのかがよくわからないらしく、目をこすっていたが、そのうち、わたしについての記憶が漠然とよみがえってきたらしい。その間、もはや重大な懸念はなくなっていたので、わたしは寝たままクイークェグに目をそそぎ、この怪人をじっくり観察することにした。ようやくクイークェグは自分がベッドを共にした人物の性格について納得がいったらしい。いわば、現実と折り合いがついたのだ。クイークェグは床にとびおりると、手ぶり口ぶりをまじえて、以下のことをわたしに理解させた——もしよければ、自分がさきに着替えをして部屋を出る、そのあとでわたしが部屋をひとりじめにして着替えをする、と。わたしはかんがえた——クイークェグよ、この状況下において、それはなかなか文明的な提案だな、と。世間の連中が何と言おうと、野蛮人には生まれつきの繊細な感覚といったものがあるというのが真相だ。野蛮人が本質的に礼儀正しいということは、なんとすばらしいことであろうか。わたしはこの格別の賛辞をクイークェグにささげたい。クイークェグはわたしを礼儀正しく丁重にあつかってくれたというのに、わたしときては、育ちより好奇心が上というわけか、この男をベッドからじろじろ見たり、その身支度の一部始終を仔細《しさい》に観察したりして、たしかに無作法だったからだ。ともあれ、クイークェグのような人物に毎日お目にかかれるものではない。クイークェグとそのふるまいはまことに珍重するにあたいする。

クイークェグはまずビーヴァー・ハットをかぶる、それもきわめて山の高いビーヴァー・ハットだった。それから――まだズボンをはかないままで――ブーツを手にした。そのつぎの行動は、まったく腑に落ちかねることだったが――ブーツを手にさげ、帽子をかぶったまま――寝台の下にもぐりこむことだった。強烈なあえぎや、もだえる物音から、わたしは彼がブーツをはこうと奮闘しているのだと判断したが、靴をはいているところを他人に見られるのを不躾《ぶしつけ》とする作法は聞いたことがない。しかしながら、クイークェグは、ご承知のとおり、過渡期にある人間なのである――毛虫でもなければ蝶《ちょう》でもない。自分の野生ぶりを奇想天外な仕方で見せびらかす程度に文明化されているだけなのである。クイークェグの教育はまだ完成されていない。まだ修学中なのである。もしクイークェグがいささかも文明化されていなかったのなら、おそらく靴などにはてんで関心をいだかなかったろうし、またもし、もはや蛮人でなかったのなら、そもそも靴をはくのにベッドの下にもぐりこもうなどとは夢想だにしなかっただろう。帽子をしこたまへこませ、目深《まぶか》にかぶって、やっと出てくると、こんどは靴をキーキーときしませ、足をひきずりながらクイークェグは部屋中をあるきはじめた。靴をはくのにあまりなれていないうえに――たぶんオーダー・メイドではないそのブーツは――湿《し》っけて、牛皮がよじれていたせいで、この酷寒の朝の試着にさいして、足をしたたかにしめつけ、痛めつけたにちがいない。

窓にカーテンはなく、通りはひどくせまいので、反対側の家からこの部屋がまる見えであることに気づき、帽子とブーツ以外はほとんど何も身につけずに部屋を闊歩《かっぽ》しているクイークェグの無体裁なありさまをつらつら観察している自分自身にも気づいたわたしは、クイークェグに、身支度をもうすこし加速してもらいたい、とくにズボンはできるだけはやくはいてほしい、と極力ていねいに懇願した。彼は了解して、さっそく、みそぎの段階にすすんだ。朝のこの時間なら、たいていのキリスト教徒は顔を洗うことだろう。ところがクイークェグは、おどろいたことに、みそぎの領域を胸と腕と手に制限して満足していた。それから胴衣を身につけると、テーブル兼用の洗面台から硬い石鹸《せっけん》を取りあげ、それを水につけ、顔のひげをそりはじめた。わたしはクイークェグがカミソリをどこにしまっておくのかを興味をもって見守っていたが、たまげたことに、ベッドの端に立てかけてあった銛をつかみ、長い木の柄をはずし、穂先の鞘《さや》をはらい、ブーツでちょっぴりとぎ、それから壁の鏡のほうへあるいていって、猛然とひげをそりはじめた、というよりは、ほおに銛を当てはじめた。クイークェグよ、それじゃロジャーズ(39)製の最高級刃物でもぼろぼろになるさ、とわたしは思った。あとになると、わたしはこういう所業にあまりおどろかなくなったが、それというのも、銛の穂先がいかに精妙な鋼鉄《はがね》でできているか、またその長い刃渡りがいかに鋭くとぎすまされているか、を承知することになったからである。

残余の身支度はすぐにすみ、クイークェグは水先案内人用の大きなモンキー・ジャケットを身にまとい、銛をパレードの先導者のバトンのように打ち振りながら、威風堂々と部屋から出ていった。

第五章　朝　食

わたしも手早く身支度をととのえてバー・ルームにおりていき、にやにや笑っている亭主にすこぶるにこやかに挨拶《あいさつ》をした。亭主はベッド仲間にかこつけて、ずいぶんわたしをこけにしたけれども、わたしはべつに亭主に悪意をいだいていなかったからだ。

ともあれ、よい笑いは大いによいことだが、よい笑いが稀有《けう》であることは、悲しむべきことである。だから、ある人が、そこに存在しているだけで、よい冗談のたねを提供することになるのなら、その人は何も遠慮することはない、すすんでみずからを冗談のたねにし、たねにされるにまかせるがよい。それに、どこか滑稽なところを多分にそなえている人物は、かならずや予想外の美徳をそなえている人物なのである。

バー・ルームは、まだ顔も見知らぬ、昨夜投宿した連中で満杯だった。ほとんどが鯨捕りだった。一等航海士、二等航海士、三等航海士、船大工、船桶屋、船鍛冶《かじ》、銛《もり》打ち、船番(40)といった連中。みんな赤銅色《しゃくどういろ》に日焼けし、筋骨たくましく、ひげはぼうぼうとのばしほうだいで、そろいもそろって朝の礼装にモンキー・ジャケットを着用している。

それぞれが上陸してどれくらいになるかを、かなりの程度まで正確に言い当てるのはそんなにむずかしいことではない。この若者の健康そうなほおは日光をたっぷり吸収したナシのような色をしていて、香りもナシのように香ばしいことだろう。この若者はインド洋の航海からもどってきて三日とはたっていまい。そのとなりの男の顔色はいくぶんさめていて、インド産マホガニーの色合い、といったところか。第三の男の顔色はいまだ熱帯の赤銅色をたもっているとはいえ、いくぶん漂白が進行している。だから、この男は陸《おか》にあがってもう何週間にもなるにきまっている。しかしクイークェグのようなほおをした者がいるだろうか？　それは、アンデス山脈の西側斜面が一望のもとに、熱帯、温帯、寒帯という気候のちがいを地帯ごとにしめしているように、各種の色合いによる縞《しま》模様をなしている。

「おーい、めしだ！」亭主が扉を明けはなってさけぶと、われわれは朝食の席についた。

世界を見てきた者は、物腰にゆとりがあり、人なかでも落ち着きがある、とはよく言われることだが、そうとはかぎらない。偉大なニュー・イングランドの旅行家レドヤードや、スコットランドのマンゴ・パーク(41)などは、客間ではまるで落ち着きがなかったという。しかし、レドヤードのように犬に橇《そり》を引かせてシベリアを横断したぐらいでは、また腹をすかせてアフリカ大陸の暗黒の中心部を長距離にわたって単身徒歩旅行したぐらいでは——それが気の毒なマンゴの足跡のすべてだが——高度な社交的洗練を獲得するための最上の方法にはならないのかもしれない。それとも、その程度のことなら、どこにいてもたいてい身につくということか。

こんなことをかんがえたのは、みんなが席についたあとでは、きっと捕鯨についての話題に花が咲くものと期待していたのに、大いに期待に反して、ほとんどすべての者が黙りこくっていたからである。そればかりか、はにかんでいるようす。しかり、ここにいるのは海のつわものたちで、大海原《おおうなばら》のただなかで——まったく初対面の鯨だというのに――いささかもはにかむことなくその巨体に打ちまたがり、またたきひとつもせずに、組み伏せ、しとめた男たちだ。そうだというのに、この社交的な朝食の席につくと――職業もおなじなら、趣味も似たような連中ばかりだというのに――まるで羊のようにおずおずとあたりを見まわすあんばいで、これではグリーン山脈の羊小屋から一歩も出たことのないおぼこ羊の群れさながらではないか。なんとも珍奇な眺めだ。このはにかみ屋の熊たちよ、この内気な捕鯨の戦士たちよ！

しかしクイークェグはといえば――むろん、クイークェグは彼らのあいだに席をとっていた――しかも、偶然とはいえ、テーブルの上座に恬淡《てんたん》としてすわっていた。もちろん、わたしとしても、その行儀をやたらにほめそやすわけにはいかない。いくらクイークェグの崇拝者だといっても、朝食の席に銛《もり》をもちこみ、それをむやみに振りまわし、おおくの頭を危険にさらしながら、銛をテーブルのうえにかざしてビーフ・ステーキを自分のほうに引っかけてくる、といった作法を正当化するわけにはいかない。しかしクイークェグはそれをまことに冷静にやってのけた。大方の見るところ、何ごとにもせよ、冷静にやるということは上品にやるということにほかならない。

ここでクイークェグの奇癖のことごとくをあげつらうつもりはない。この男がいかにコーヒーとホット・ロールを敬遠し、いかにビーフ・ステーキに、しかも生焼きのそれに、注意力を集中したかについて言及するにとどめたい。朝食がおわると、クイークェグは他の連中とともに広間にさがり、トマホーク・パイプに火をつけ、例の帽子はかぶったまま、ゆっくりと腹ごなしをしたり、パイプの煙をくゆらせたりしていた。これをしおに、わたしはひとりで散歩に出ることにした。

第六章　通り

文明化された町の上品な社交の場で、クイークェグのような異形の人物が堂々とふるまうさまを最初に目撃したときにはおどろいたが、その驚愕の念も、朝日をあびてニュー・ベッドフォードの通りを散策しているうちに、まもなく消えた。

波止場ちかくの大通りとなれば、いずこの港町にしても、異国からきた奇妙きてれつな風采の、正体不明の人種にお目にかかることは珍しいことではあるまい。ニューヨークのブロードウェイやボストンのチェストナット・ストリートでさえ、地中海からやってきた水夫たちがご婦人たちに衝突して嬌声《きょうせい》をあげさせることがあるだろう。ロンドンのリージェント・ストリートでインド人水夫やマレー人水夫を見かけることはまれではない。ボンベイのアポロ・グリーン広場では血気さかんなヤンキーが地元の連中をおびえさせるのは日常茶飯である。しかしニュー・ベッドフォードはリヴァプールのウォーター街やロンドンのウォピング地区の比ではない。いまのべた界隈《かいわい》で目撃されるのは水夫だけだ。ところがニュー・ベッドフォードで目撃されるのは、街角でおしゃべりしている本物の人食い人種、つまり正真正銘の蛮人なのであり、彼らのおおくはいまだに聖ならざる肉をまだ骨のまわりにまとわせているのである。よそ者が目をみはる光景だ。

しかし、フィージー、トンガ、エロマンゴ、パンナグ、ブライグ(42)などの南太平洋の島々からきた連中、それに通りを傍若無人に闊歩《かっぽ》する捕鯨船あがりの見本のような粗野な連中のほかに、さらに珍妙な、さらに滑稽なと言ってよい連中の姿にもお目にかかるだろう。毎週毎週、この町には、緑なすヴァーモントやニュー・ハンプシャーから漁業の利益と栄光にうえた連中がやってくる。たいていは若く、がっしりした体格をしている。それまでは森で伐採に従事していたのだが、こんどは斧《おの》をすて捕鯨用の銛《もり》を手にしようというわけだ。おおかたは出身地のグリーン山脈なみに青っぽい。ことによっては、生まれて数時間しかたっていないのではないかと思えるほど、青っぽいのもいる。ほら、あれを見ろ！　威張りくさって角をまわろうとしている若造を。こいつはビーヴァー・ハットをかぶり、燕尾服《えんびふく》をはおり、セイラー・ベルトを腰にまき、鞘《さや》つきのジャック・ナイフをぶらさげている。またきた、今度のは防水帽に綾織りのマントといういでたちだ。

都会そだちのダンディは田舎《いなか》じこみのダンディには太刀《たち》打ちできるものではない――わたしの言うのは、土用のさなかに、二エーカーの作物を刈るのに、手が日焼けするのを心配して鹿皮の手袋をはめるといった本物の田子作ダンディのことだ。さて、こういう田子作ダンディが大いなる捕鯨業に参画して名声を博そうなどという料簡をおこして港にやってくると、何がおこるかといえば、喜劇がおこるのである。海に出る身支度をする段になると、チョッキに鈴形ボタンをつけさせ、カンヴァス製のズボンにズボン吊りをつけさせる始末だ。ああ、あわれなる田舎っぺよ！　大嵐にあってみたまえ、そんなズボン吊りはたちまち切れてしまい、あげくに、おまえさんもろとも、ズボン吊りも、ボタンも、何もかも、嵐さまの喉《のど》にのみこまれてしまうのが落ちというものだのに。

しかし、この名高い町でお目にかかるのは、銛打ちと人食い人種と田子作だけだと思ってはならない。とんでもない。なるほどニュー・ベッドフォードは奇妙な場所だ。かりにわれわれ鯨捕りが存在しなかったとすれば、このあたり一帯は今日にいたるまでラブラドル海岸なみに荒寥《こうりよう》たる土地のままだったろう。実際のところ、後背地の一部は荒寥たるもので、見る人をして慄然《りつぜん》たらしめるほどだ。だが、町そのものはニュー・イングランドきっての高級住宅地で、たぶん地価も最高だろう。カナンとまではいかないが、とにかく油流るる地であり、トウモロコシとワインの産地でもある。通りに乳は流れておらず、春になると通りが新鮮な卵で敷きつめられるというわけではない。だが、にもかかわらず、アメリカ広しといえども、ニュー・ベッドフォードほど豪奢《ごうしや》な家が軒をつらね、緑ゆたかな公園や庭園がふんだんにある土地はまずあるまい。これらの富はどこに由来するのか？　かつて不毛の火山岩のこの土地に、どのようにして町が開発されたのか？

銛をかたどった鉄柵でかこまれた、あそこの壮大な屋敷に行ってみれば、疑問はたちどころに解けるだろう。これら華麗な家々も、花咲く庭園も、みな大西洋、太平洋、インド洋に由来するのだ。そのどれもこれも、銛を打ち込み、海の底から引きずりあげてきたものばかりだ。かの魔術師アレクサンダー師にしても、とてもこんな芸当はできまい。

ニュー・ベッドフォードでは、父親は娘に持参金として鯨をあたえ、姪《めい》にはそれぞれ数頭のイルカを分譲するという。豪華な結婚式を見たければニュー・ベッドフォードにゆくがよい。家々の甕《かめ》には鯨油があふれ、夜な夜な、身の丈ほどの鯨脳油製のロウソクに惜しげもなく火がともる。

夏になると、この町の眺めはうるわしい。いたるところに、みごとなカエデがあり——それが緑と黄金の並木道となる。そして八月には、美しくゆたかなマロニエの木が枝付き燭台のように中空にそびえ、その円錐《えんすい》状に先細る花の房をまっすぐ空に突き立てて道ゆく人の目をたのしませる。大いなるは人工の力である。天地創造の最後の日に放棄された岩くずのがらくたを、ニュー・ベッドフォードはうるわしの花壇でおおったのである。

さらにまた、ニュー・ベッドフォードの女たちは町の赤いバラさながらに花ひらいている。バラは夏にしか咲かないが、彼女たちのほおの淡紅色《うすべにいろ》は第七天国の日光のようにとこしえである。彼女たちの健康美に比肩しうるのはセーラムの若き娘たちのそれをおいてほかにあるまい。かの地では若き娘たちの吐く息は麝香《じゃこう》のようにかぐわしく、その水夫の恋人たちは何マイルもの沖でその香りをかぎつけ、清教徒の岸に船をつけようというのに、あのかぐわしいモルッカ群島[43]に接岸しようとしているような陽気さだという。

第七章　教会堂

このニュー・ベッドフォードには捕鯨者教会堂(44)なるものがあって、まもなくインド洋や太平洋に船出する、こころいぶせき漁夫たちは、たいてい日曜日の礼拝のためにこの場所をおとずれる。わたしも例外ではなかった。

はじめての朝の散歩からもどったわたしもまた、この特別の使命の遂行のために外出したのだった。朝方の晴れわたってはいたが身をきるように寒い天気は、いまや霧けむるみぞれ模様になっていた。わたしは熊皮《ベアスキン》と称するけば立った羊毛のジャケットに身をつつみ、手ごわい嵐に抗しながら道をすすんだ。教会堂にはいると、水夫や、水夫の妻やその未亡人からなる会衆がまばらに席をとっていた。重苦しい沈黙が一堂を制し、ときおり嵐の吹きすさぶ甲高い音が聞こえるだけ。おし黙る礼拝者たちは、おたがいの秘められた悲しみは伝うべくもなく孤立しているとでも言いたげに、それぞれ間隔をおいてすわっていた。説教者はまだきておらず、孤島のようにおし黙った男や女たちはすわったまま、説教台の両側の壁にはめこまれた黒枠の大理石の碑銘をじっと見つめていた。そのうちの三つはおおよそつぎのような文面だったが、そっくりそのままの引用というわけではない——

ジョン・タルボットの聖なる思い出のために
この者、一八三六年一一月一日、パタゴニア沖、デソレーション島付近にて海中に落下して死せり。享年一八歳。
その思い出のために　姉この碑を建立《こんりゅう》す。

ロバート・ロング、ウィリス・エラリー、ネイサン・コールマン、ウォルター・キャニー、セス・メイシーおよびサミュエル・グレイグの聖なる思い出のために

これら六人は捕鯨船エライザ号の同一ボートの乗員たりしが、一八三九年一二月三一日、太平洋は北米海岸沖の漁場にて、鯨に曳《ひ》かれて行方不明となりぬ。

生存乗組員一同、石碑を刻みてここに安置す。

故イジーキエル・ハーディ船長の聖なる思い出のために

この者、一八三三年八月三日、日本沿岸において、ボートの舳先《へさき》にありしところを、マッコウ鯨に襲われて落命す。

その残されたる妻、思い出のためこの碑を建立す。

凍《い》てついた帽子とジャケットから氷をはらいおとし、扉のちかくに席をとり、ふと横を見ると、おどろいたことに、クイークェグがいるではないか。その場の厳粛な雰囲気に気おされてか、クイークェグは不信心者ゆえの好奇心といった驚愕の表情を浮かべていた。わたしが入っていったのに気づいたのは、この蛮人だけのようだった。なぜなら、文字が読めないのはクイークェグだけだったので、したがって、壁面の寒々した碑文を読んでいなかったのもこの蛮人だけだったからである。その名が刻まれている船乗りたちの縁故者がこの会衆のなかにいたかどうか、わたしは知らない。しかし、記録されていない捕鯨の事故は数知れぬことだし、ここにきている女たちのなかには、不断の悲しみの衣装たる喪服を身につけてはいないにしても、あきらかに悲しみの表情を身につけた者もいたので、いまわたしの眼前につどう人たちは、わびしい碑銘を見るにつけ、ふかくこころゆさぶられて、その癒《いや》されざるこころの古傷にあらたな血をにじませているにちがいない、とわたしには思われた。

ああ！　緑なす草場の陰に死者を葬りし者たちよ、花咲くなかに立ち――わが愛する者、ここに、まさにここに眠る――と、ことあげしうる者たちよ、そなたらはここにたむろする者たちの胸中にわだかまる寂寥《せきりよう》感を知らざりし。おおうに灰なき黒く縁どられし石碑の空《くう》の空たるかな！　不動の碑文のなんたる不動の絶望よ！　これらの文言《もんごん》は一切の信心をむしばみ、いずことも知れぬ場所に滅びて墓所さえもたぬ者の復活をこばむかに見える――なんたる虚無のきわみ、なんたる不信へのいざない！　これらの石碑はエレファンタの石窟(45)にあってこそふさわしい。

生きている人間の人口調査に、死んだ人間がいれられたためしはない。さる人口に膾《かい》炙《しゃ》したことわざによれば、死人に口はないそうだが、人間はゴッドウィン砂州(46)の真砂《まさご》の数にもまさる秘密をいだいて死ぬというのに、これは不公平ではないか。昨日他界した者の名には意味ありげで不敬に通じる戒名《かいみょう》などを献上するのに、この世の最果てのインド諸島に旅立つ者にはその種の肩書きを献上しないのはどういうわけか。生命保険会社はなぜ霊魂不滅の人間の死にあたって補償金をはらうのか。まるまる六〇世紀もまえに(47)死んだ原初のアダムは、いかにして永遠に身じろぎしない麻痺状態のまま、また陰々滅々として希望なき昏睡《こんすい》状態のまま、いまだに横たわっているのか。死んだ者が、言い知れぬ至福の境に住んでいると主張しながら、そう主張するわれわれ自身がそういう考えにこころなぐさめられるのをこばむのは、いったいどうしてか。すべての生きている者がすべての死んだ者に必死で沈黙をしいるのはなぜか。墓で柩《ひつぎ》をたたく音がするという噂がたつだけで、町中が震撼するのはなぜか。これらはみな意味のないことではないのである。

だが、信仰は豺狼《さいろう》のごとく墓をあばいて糧《かて》をもとめ、これら死せる疑念からさえ、生きるための最大の希望をあさるのである。

ナンターケット行きの前夜に、わたしがどんな気持で、これらの大理石の墓標をながめ、あの暗く陰気な日のおぼろな光で、わたしより先に旅立った鯨捕りの運命を読みとったかについては、ほとんど語る必要はあるまい。そうだ、イシュメールよ、おまえもおなじ運命かもしれない。だが、どういうわけだか、わたしはまた陽気な気分になっていた。これこそ船出へのよろこばしい誘《いざな》い、立身出世のまたとない機会かもしれない――しかり、ボートが鯨にやられたら、その場で天国への名誉の特別昇進とくる。たしかに、捕鯨という仕事に死はつきものだ――電光石火の混沌のうちに有無を言わせず人を「永遠」に送りこむ。だが、それがどうしたというのか？　思うに、われわれはこの「生」と「死」の問題について大いに誤解している。思うに、この地上でわたしの影と称されているものこそが、わたしの実体かもしれない。思うに、霊的なものを見るにあたり、われわれは水をとおして太陽を見ている牡蠣《かき》と大差がなく、厚い水の層を薄い空気の層と勘違いしているのではなかろうか。思うに、わが肉体はわが精神の残滓《ざんし》にすぎない。だから、わたしの肉体をうばいたい者はうばうがよい、くれてやる、そんなものはわたしではないのだから。だからこそ、ナンターケットばんばんざいだ。ボートに穴があこうと、肉体に穴があこうと、かまいやしない。わが魂は、ジュピターにしても穴をあけることなどできないのだ。

第八章　説教壇

わたしが腰をおろしてから、さほどたたないうちに、人品《じんぴん》いやしからず筋骨たくましい人物がはいってきた。嵐に吹きつけられて扉がバタンと閉じると、会衆の敬意をこめた視線がいっせいにそちらのほうを見たので、このりっぱな老人がここの牧師だとはすぐに知れた。そうだ、この人が鯨捕り仲間にマップル牧師(48)と呼ばれている、人気絶大の牧師さんだ。若いときにはご自身も水夫で銛《もり》打ちだったが、あるときから聖職に身をささげる決心をされて、もう長いことたつ。いまわたしが言及している時点でのマップル牧師は健康な老年期の冬のさなかにあったが、それはやがて第二の花咲く春をむかえるていの老年期で、そのしわの割れ目のひとつひとつから、あらたな花芽のおだやかな輝きのようなものがほの見えていた――二月の雪の下からさえ春の緑は萌《も》え出るのである。その前歴を以前に聞いたことのある者がマップル牧師にはじめてお目にかかると、とたんに魅惑されてしまうのは、その前半生の波瀾《はらん》にとんだ海洋生活のせいか、彼の聖職者としての立ち居ふるまいにどこか接木《つぎき》をしたようなちぐはぐなところがあったせいだろう。彼が入場してきたとき、傘《かさ》を持参していなかったこと、まして馬車に乗ってきたのでもないことは、防水帽からみぞれが解けて流れていたことや、パイロット・クロス製の大型ジャケットが吸いこんだ水の重みでご本人は床に沈みこまんばかりの風体であったことからもあきらかだった。しかし、帽子、外套《がいとう》、オーヴァー・シューズをひとつずつぬいでゆき、片隅のせまい場所にひっかけると、正装に着替え、ゆっくりと説教壇にちかづいた。

たいていの由緒ある説教壇の例にもれず、この説教壇もいちだんと高くそびえていて、通例のはしごをその高さまで立てるとなれば、床から長く傾斜をとる必要があり、ただでさえせまい教会堂の場所をとることになるので、たぶんマップル牧師の示唆によるのだろうが、建築家ははしご抜きで説教壇をつくってしまい、かわりに、海でボートから本船に乗りこむときに使うような垂直にたれさげる横ばしごで間にあわせてしまったらしい。ある捕鯨船の船長の妻がこのはしごのために一対の梳毛《そもう》であんだ力綱《ちからづな》を教会堂に寄進したこともあり、また、はしご自体も最上部には精巧な飾りがつき、マホガニー色にぬられていて、全体としてのできばえは、教会の性格を考慮するなら、けっして悪趣味と言うにはあたらなかった。はしごの下で一瞬足をとめ、力綱の飾り結びを両手でにぎると、マップル牧師はちらっとうえを見やってから、本物の水夫のようでありながら、なお牧師らしい敬虔《けいけん》な器用さとでも言うべきものを発揮して、まるで自船の主檣楼《メイン・トップ》にのぼるかのように、交互に手をもちかえながら、はしご段をのぼっていった。

このはしごの垂直の部分は、吊りばしごの例にもれず、布が巻かれたロープからなっており、はしご段だけが木製なので、各段ごとに留めがねがついている。この説教壇を最初に一瞥《いちべつ》したとき、こういう留めがねは船では便利かもしれないが、このさいはあらずもがなであろう、とわたしは慧眼《けいがん》にも見てとったものの、早とちりだった。マップル牧師が説教壇の天辺《てっぺん》までのぼりつめたあとの行動が予想できなかったからだ。牧師はのぼりつめると、ゆっくりと向きをかえ、説教壇を見おろすようにかがみこむと、やおらはしごを一段一段たぐりあげ、ついに全体を内側にとりこみ、みずからは難攻不落の小ケベック要塞《ようさい》にたてこもってしまったのである。これは予想外だった。

しばらくかんがえこんでしまったが、どうしてこのようなことをするのか、しかとはわかりかねた。マップル牧師といえば、誠実と敬虔によって、すでにひろく名を知られたお方、いまさら芝居じみた所業で虚名をはせる必要があろうとは思えなかった。いや、これにはもっとまっとうな理由があるにちがいない、とわたしは思った。それどころか、これは目に見えない何かを象徴しているにちがいない。すると、あのように肉体的に孤立することによって、精神的に内にこもり、外的な世俗世界との絆《きずな》や因縁からしばし身をひくことを象徴させているのだろうか？　しかり、聖書ということばの肉とブドウ酒にみたされ、この説教壇は神の忠実なしもべにとっては自給自足の要塞にほかならず――城内に永遠の泉がわくエーレンブライトシュタイン砦(49)にほかならないのだ。

しかし牧師の船乗りとしての経歴に起因するこの場の風変わりなところは、横ばしごにとどまらなかった。両側にはめこまれた大理石の墓碑銘と墓碑銘のあいだ、つまり説教壇の背後を形成する壁には一幅の大きな絵がかざられており、それには、一隻《いっせき》の勇敢な船が、黒い岩礁に波頭《なみがしら》が雪白《ゆきじろ》にくだける風下《かざしも》の海岸に吹きつけられまいとして逆風とあらがう雄々しい姿がえがかれていた。だが、飛びかう海のしぶきや渦巻く暗雲のはるか上方に、小島のような陽光のかたまりが浮かび、そこから天使が燦然《さんぜん》とかがやく顔をのぞかせている。そして、そのかがやく顔から一条の光がさしだして遠くをゆく船のゆれうごく甲板のうえに光の点を落とし、それはまるで旗艦ヴィクトリア号上のネルソン提督がたおれた場所にはめこまれた銀盤のように見える。「ああ、けだかき船よ」と天使は言っているようだった。「すすめ、すすめ、けだかき船よ、たくましく舵《かじ》をあやつれ。見よ、日はさしそめ、雲は去りつつ――紺碧《こんぺき》の空、いまや遠からず」

さらに、この説教壇そのものにも、はしごや絵に見られるのと同様の海洋趣味が痕跡をとどめていないわけではなかった。その腰板を張った正面は船の平舳《ひらへ》先《さき》をしのばせたし、聖書をのせるための突きだした台には渦巻き模様がほどこされていて、これはヴァイオリンの頭の渦巻き細工に似た船首像をしのばせた。

これほど意味に充満した事物がほかにあるだろうか？――説教壇こそこの世の舳先であり、他はそのあとにしたがう。説教壇は世をみちびくのである。神の迅速な怒《いか》りの嵐をいちはやく

見つけるのもここからなら、その猛攻を最初に受け止めねばならぬのもここにおいてである。順風か逆風かを自在にしろしめす神に、めぐみの風を吹かせたまえ、と最初に祈願するのも、ここからである。しかり、世界は航海中の船であり、その航海に終わりなく、説教壇はその舳先にほかならない。

第九章　説　教

マップル牧師は、気取ってはいないが、権威にみちた穏和な声で、あちこちに散在している会衆に一箇所に寄りあつまるように命じた。「そこの右舷《スターボード》の通路側にいる人、左舷《ラーボード》に——左舷の通路側の人は右舷に移動して！　中央甲板《ミッドシップ》に集合！　中央甲板に集合！」

ベンチのあいだをうごく水夫靴の鈍重な響きと、女たちのもっと軽い靴の床をこする音がして、それが静まると、みんなの目は説教者にそそがれた。

彼はしばらく黙って立っていたが、やがて説教壇の舳先《へさき》の部分にひざまずき、大きな褐色の手を胸のまえで組み合わせ、とじた目で天をあおぎ、ふかぶかと敬虔《けいけん》な祈りをささげたので、まるで海の底にひざまずいて祈っているようであった。

祈りがおわると、霧の海をさまよう船の長く尾をひく警鐘のように、長くのばした荘厳な口調で、牧師はつぎのような聖歌を声をあげて読みはじめたが、結びのスタンザにちかづくにつれて調子が高まり、ついにはとどろくような歓喜の歌声となってほとばしった――

鯨のあばらとおののきは
われをつつみぬ、暗闇に。
神の光にたゆたう波は
われを見捨てん、奈落の底に。

われは見たり、地獄のあぎとのはざまから
奈落の底のはてなき苦しみ、はてなき悲しみ。
いずくんぞ知らん、その永劫の悲惨を――
おお、されどわれは落ちゆく、その絶望の底に。

絶望のもなかに、われは呼びぬ、神の名を
神の救いを信じしにあらざるに。

されど、神きこしめたまえり、わが嘆き――
　われたちまち解き放たれたり、鯨の腹より。

光のイルカに坐せるがごとく、すみやかに
　神、はせ参じたり、わが救いに。
稲妻のごと燦然《さんぜん》と、いかめしく輝けり
　われを救いし神のかんばせ。

われは歌わん、とこしえに
　恐怖と歓喜のあのときを。
われはたたえん、ひたすらに、
　神のめぐみと、御力《みちから》を。

ほとんどの者はこの歌に唱和し、そのとどろく歌声は嵐のうなりを凌駕《りょうが》した。短い沈黙がつづいた。説教者は聖書のページをゆっくりとめくり、目当てのページにいたると手を置いて、こう言った――「親愛なる乗組みの衆よ、『ヨナ書』第一章の最後の節をしっかりともやうように――そこには『さてヱホバすでに大《おほい》なる魚《うを》を備《そな》へおきてヨナを呑《の》ましめ給《たま》へり』とあります」

「乗組みのみなさん、この書は四つの章――つまり四つの孫綱《ヤーン》――からなっていて、聖書という親綱《ケーブル》をあざなういちばん小さい子綱《ストランド》でしかありません。しかし、ヨナの測鉛は、人間の魂のなんという奥深いところまでとどくことでしょうか！　この預言者の教訓はなんと深遠な意味にみちあふれていることでしょうか！　鯨の腹のなかで歌われる聖歌のなんとけだかいことでしょうか！　その大波のようにうねる壮大なる響き！　頭上に逆巻く波を感じながら、われわれはヨナとともに海底の水《み》づく褥《しとね》までもぐり、海草や藻屑《もくず》が体にヌルヌルとまといつくのを覚えます。しかし、このヨナの書がおしえる教訓とはいったい何でしょうか？　乗組みのみなさん、これは二重の撚《よ》り糸からなる教訓です。ひとつは罪深い者としてのわれわれすべてに対する教訓、もうひとつは生ける神の水先案内人としてのこのわたしに対する教訓です。罪深い者ということになれば、これはわれわれみんなに対する教訓ということになります。というのは、これはヨナの罪、かたくなさ、突如としてめざめる恐怖、すみやかに下る罰、懺悔《ざんげ》、祈り、そして最後の救済とよろこびの話でありますが、ヨナの罪はつまるところみんなの罪だからです。罪というものの例にもれず、このアミタイの息子の罪も神の命令に故意にそむいたことにあります——どんな命令だったか、それがどのように伝えられたか、ということは不問に付しましょう——とにかく、したがうのがむずかしい命令だとヨナは思ったわけです。しかし神がわれわれに行なうことを望みたもうことは、みんなわれわれにとって行なうのがむずかしいことばかりなのです——いいですか——だからこそです、神は説得なさるより、命令なさるのです。それに、もしわれわれが神にしたがうならば、われわれは自分自身にそむかねばならない。そうです、この自分自身にそむかねばならないところにこそ、神にしたがうことのむずかしさがあるのです」

「ところが、神にそむく罪のうえに、ヨナは、神からのがれようとして、神を蔑《なみ》する罪をかさねた。人間がつくった船で神が支配しない国々、地上の長《おさ》だけが支配する国々にゆける、とあさはかにもヨナは思ったのであります。そこでヨナはヨッパの埠頭《ふとう》をうろついて、タルシシ行きの船をさがしました。ここに、おそらく、これまでだれも気づかなかった意味がひそんでいるのです。タルシシというのは、どうみても、現在のカディスにほかならない。それが学者たちの意見です。ところで、乗組みのみなさん、カディスとはどこにあるのか？　カディスはスペインにあります。大西洋がほとんど知られていなかった古代では、カディスはヨナがヨッパから海路でゆける最果ての地でした。ヨッパ、つまり現在のヤッファは、いいですか、乗組みのみなさん、地中海の東端、シリアにある。そしてタルシシすなわちカディスは、そこから二千マイル以上西に、つまりジブラルタル海峡を出たすぐのところにある。おわかりいただけますかな、乗組みのみなさん、ヨナは世界をまたにかけて神からのがれようとしたのです。あわれなる男よ！　神からのがれようと、帽子を目深《まぶか》にかぶり、おびえた目つきをして、海の果てでおのれを運ぶ便をもとめてほっつきまわる盗賊とは、ああ！　もっとも軽蔑すべき、もっとも侮蔑にあたいする者ではありませんか。彼の表情は内心の動揺と自責の念をあらわにしていたので、今日のように警官がいたとすれば、まずは挙動不審のかどで、船の甲板に足をかけるまえに、逮捕されるのが落ちであります。どうしたって逃亡者にしか見えない！　大型手荷物もない、帽子箱もない、スーツケースもなければ、カーペット・バッグもない——波止場に見送りにくる友もいない。あちこちさがしたあげくに、彼はとうとう最後の積荷をのせているタルシシ行きの船を見つけて、船長室《キャビン》にいる船長と話をつけようと甲板に足をふみいれたところ、積荷中の水夫たちはみな仕事の手をやすめて、この見かけぬ男の邪悪な目をしげしげとながめた。ヨナはこれに気づき、ゆったりとおちついた態度をとろうとしたが、うまくいかず、笑顔をよそおおうとしても、それもうまくいかず、みじめな笑顔を浮かべるより手はなかった。人間がもつ強い直感で、水夫たちはヨナが罪なき者でないことを悟るのです。冗談めかしているようでいて、じつは本気で、水夫たちはささやきあう——『ジャック、やつは未亡人をぬすんだらしいな』とか、『ジョー、おまえはわからないかい、やつは重婚者だよ』とか、『ハリーよ、やつはだな、ゴモラの牢屋からにげだしてきた姦通《かんつう》をやらかした脱獄囚か、それとも、ソドムの町からずらかった人殺しの一味だとにらんだね』と。水夫のひとりは船が係留されている波止場の杭《くい》のところへはしって、そこに貼りつけられている布告を読もうとした。それには、ある親殺しをとらえた者には五〇〇枚の金貨をあたえるとあり、人相書きもそえてあったのであります。それを読んだ水夫は、ヨナと人相書きをかわるがわるに見る。その水夫に同調した仲間たちはヨナをとりまき、いまにも手をかけんばかりの剣幕。ヨナは恐れおののきながらも精いっぱい平静をよそおうのですが、不安の色がどうしても顔に出てしまう。ヨナはそのようなあやしい者ではないと主張するのですが、それがかえって疑心をそそる。そこでヨナは最善をつくして説明し、水夫たちもヨナが布告のお尋ね者ではないことにどうやら納得して、ヨナを放免し、船長室にゆくにまかせたのです」

「『だれだ？』いそがしそうに事務用机で税関に提出する書類を作製中の船長は声をかけた。『だれかね？』ああ！　こんなたわいもない質問がヨナをおびやかすとは！　すんでのところで彼は踵《くびす》をかえしてにげだすところでした。しかしヨナは気をとりもどします。『わたしはこの船でタルシシまでゆきたいのです。出航はいつですか？』これまでのところ、いそがしい船長は顔をあげてヨナを見ませんでしたが、そのうつろな声を聞いたとたん、彼の顔をまじまじと見ました。『つぎの高潮で出航する』と、やはり彼の目をまじまじと見やりながら、船長はゆっくりと言いました。『もっと早くはなりませんか、船長さん？』――『やましいところのない乗客にとっては、ころあいの潮時だが』と船長。やれやれ、ヨナよ、また一本とられたか。しかしヨナはすばやく船長の疑惑をそらそうとします。『いっしょに航海させていただけませんか』――ヨナは言います――『船賃ですが、いくらでしょうか？――いますぐはらいます』。さて、乗組みのみなさん、ここが、この話のなかで見すごされてはならない一点であることを強調するためでしょうか、聖書は、船が出るまえに『ヨナはその価値《あたひ》を給《あた》へ』とわざわざしるしています。しかり、文脈を考慮するなら、これには重要な意味があります」

「さて乗組みのみなさん、ヨナを相手にした船長は犯罪をかぎつけることにかけては抜群でありながら、その犯罪を摘発するのは相手が文無しのばあいにかぎるという強欲な男でした。この世の中では、乗組みのみなさん、罪ある者も金さえ出せば、どこへでも自由に旅ができるのであります。旅券などは無用の長物。ところが、善人でも、貧乏人となれば、どこの関所でも足止めをくらう。そこでヨナがえらんだ船の船長は、人品よりさきに財布の中身をしらべることにして、ふつうの運賃の三倍をふっかけてみたところ、それでいいということになったのです。それで船長はヨナが逃亡者であることを確信したのですが、同時にヨナの逃亡をたすけてやろうとも決心したのです。金《かね》のなる木と見てとったのですな。ヨナが財布をさらけだしても、用心ぶかい船長は疑念をぬぐいきれず、贋金ではないかと金貨をひとつずつはじいてみる。どうやら贋金ではなさそうだ、と船長はつぶやく。そしてヨナはようやく乗船名簿に記帳してもらえたわけです。『わたしの客室《ステート・ルーム》はどこですか、船長』とヨナはやっと言います。『長旅でくたくたです。ひとねむりしたいのです』と。『さもありなん』と船長。そして『おまえさんの部屋はここだ』と船長に案内された部屋にヨナは入り、ドアの錠をかけようとしますが、錠には鍵がついていない。ヨナがそこでごそごそやっている音を耳にして、船長はくすくすと小声で笑い、囚人の牢屋は内側から鍵がかけられないのがならいで、というようなことをつぶやく。着の身着のまま、しかもほこりまみれの着の身着のままで、ヨナは寝台に身をなげかけたものの、気がついてみると、小さな部屋は客室とは名ばかりで、天井に額《ひたい》がふれんばかりに低い。息苦しくて、ヨナはあえぐ。そのせまい空間、しかも船の喫水下にある部屋で、ヨナは予兆を感じる——鯨の腸のせまい襞《ひだ》に閉じ込められて窒息しそうになる、という予兆でありました」

「側壁に垂直にねじこまれた軸からぶらさがるヨナの部屋のランプはかすかにゆれていました。最後の積荷の重さで船が波止場側にややかたむいていたので、ランプは炎もろとも、かすかにうごきながらも、部屋との関連ではつねに傾斜している。実際には、ランプはまちがいなく垂直にたれているのに、ランプがたれている周囲全体がかしいでいるので、実際のほうが実際でなく見えるのです。そのランプはヨナに警告を発し、ヨナをおびやかします。寝台に横たわったまま、おびえた目であたりをじろじろ見ているうちに、これまでのところどうにかうまく逃げおおせたものの、自分の目を休ませる場所さえないことにヨナは気づきます。それにランプのあの見かけの矛盾がなおいっそうヨナをおびやかします。床も、天井も、壁も、みんなゆがんでいる。『ああ、おれの良心もあんなふうにたれさがっているのだな』とヨナはうめく。『良心はまっすぐうえにむかって燃えているというのに、おれの魂の部屋のほうがすっかりゆがんでいるのだ！』とつぶやきます」

「酒におぼれた一夜をすごしたはてに、はしればはしるほど馬具の金具が身にくいこむローマの競走馬さながら、良心の呵責《かしゃく》にさいなまれながら足をふらつかせてベッドへといそぐ者のように——そのようなみじめな境地で目くるめく苦悩にのたうちまわり、ついに死をたまえと神に祈るうちに発作もおさまった者のように——ついにその者は、悲しみの渦にもまれながら、血をたれながして死をむかえる者のうえに忍びよる昏睡に襲われるのです。良心とはその傷であり、傷から流れでる血はとどめようがないからであります。まさしくそのように、ヨナは寝台のなかで輾転《てんてん》ともがきくるしみながら、その悲惨という甚大な重荷に引きずりこまれるように、深い眠りの底へと沈みこんでいったのであります」

「さて、やがて潮どきがきて、このタルシシ行きの船はもやいを解き、ひとけのない波止場から、歓呼の声に送られることもなく、船体をかたむけたまま海にすべり出します。この船は、同業の衆よ、史上最初の密輸船であります！　そして、密輸品はヨナでありますす。しかし海は反逆します。海は邪悪な積荷をこばみます。おそろしい嵐がおこり、船はいまにも難破しそうになります。水夫頭《ボースン》はみんなに、船をかるくしろ、とさけぶ。箱や梱包《こんぽう》やビンがどんどん船外に投げ出される。そのあいだ、風はうなり、人はさけび、ヨナの頭上の甲板は、かけまわる水夫たちの足音で雷鳴のように鳴りわたる。このような阿鼻叫喚《あびきようかん》のなか、ヨナは忌まわしい眠りをねむりつづける。ヨナは暗黒の空も狂乱の海も見なかった。肋材のきしみも感じなかった。ましてや、この瞬間にも、ヨナをのみこもうとして大口をあけて波をかきわけかけわき突進してくる巨大な鯨がたてる水しぶきの音が聞こえたり、それに気づいたりするはずはなかった。そうです、乗組みのみなさん、ヨナは船腹の奥ふかくにもぐりこんでいました――さっきも言ったように、船室の寝台にもぐりこんで熟睡していたのであります。おびえた船長はヨナのところへゆき、その死んだ耳のように聞こえない耳にむかってがなりました――『寝ているとは何ごとだ！　この寝ぼすけ、おきろ！』とがなりました。そのすさまじい叫びに眠りからさめたヨナは、へなへなと立ちあがり、よたよたと甲板にのぼってゆき、支檣索《シュラウズ》の一本をにぎって水面に目をやりました。が、その瞬間、舷檣《ブルワーク》から大波が山猫《パンサー》のようにヨナに襲いかかる。波はつぎからつぎへと船を襲い、すぐには出口が見つからないままに甲板のうえをあばれまわり、水夫たちはまだ船が沈まないうちに溺《おぼ》れそうになるありさま。そのうち、頭上の暗黒を漏斗状《ろうと》にうがつ裂け目から白い月がおびえた顔をのぞかせました。そのとき、おどろいたヨナが見たものは、船首斜檣《バウスプリット》が高く天をさしたかと思うと、つぎの瞬間には、たちまち荒海めがけて落下するすさまじい眺めでした」

「恐怖につぐ恐怖がヨナの心中を吹き抜けていった。そのおびえた態度から、彼が神からの逃亡者であることがますます明白になってきた。水夫たちはそれを見のがしませんでした。彼らはますます自分たちの疑惑に確信をもつようになりました。そしてとうとう、真相をたしかめようということになり、すべてはいと高き天にかかわることと見なし、くじをひいて、いったいだれがこの大しけの原因であるかをきめようという算段。くじに当たったのはヨナでした。それがわかると、彼らは猛然とヨナに質問をあびせかけます。『汝《なんじ》の業《わざ》は何たるや？　いずこより来《きた》るや？　汝の国はいずこや？　いずこの民なるや？』というわけです。乗組みのみなさん、ここで注意していただきたいのは、あわれなヨナのふるまいであります。はやる水夫たちが知りたがったことは、ヨナの素性、ヨナの出所だけだったのに、ヨナは彼らの質問に答えたばかりか、聞かれもしない質問にまで答えたのでした。求められてもいない答えをヨナにしいたのは、彼の肩に置かれた神のきびしい御手《みて》でありました」

「『我《われ》はヘブライ人《びと》なり』と彼はさけびました――そして、それから――『海と陸《くが》とを造り給ひし天の神ヱホバを畏《おそ》るゝ者なり』とつづけました。おお、ヨナよ、神をおそれるというのか？　よかろう、ならば主なる神をおそれるがよい！　即座に、彼はつつみかくさず告白をしはじめます。それを聞いて、船乗りたちはいっそう驚愕の念をつのらせますが、憐憫《れんびん》の情をもつのらせます。それというのも、おのれの罪業の深さを知りすぎるほど知っていたヨナは、この期《ご》におよんでも神のゆるしを乞うことなく――それどころか、みじめなヨナは、この大嵐にみんなが襲われたのは自分のせいだ、だから自分をとらえて海に投げこめ、と船乗りたちにさけんだからです。そうなると、彼らはあわれみをもよおし、ヨナに背をむけ、船を救うべつの方法を算段します。しかし、いい方法は見つかりません。怒《いか》れる疾風はなおさら大きくほえたてる。ここにおよんで、彼らは神にゆるしを乞うように片手を天にむけてかかげ、もう一方の手をためらいがちにヨナの体のうえに置きました」

「さて、見よ、ヨナが錨《いかり》のごとくもちあげられ、海に投げ入れられるのを。すると、たちまちにして油を流したような凪《なぎ》が東からひろがり、海はしずまったのであります。ヨナが嵐を道連れに海に沈み、なめらかな海面をのこしていったのであります。狂乱怒濤の渦巻く中心へ沈みゆきながら、ヨナは自分が大きく開いてまちもうけるあぎとのなかに沸き立つ水もろともに落下していく瞬間をほとんど意識しませんでした。鯨はきらめく象牙《ぞうげ》の歯並《はなみ》を牢獄の白いかんぬきの列のように閉ざしました。こうしてヨナは大魚の腹のなかから神に祈ることになったのであります。さて、みなさん、その祈りにこころをとめられよ、その重い教訓にまなばれよ。ヨナは罪ぶかかったとはいえ、泣いたりわめいたりして、すみやかなゆるしを乞うたりはしなかった。ヨナはおそろしい罰を当然とした。ゆるしはすべて神の御心《みこころ》にゆだね、どんなに苦しかろうと、つらかろうと、それにあまんじ、ひたすら神の宮居《みやい》を鑽仰《さんぎょう》したいとねがったのであります。さて、乗組みのみなさん、ここにこそ、まことの、こころからなる悔い改めがあるのです。ゆるしを声高にもとめるのではなく、あまんじて罰をうける——そこにこそ真の悔い改めがあるのです。神がヨナのこのふるまいをいかに喜びたもうたかは、やがて彼が海と鯨から解放されたことからもわかります。乗組みのみなさん、わたしがこうしてヨナをとりあげたのは、その罪をまねていただくためではなく、悔い改めの手本にしていただくためなのです。罪を犯してはなりません。しかし、罪を犯してしまったら、ヨナのように悔い改められるがよろしい」

このような説教をしているあいだ、会堂の外では横なぐりの嵐が甲高い雄たけびをあげていたが、それは説教者にあらたな力を付与しているようだった。ヨナが嵐にもまれているさまを語るくだりでは、牧師はまるでご本人が嵐にもてあそばれているかのように体をゆすった。彼の分厚い胸は巨大なうねりのように波打った。その振りあげられた両腕《もろうで》は攻めぎあう雨と風との闘争さながら。その浅黒い額《ひたい》からは雷鳴がとどろき、その両眼からは稲妻がひらめき――素朴な聴衆はふと異様な恐怖にとらわれ、ただ呆然と牧師を見つめるばかり。

牧師がふたたび聖書のページを黙然とめくりはじめると、彼の容貌に凪《なぎ》模様がおとずれた。やがて目をとじると、牧師はしばし身じろぎもせず立ちつくし、神との魂の交流にかまけているようだった。

しかし牧師はまたしても聴衆のほうに身をのりだし、ふかぶかと頭《こうべ》をたれ、深甚にして雄々《おお》しい謙虚さをもって、つぎのように語りはじめた。

「乗組みのみなさん、神はあなたがたのうえに片方の手しか置かれていないが、わたしのうえには両手の重みをかけておられる。わたしが照らす光などたかが知れたものですが、とにかくわたしはわたし流に、ヨナがすべての罪びとにあたえた教訓について説いておみせした。これはすべての罪びとに対する教訓ですから、みなさん一同に対する教訓であり、とりわけわたしに対する教訓であります。なんとなれば、わたしはあなたがたよりはるかに罪深い者だからです。ですから、もし今、あなたがたのうちのだれかが、生ける神の水先案内人としてのわたしに、ヨナがわたしに対して教えるもっと別の、もっとおそろしい教訓を説いてくださるのなら、わたしはどんなにか喜んでこの檣頭《マスト・ヘッド》からおりて、みなさんがいますわっておられるハッチにすわり、あなたがたがわたしの話に耳をかたむけられたように、わたしもその話に耳をかたむけることでありましょう。ヨナはもともと神にえらばれし水先案内人にして預言者だったのです。真実の語り手にして、耳をよろこばさない真実を邪悪なニネヴェの民に大声で呼ばわれと神に告げられた者だったのです。そのヨナが、自分が敵意のまとになるのをおそれ、ヨッパから船に乗って自分の義務から、自分の神から逃げようとした——このいきさつについて語っていただきたいのです。ところが神はどこにもおられて、ヨナはタルシシに到達することはかなわない。すでにご承知のように、神は鯨の姿となりてヨナにくだり、ヨナを裁きの深淵にのみくだし、目にもとまらぬ一撃で『海の最中《もなか》』に投げすてたもうたのであります。渦巻く深淵は彼を千尋《ちひろ》の底に吸いこみ、『海草《うみくさ》は頭《こうべ》に纏《まと》い』、苦悩の海はその重みでヨナをうちひしいだのであります。しかも、どんな測鉛もとどかぬところ——『陰府《よみ》の腹の中』に到達したときでさえ——鯨が海の最深部の背骨に到達したときでさえ、そのときでさえ、神は聞こしめしたもうたのであります——鯨にのまれ、悔い改めた預言者の呼ばわる声を。神は鯨に浮上を命じられた。するとたちまち鯨は、冷たく暗い海の底から、暖かく心地よい太陽がかがやき、空気と歓喜にみちあふれる地上の世界めがけて浮上し、かくして『ヨナを陸《くが》に吐《は》きいだせり』というはこびになる。さてそのとき、神のことばがふたたびくだります。ヨナは傷つき疲れ——耳はふたつの貝殻のように、いまだに轟々たる海鳴りをひびかせていましたが——ヨナは、神の命令にしたがったのであります。乗組みのみなさん、その命令とは何でありましたか？『虚偽』にむかって『真実』をのべることでありました！　これだったのであります！」

「これ、これこそが、乗組みのみなさん、あのもうひとつの教訓であります。これをないがしろにする生ける神の水先案内人にわざわいあれ！　この世の魅惑にひかれて福音の義務をおこたる者にわざわいあれ！　神がもたらしたもうた荒海に油をそそぐ者にわざわいあれ！　人をおびやかすより、人を喜ばせることに気をつかう者にわざわいあれ！　善き行ないより、善き評判に意を用いる者にわざわいあれ！　この世において、すすんで不名誉をもとめざる者にわざわいあれ！　いつわれば救われると知れども、あくまでも真実をのべる勇なき者にわざわいあれ！　そうです、あの偉大なる水先案内人パウロも言っているように、みずから失格者でありながら他人に説教をする者にわざわいあれ(50)！」

しばし牧師は頭をうなだれ、放心のていであった。が、ふとまた顔を会衆のほうにむけ、目にふかい歓喜の色をたたえ、法悦の境にひたる者の熱狂をこめて声をあげた——

「しかし、おお！　乗組みのみなさん！　いかなる悲しみにも、その右舷には、かならずや、よろこびがあります。そのよろこびの頂上《いただき》は、悲しみの底の深みよりも、高いのです。主檣冠《メイン・トラック》の甲板からの高さは、甲板から内竜骨《ケルソン》までの低さより、大きいではありませんか？　この世のおごりたかぶる神々や提督たちに不屈の自我を押したててゆく者にこそ、よろこびが——より高く、高く、天《あま》がけるほどに内部に沈潜するていのよろこびが——あるのであります。このいやしく欺瞞《ぎまん》にみちた世界という船が足もとから沈んでいっても、自分のつよい二本の腕でおのれを支える者によろこびあれ。相手が上院議員であれ、裁判官であれ、真実のためなら、容赦することなく、そのころもの下にひそむ罪のことごとくを引きずり出し、息の根をとめ、焼き、滅ぼす者によろこびあれ。おのれの主《しゅ》たる神のほかは、いかなる法律も主人もみとめず、ただひたすら天にのみ忠誠をつくす者に――その者にこそ、上段《トガン》マストのように高くそびえる至高のよろこびあれ。浮かれ騒ぐ俗衆がたてる波風にもかかわらず、『万世不易の船』(51)から振り落とされざる者によろこびあれ。死の床によこたわり、末期《まつご》の吐息で――おお、父なる神よ――われ、汝を主として鞭《むち》によりて知りしが(52)――天国、はたまた地獄か、行く先は知らねども、いま、ここに死す――と言える者に、とこしえのよろこびと幸せあれかし。神よ、わたしはこの世のものであるよりも、わたし自身のものであるよりも、あなたのしもべであるべく努めてまいりました。しかし、これは何ごとでもありません。永劫不滅のことは、あなたにおまかせいたします。神とともに生きのびるとなれば、人間とはいったい何者なのでございましょうか？」

牧師はそこで口をつぐみ、ゆっくりと手を振って祝福をたれると、両の手で顔をおおい、会衆がみんないなくなり、その場にいるのが自分ひとりになるまで、ひざまずいたまま身動きひとつしなかった。

第一〇章　こころの友

教会堂から「潮吹き亭《スパウター・イン》」にもどってみると、クイークェグがひとりでいた。彼は牧師が祝福をたれるすこしまえに教会堂を出たのだ。クイークェグは暖炉のまえのベンチに腰をかけ、足を炉の仕切り石のうえにのせ、片手に例の黒い偶像をもち、顔の近くにそれをかざし、その顔をまじまじと見やってから、やおらジャック・ナイフをとりだし、異教徒めいたふしまわしで鼻歌をうたいながら、やさしくその鼻をけずりはじめた。

ところが、わたしに邪魔されてしまったものだから、クイークェグはそそくさと偶像をしまうと、こんどはテーブルのほうにあるいてゆき、そこにあった大きな本をとりあげ、ひざのうえに置いて入念にページをかぞえはじめた。五〇ページごとに――そうわたしには思われたのだが――ひと息いれ、うつろな目であたりを見まわし、いかにもびっくりしたとでもいうように、喉《のど》をゴロゴロ鳴らして、ため息をついた。それからまたつぎの五〇ページをかぞえはじめるのだが、そのたびごとに一からはじめるところをみると、クイークェグは五〇以上の数はかぞえられないらしい。ただ、その五〇のまとまりが数おおいことから、ただそのことからのみ、ページ数の多さに対する驚嘆の念がかきたてられているらしかった。

わたしは大いなる関心をいだいてそのようすを見守った。たしかにあの男は蛮人だし、その顔は――すくなくともわたしの趣向からすればそう見えたのだが――醜悪なまだら模様でだいなしになっていたが、その容貌にはけっして不快ではない何かがあった。魂の水準をかくすことはできないのだ。この世のものとも思われないおぞましい入れ墨をとおして、わたしにはこの男の素朴で正直なこころがすけて見えるのだった。その大きく、深い目は、漆黒《しっこく》に輝き、豪胆さに燃え、百千の悪鬼《あっき》をものともせぬ精神の気魄《きはく》をしめしていた。そのうえ、この蛮人の態度にはどことなく高邁《こうまい》なところがあり、その高さは無骨さによってさえ完全にそこなわれるおそれはなかった。これまで、へつらったこともなければ、借金取りにつきまとわれたこともない人間、というふうであった。その額《ひたい》は鷹揚闊達にせり出しており、そのために格別にひろく見えるのだが、それが頭をつるつるにそっているせいかどうかはさておき、クイークェグの頭が骨相学的(53)にすぐれていることには疑問の余地がなかった。異議があるかもしれないが、それはわたしにワシントン将軍の頭、それもおなじみの将軍の胸像の頭を思い出させる。眉のあたりからゆっくりと後退しながら長いなだらかなスロープをえがいているところもそっくりなら、その眉が顕著に突き出しているところもそっくりで、樹木おいしげるふたつの岬といったたたずまい。ジョージ・ワシントンを蛮人流に薫陶《くんとう》すればクイークェグになるのである。

窓から嵐を見ているふりをしながら、わたしはこの蛮人を仔細《しさい》に吟味していたのに、先方はわたしの存在を気にやむふうはなく、わたしに一瞥《いちべつ》をくれるでもなく、ただひたすらに驚異の書のページをかぞえるのに専心しているようす。昨夜はあんなに仲良くいっしょに寝たことを勘案するなら、またとりわけ、朝おきてみたらその腕があんなにもやさしくわたしにからみついていたことを勘案するなら、この無関心さはきわめて異常であるとわたしは思った。しかし蛮人とはもともと奇妙な人種である。ときにはどう理解すればよいのかわからなくなる。はじめこそ威圧感をうけるが、そのおのれを持するにあたっての沈着冷静な素朴さはソクラテスの叡智《えいち》にも通ずる。わたしはまた、クイークェグが宿屋の他の船乗りたちと、ほとんどまったくといってよいほど交流しないことにも気づいた。自分から接近していくことはまったくなかった。交際の輪をひろげようという欲望は皆無らしかった。これはひどく奇妙なことに思われたが、思いなおしてみると、そこには何か崇高《すうこう》なものがあった。ここにいるのは、ホーン岬まわりで——つまり、それよりほかにここにくる手段はないからだが——ふるさとから二万マイルもはなれたところに到達して、この御仁にしてみれば木星からやってきた異星人さながらの人間たちのなかに投げこまれながら、悠々《ゆうゆう》として自適し、泰然自若として冷静さをたもち、おのれひとりを友とし、かつ常時自足しているといった人間である。これはすぐれた哲学の特質である。もっとも、クイークェグは、哲学などというものがこの世に存在することすら耳にしたことがないのはたしかである。しかし、おそらく、われわれ死すべき者としての人間が、真の哲学者たらんとするばあい、哲学的に生きるとか、生きよう、などと意識してはならないのだろう。哲学者を自称する者がいると聞いたら、わたしはさっそく、その御仁は、胃腸が悪い老婆のように、「消化不良」をおこしたのだと断定することにしている。

いまわたしは、こうしてふたりだけのさびしい部屋にすわっている——はじめこそ威勢よく燃えて部屋をあたためていた暖炉の火も、いまはただ目をたのしませるためだけに燃えているといった、おだやかな燃焼の段階に達し、窓辺には夕べの影やまぼろしがしのびより、無言のまま孤独のうちに自閉しているわたしとクイークェグをのぞきこんでいた。外では嵐が荘厳なしらべをかなでていた。わたしは奇妙な感じがきざすのをおぼえた。身体の内部で何かがとけていく感じ。ささくれたわがこころも、憤怒《ふんぬ》に燃えるわが手も、もはや豺狼《さいろう》の世界に反抗することはあるまい。このこころなごませる蛮人が、それをあがなってくれたのだ。ご本尊はそこにすわっていた――その無関心さそのものが、当人の天性が文明の偽善とも巧言令色とも無縁であることを物語っていた。なるほどクイークェグは野人だ。たしかに相当に珍妙な見物《みもの》だ。それでも、わたしは自分が奇妙にこの男にこころひかれてゆくのを感じはじめていた。しかも、大方の人たちに嫌悪の情をおぼえさせたとおぼしきものが、そのままわたしをひきつける磁石にほかならなかったのだ。ひとつこの異教徒を友としてみるか、とわたしは思った。キリスト教徒の親切なんて、空虚な虚礼にすぎないことは先刻承知ではないか。わたしは自分のベンチをクイークェグのほうにひきずってゆき、友好的な手振りと身振りをまじえて、この男と意思の疎通をはかるべく最善をつくした。はじめクイークェグはこういう働きかけにあまり関心をしめさなかったが、わたしが昨夜のおもてなしに言及すると、とたんに、今夜もいっしょに寝ないか、と聞いてきた。もちろん、と返事すると、すこしうれしそうな顔をしたように見えたが、たぶんいくらか得意だったのかもしれない。

　それからわたしたちはふたりで本のページをめくり、わたしはクイークェグに印刷なるものの目的、および本にあった数葉の挿絵の意味を説明しようとこころみた。こうして、わたしはほどなく相手の興味をひきつけるのに成功し、それ以後は、この有名な町の見るべき場所について片言でおしゃべりをした。それから、わたしがこのへんで友好のしるしに一服やらないか、と提案すると、彼はタバコ入れの小袋とトマホーク・パイプをとりだし、一服どうか、と慇懃《いんぎん》にすすめてきた。それから、ふたりはその野趣にとむパイプでかわるがわる紫煙をふかし、しばらくのあいだこの儀式を律儀にくりかえした。

　たとえこの「異教徒」の胸中に、わたしに対する無関心の氷のかけらがのこっていたとしても、このたのしく、こころなごむ喫煙のおかげで、それも文字どおり氷解し、わたしたちは真の友になったのである。わたしがクイークェグに好意をいだいたように、クイークェグもわたしをごく自然に、また自発的に好ましく思うようになったらしい。喫煙の儀式がおわると、彼は自分の額をわたしの額に押しつけ、わたしの腰をしかと抱き、これでわたしたちは夫婦だと言ったが、これはクイークェグのふるさとの言いまわしでは、われわれはこころの友であり、必要とあらば、わたしのためによろこんで死ぬ、という意味だった。わが国の連中に言わせれば、こんなに唐突に友情を燃えあがらせるのは軽率のそしりをまぬかれない、とうてい信用するにあたらない、ということになろうが、この素朴な蛮人には、そのような古くさいルールは通用しないのである。

夕食と社交的おしゃべりと喫煙をすませてから、わたしたちはいっしょに部屋にもどった。クイークェグは香でいぶした頭をわたしにプレゼントしてくれ、それから大型のタバコ入れをとりだし、タバコの葉の下をまさぐり、三〇ドルほどの銀貨をつかみだすと、それをテーブルのうえにひろげ、機械的に二等分し、その一方をわたしのほうに押しやり、それをわたしの分だと言った。わたしは、冗談はよせ、と言いかけたが、わが相棒は有無を言わさず、銀貨をわたしのズボンのポケットにねじこんだ。そこで、わたしもそのままちょうだいしておくことにした。それからクイークェグは夕べの祈りの準備にとりかかり、まず例の偶像をとりだし、紙製の炉板をはずした。ある種のそぶりや徴候から察するに、わたしもいっしょに祈れ、ということらしかったが、これからはじまることを先刻承知のわたしとしては、さそいにのるべきかのらざるべきか、一瞬慎重にならざるをえなかった。

わたしはれっきとしたキリスト教徒である。無謬《むびゅう》の長老派教会のふところに生まれ育った者である。(54) そうであるなら、この野蛮な偶像崇拝者とともに一片の木っ端《こっぱ》をおがむようなことがどうしてできようか？　しかし、おがむとは何か？　とわたしはかんがえた。では、イシュメールよ、おまえは、異教徒もキリスト教徒もひっくるめて、天地のすべてをつかさどる寛大無比なる神が、とるにたらぬ一片の黒い木偶《でく》に嫉妬《しっと》されるとでも言うのか？　そんなことはありえない！　だが、信仰とは何か？——神の御心《みこころ》を行なうことである——それが信仰である。それなら神の御心とは何か？——隣人にしてもらいたいと思うことを隣人にもしてあげることである——それが神の御心である。ところで、クイークェグはわが隣人である。そして、わたしが、このクイークェグにしてほしいと思うことは何か？　長老会派に特定のやり方で礼拝に参加してもらうことである。そうなると、わたしもまたこの隣人の礼拝に参加しなければならない理屈である。それゆえに、わたしは偶像崇拝者にならねばならないのである。そこでわたしはかんなくずに火をつけ、あの無害な偶像を立てるのをてつだい、焼けたビスケットをクイークェグとともに偶像にそなえ、そのまえで二度三度ひざまずいておがみ、その鼻に接吻《せっぷん》し、それがすんでから、ふたりは服をぬぎ、自分自身に対しても全世界に対しても寸毫も良心にやましいところなく、ベッドにはいった。しかし、われわれは眠りにはいるまえに、すこしおしゃべりをした。

理由はよくわからないが、友だちどうしが秘密をうちあけるのにベッドほどうってつけの場所はない。夫婦はベッドのなかでこそ、たがいにこころの奥底までひらきあうということだし、老夫婦が往時をしのんで夜明け近くまで語りあうことがあるのも、ベッドのなかだと言うではないか。かくして、わたしとクイークェグは、わがこころの蜜月をベッドのなかですごしたのである――なごみ、愛しあうペアーとして。

第一一章　ナイトガウン

こうしてわたしたちふたりはベッドにはいりこみ、しゃべったり、まどろんだりを短い間隔でくりかえし、クイークェグはときおりその入れ墨をした褐色の脚をわたしの脚にやさしくからませたり、またひっこめたりして、ふたりはまったくやさしく、気がねなく、くつろいだ気分だった。こういう交歓のおかげで、いくらかのこっていた眠気も霧散し、夜明けはまだそうとう先だというのに、ふたりとも、はや起きたくなってしまった。

そう、わたしたちはすっかり目がさめてしまったのである。それで、ふたりとも横になっている姿勢が苦痛になりはじめ、すこしずつ、すこしずつ身をおこし、ふとんをすっぽり体にまとったまま、寝台の頭板に背をもたせかけ、四つのひざを仲良く立て、ひざの皿を行火《あんか》がわりにして、そのうえにふたつの鼻を寄せあっていたのである。じつになんとも言えぬよい気分だった。屋外が寒かっただけに、いや、部屋の火がおちていただけに、なおさらだった。わたしがそう言うのは、体のぬくもりを真に堪能するためには、体のどこかに冷たい部分がなければならないからだ。この世の中には比較対照によらずして、その真価を発揮しうるようなものは何もない。それ自体で存在するものなど、ないのだ。頭の天辺《てっぺん》からつま先までほかほかと温かい、しかもいつだってそうだ、などとうそぶく者は、もはや安楽を弁ずる資格はないわけだ。クイークェグとわたしがベッドにはいっているときのように、鼻の頭とか頭の天辺とかがちょっぴり寒いときにこそ、全体の知覚としては、いかにも気分がよく、まことにほかほかと温かい、と言えるのである。そういうわけで、寝室には暖房など不要なのである。暖房など、まがいようもなく金持むけの無用有害な贅沢品にすぎない。素寒貧《すかんぴん》であることの快適さの最たる点は、自分の体温と外部の空気の冷たさのあいだに毛布を一枚介在させるだけでたりるところにある。そうしてはじめて、北極の氷塊の中心にあっても、あかあかと燃える火のように自若としていられるのである。

クイークェグとわたしはこういう姿勢でしばらくうずくまっていたが、わたしはふと、目をあけてやれ、という気になった。それまで目をとじていたのは、ふとんにくるまっているときには、昼であれ夜であれ、また眠っているときであれ目覚めているときであれ、ベッドにいるときの心地よさを満喫するために、目はとじたままにしておくのがわたしの流儀であったからだ。なぜなら、人間たるもの、目をとじていなければ、自分の正体をただしく把握することはできないからである。なるほど「明」こそ人間のうつせみの部分によりなじむ要素ではあるが、「暗」こそが人間の真髄と本質になじむ要素だからである。さて、目をあけて自分自身が創造した心地よい内なる暗黒から出て、押しつけがましく粗野な外なる丑《うし》三つ時の灯火《ともしび》をつけない暗がりにさらされたとき、わたしはとっさに不快な吐き気をおぼえた。だからクイークェグが、ふたりともすっかり目覚めているのだから、明かりをつけたほうがよかろう、と提案してきたとき、わたしは即座に応じた。即座に応じたのは、クイークェグが例のトマホークでしずかに二、三服やりたいという強い衝動にかられているのだと忖度《そんたく》したからでもあった。クイークェグがベッドでタバコをふかすのを昨夜はあれほど嫌悪したのに、ひとたび愛情がうまれると、堅固な偏見もたちまち軟化してしまうものとみえる。喫煙がこの野人に大いなる家庭的安らぎとよろこびをあたえるとなれば、いまやわたしは、クイークェグがそばでタバコを吸うのはおろか、ベッドのなかで吸うのさえ大歓迎だった。宿屋の亭主が保険をかけていようとなかろうと、もはやどうでもよかった。一本のパイプと一枚の毛布を真の友とわかちあう濃密にして内密なる心地よさ以外のことには頓着しなかった。けば立ったジャケットを肩にひっかけ、トマホーク・パイプをやりとりするうちに、われわれの頭上は青い煙の天蓋《てんがい》におおわれ、それはあらたにともしたランプの炎に照らされてゆらいでいた。

この波打つ天蓋が、蛮人の思いを遠い浜辺に送りとどけたものかどうかは定かでないが、クイークェグは自分の生まれた島について語りはじめた。その身の上話をぜひとも聞きたかったので、わたしは話をつづけるようにせがんだ。クイークェグはよろこんで承知した。当時はクイークェグの言うことがあまりわからなかったが、その後その破格の語法になれてくるにつれて判明するようになってきたこともあわせて、ここにその全貌を——といっても依然として粗筋にとどまるが——披瀝《ひれき》させていただく。

第一二章　おいたち

クイークェグは、はるか西南にくらいするココヴォコという島の生まれだった。その島はどんな地図にものっていない。真の場所が地図にのることはないのである。

孵化《ふか》したばかりの蛮人が、草のむつきをつけて生まれ故郷の森をかけまわっていると、若木と間違えた山羊《やぎ》が口をもぐもぐさせてついてきたものだが、そのような幼少のみぎりから、クイークェグの野心的な魂は、一隻《いっせき》や二隻の捕鯨船を見物しただけではおさまらず、キリスト教世界をもっと見てやろうという強い願望をはぐくんでいた。父親は大酋長《だいしゅうちょう》、つまり王だったし、叔父は大僧正だった。母方には負けを知らぬ戦士の妻となった叔母たちがいて、それはクイークェグの誇りであった。また、その血管にはすぐれた血が——つまり、王者の血が流れていた。もっとも、残念ながら、奔放な青年期の人肉嗜好《しこう》によって血が汚染されているおそれはなきとしない。

サグ・ハーバー(55)を母港とする船が父親の領地の入江にはいってきたとき、クイークェグはキリスト教国へゆく手だてをもとめてこの船に接触したが、定員を充足しているとかで、要求はにべもなくことわられた。王たる父の権勢もそこまではおよばなかったのである。だがクイークェグには、こころに期するところがあった。ひとりカヌーをあやつり、遠くの海峡までこぎだした。島をあとにする船は、いずれこの海峡をとおらないわけにはいかないことを承知していたからだ。その片側はサンゴ礁、その反対側はマングローヴの茂みにおおわれた低い岬になっており、茂みは海中にまで進出していた。クイークェグはこの茂みにカヌーをかくし、舳先《へさき》を海のほうにむけて浮かべると、自分は船尾に位置をとり、パドルを低くもって待機した。そして船がとおりかかると、電光石化の勢いで飛び出し、船べりにとりつくと、カヌーを一蹴のもとに沈没させ、すかさず船の鎖《くさり》にしがみつき、それをよじのぼり、甲板に転がりこみ、リングボルトをしっかりにぎって甲板上に大の字に横たわり、たとえ八つ裂きにされようと、この手は離さんぞ、とすごんで見せた。

船長が、海に投げこむぞ、とおどそうとして、素手の手首に短刀をつきつけようと、むだだった。クイークェグは王の嫡子《ちゃくし》なるぞ、さようなことで微塵《みじん》もひるむものにあらず、と言わんばかり。この捨て身の豪胆さとキリスト教世界を見てみたいという一途な願望に、ついに船長もこころ打たれ、根負けして、好きなようにするがよい、ということになった。しかしながら、この高貴なる若き蛮人――この海のプリンス・オブ・ウェールズは、船長室《キャビン》に招じ入れられることはなかった。この海の王子は水夫の仲間に投じられ、鯨捕りにしたてられることになったのである。外国の都市の造船所ではたらくのをいとわなかったピョートル大帝(56)よろしく、一見屈辱的なあつかいも、それが故郷の未開な仲間を啓発する力を獲得するよすがになるのなら、クイークェグの意に介するところではなかった。この高貴なる若き蛮人をこころの底から突きうごかしていたのは、同郷のやからをもっと幸福に、いや、それまで以上に善良にするすべをキリスト教徒たちからまなぼうという執念だった――とにかく、クイークェグはわたしにそう語ったことがある。だが、やんぬるかな！　鯨捕りたちの行状を見るにつけ、キリスト教徒にしてもなお悲惨でありうるばかりか、邪悪でさえありうること、いやそれどころか、父の臣下たる異教徒たちより比較にならぬほど悲惨かつ邪悪でありうることを、クイークェグはときならずして確信するにいたった。いよいよ船がサグ・ハーバーにつき、そこで水夫たちがやることを実見するにつけ、またナンターケットについて、水夫たちがかの悪所で給金をはたくのを観察するにつけ、あわれ、クイークェグは完全に絶望してしまった。そこでこの海の王子はかんがえた――この世界は子午線とは関係なく、どこへ行っても邪悪きわまる。よし、おれは異教徒として死んでやる、と。

かくして、根っからの偶像崇拝者でありながら、クイークェグはキリスト教徒たちとともに住み、キリスト教徒たちの衣服をまとい、キリスト教徒たちのたわごとを口まねしようとしていたのであった。故郷をはなれてもう長いというのに、クイークェグにまだどこか奇異なところがのこっていたのは、そのせいであった。

帰郷して王位につくつもりはないのか、とわたしはそれとなく聞いてみた。別れたとき、父親はすでにかなりの高齢で弱っていたというから、クイークェグが父親はもう死んだとかんがえているのかもしれないと思ったからである。いや、まだ帰らない、と返事してからクイークェグが言うには、自分はキリスト教との、いやキリスト教徒との接触によって、三〇代つづいた純粋無垢の王位を継承する資格を失ったのではないかと思う、だが、いずれそのうちに帰るかもしれない——キリスト教のけがれがとれたら、すぐにも、ということだった。だが、ここ当分は、世界の海をまたにかけ、おのれの種《たね》をまいてあるくつもりだ、なにせ、もういっぱしの銛《もり》打ちにしたてあげられてしまったので、あのかかりのついた矛先《ほこさき》を笏《しゃく》のかわりに振りまわしてほっつきまわるより手はない、とクイークェグはのたもうた。

わたしはクイークェグの当座の目的、つまり身の振り方について、たずねてみた。身につけた稼業をいかして鯨捕りとして海にゆく、というのがその答えだった。そこでわたしは、当方の目的も捕鯨で、野心的な鯨捕りが出港するのにふさわしい場所なら、なんといってもナンターケットが一番、と吹聴した。するとクイークェグは、わたしとその島に同行し、おなじ船に乗り組み、おなじ当直をつとめ、おなじボートに乗り、おなじ飯をくい、要するに、全運命をわたしとともにする、と即座にきめてしまった。クイークェグはわたしの両手《もろて》を自分の両手でしっかりにぎり、この世のこともあの世のことも、すっかり運を天にまかせよう、ときめてしまったのである。そしてわたしも、以上のすべてによろこんで同意した。それはなにも、クイークェグに対するわたしの愛情のせいばかりではなかった。わたしのように、商船の乗組みとしてなら多少は海の経験もあるが、捕鯨の神秘についてはからっきし無知な者にとって、クイークェグのような熟練の銛打ちと同行できるのはもっけの幸いであったからだ。

最後の一服の煙が消えるとともに話もつきた。クイークェグはわたしを抱きしめ、自分の額《ひたい》をわたしの額に押しつけ、明かりを吹きけすと、わたしたちはおたがいに背をむけあって、右と左にわかれて、ゴロリと転がると、たちまち眠りにおちた。

第一三章　手押し車

あけて月曜日の朝、わたしは香でいぶした頭を、かつら台に利用したいという殊勝な床屋に売りつけてから、自分と相棒の宿賃をはらった――とはいっても、もともとは相棒の金だ。にやにやしている亭主も、ほかの宿泊人たちも、わたしとクイークェグとのあいだに芽生えた突然の友情がひどく滑稽らしかった――ピーター・コフィンがした銛《もり》打ちについての尾びれのついたよた話にすっかり度肝をぬかしたこのわたしが、その当の銛打ちと仲良くやっているのが、ことさらに滑稽らしかった。

ふたりは手押し車を一台かりて、わたしのみじめなカーペット・バッグやらクイークェグのズック製のバッグやハンモックやらの手荷物いっさいをそれにのせ、波止場に停泊中のナンターケット行きの小型スクーナー「モス号」にむかった。その道中、通行人はわれわれをじろじろながめた。クイークェグがめずらしかったわけではない――なぜなら、この町の通りではクイークェグのような人食い人種はよく見かけるからだ――めずらしかったのは、人食い人種とわたしがいかにも親しげにしていることだった。しかし、われわれはそんなことは気にもとめず、かわりばんこに手押し車を押していった。クイークェグはときおり立ちどまって、銛の刃先にかぶせる鞘《さや》の具合をしらべた。陸《おか》にいてまでなんでそんな物騒なものをもちあるくのか、捕鯨船には備えつけの銛があるのではないか、とわたしはたずねてみたが、これに対するクイークェグの答えは、おおよそ以下のとおりだった――おまえの言うことはもっともだが、自分としてはてまえの銛に格別の愛着をもっている。なにせ、この銛は百戦錬磨の逸品で、ことに鯨の心臓とはなじみが深く、信頼するにたる一物《いちもつ》だからだ。つまり、陸地の穀物を刈ったり草を刈ったりする連中にしても、自分で道具を持参する必要は毛頭ないのに、自前の大鎌をかついで雇い主の牧場にでかけるではないか――それとおなじ理屈で、クイークェグも自分の個人的な理由により、自前の銛をもちあるくのだ、ということだった。

　手押し車を押すのをわたしと交代するとき、彼は自分の手押し車にかかわる初体験についておもしろい話をしてくれた。それはサグ・ハーバーでのことだった。どうやら船の持ち主がクイークェグに手押し車を一台かしたらしい。重い衣類箱を船宿まではこぶ便宜のためだった。手押し車のことについては、その正確な扱い方もふくめて、何も知らなかったが――ほんとに知らないと思われるのはしゃくだったので――クイークェグは衣類箱を車にのせ、紐《ひも》でしっかりしばりつけ、やおら車ごと肩にかついで埠頭《ふとう》を威風堂々と行進していったという。「いやはや、クイークェグ」とわたしは言った。「手押し車を知らないとはだれも思わないだろうからな。みんなさぞかし大笑いしただろうな？」と。

　それから、クイークェグはまたべつの話をしてくれた。それによると、ココヴォコ島の人たちは婚姻の祝宴のために、若いココナツのかぐわしい汁をしぼって、それをパンチ・ボウルのような大きな色塗りのひょうたんの容器になみなみとたたえて用意する習慣があるらしい。しかもこのパンチ・ボウル、宴会のむしろの中央をかざる必要不可欠の装飾品でもあるという。ところで、さる豪華商船がココヴォコに寄港したことがあった。その船長――どこから見ても、すくなくとも船長としては、きわめて堂々として礼儀作法をわきまえた紳士と見えたが――その船長が、クイークェグの妹で、まだ一〇歳になったばかりの花もはじらう王女の婚姻の宴《うたげ》に招待されることになった。さて、宴の招待客がみんな花嫁の竹の間《ま》に集合したとき、この船長が悠々《ゆうゆう》とご入来になり、名誉ある来賓《らいひん》の席に案内され、大僧正とクイークェグの父王のあいだにパンチ・ボウルを目の前にして席を占めることになった。食前の祈りがとなえられると――この島の人びとにもわれわれとおなじような食前の祈りがあるわけだが――もっとも、クイークェグの言うところによると、そのようなとき、われわれはうつむいて皿を見るのがならわしだが、島の連中は反対に、アヒルの所作をまねて、宴の糧《かて》をめぐみたもう大いなる存在をしんで天を仰ぐそうだが――それはともかく、食前の祈禱《きとう》が大僧正によってとり行なわれてはじめて、この島に太古から連綿としてつたわる儀式にのっとって饗宴がはじまるのである。つまり、大僧正の清められ、かつ清める指がボウルにさしこまれてはじめて、聖なる飲料がまわし飲みに供される手はずがととのうのである。自分が大僧正のとなりに席をとっていることから判断し、また船長は船の長《おさ》であり――船の長としては単なる小島の王などよりは上位にくらいする、そのうえ王家の招待客でもある――と勝手にかんがえ、さらにまたこれが儀式であることにも留意した船長は悠然とその手をパンチ・ボウルにつけて洗いはじめたのである――思うに、船長はそれを巨大なフィンガー・ボウルとまちがえたのである。「さて」とクイークェグは言った。「おまえ、どう思う？島の連中、大笑いしなかったと思うか？」

いよいよ船賃もはらい、荷物もあずけ、われわれはスクーナーの甲板に立った。船は帆をあげ、アクーシュネット川(57)をすべるようにくだっていった。片側には、ニュー・ベッドフォードの街路がテラス状にせりあがり、その氷におおわれた街路樹は澄んだ、冷えびえとした空気のなかできらめいていた。波止場には樽《たる》また樽の山が連綿とつらなり、世界の海を周航してきた捕鯨船が舳先《へさき》をそろえて静かにもやっていた。かと思うと、ほかの船からは大工や桶屋がたてる物音がし、それが瀝青《ピッチ》をとかすための炉にふいごで風をおくる音とまじって聞こえてきた。新たな航海がはじまるきざしだった。危険で長い第一の航海のおわりは、第二の航海のはじまりにすぎず、第二の航海がおわると第三の航海がはじまり、それが永遠にくりかえされる。これがこの世のいとなみの果てしのなさ、そう、やりきれなさなのである。

外海《そとうみ》に出ると、風はいっそう吹きつのり、若駒が鼻から泡をふくように、小さなモス号は舳先から白い水しぶきをあげる。ああ、韃靼《だったん》の勇者のようなこの気概！——あの関所だらけの陸地を、わたしはどんなにさげすんだことか！——あの奴隷のような人間がひきずる足と馬蹄の跡がいたるところにきざまれた、あの平凡な陸路をどんなに軽蔑したことか！　いまそれに背をむけたわたしが、いかなる痕跡ものこさぬこの広大無辺な海の公道をどんなに賛美したことか！

クイークェグもまた、このおなじ泡立つ泉からのみ、おなじ興奮をあじわっているようだった。その黒々とした鼻孔は大きくふくらみ、みごとに整列したとがった歯はきらめいた。船は沖へむけて飛ぶようにすすみ、やがて沖に達すると、モス号は疾風に敬意を表し、サルタンの御前《ごぜん》における奴隷のようにぺこぺこと舳先を上下に叩頭《こうとう》した。いったん傾斜すると、船はかたむいたまま疾走した。ロープというロープはまるで鉄琴のように鳴った。二本の高いマストは旋風にもまれる陸地の竹のようにしなった。こういう勇壮な眺めにすっかりこころうばわれながら、水をかぶる船首斜檣《バウスプリット》のそばに立っていたわれわれは、しばらくのあいだ、他の乗客のあざけるような視線に気づかなかった。それは陸《おか》の連中とおぼしき集団であったが、彼らは肌の色のちがうふたりの男が仲むつまじくやっているのが感に堪えぬらしかった。白人というものは、白くぬった黒人よりいくらかでも威厳があると思っているのだろうか。そのなかに何人かの田子作というか田舎者《いなか》というか、その青臭さからすると、緑したたる大地の中心部からやってきたと思われる一群がいた。そういう青臭い田子作のひとりがクイークェグの後ろでこの偉丈夫のものまねをしているところを本人に見とがめられたのである。田子作の運もこれでつきたか、とわたしは思った。銛を手からはなすと、この筋骨たくましい蛮人は両腕で田子作をつかまえ、ほとんど奇跡的な巧妙さと力でもって、空中高くほうり投げたのである。若造は空中で腰にひねりを入れて宙返りして足から落下したものの、驚愕のあまり肺は破裂せんばかりのていたらく。クイークェグはといえば、若造にクルリと背をむけると、トマホーク・パイプに火をつけ、わたしに一服どうだとすすめてきた。

「船長しゃん！　船長しゃん！」田子作は黄色い声を出して船長のところにかけよった。「船長しゃん、船長しゃん、悪魔でしゅ」

「おい、おまえ」やせこけた船長はクイークェグにちかづきながら大声をだした。「いったいどういうつもりなんだ、あんなことして？　もうすこしで殺すところだったのがわからんのか？」

「やつ、何、言う?」クイークェグは、おだやかにわたしのほうをむいて言った。

「船長さんのおっしゃるには、あの男を殺すところだった、とさ」まだふるえている青二才を指さして、わたしは言った。

「ころーす」クイークェグは入れ墨した顔をゆがめ、世にも奇怪な軽蔑の色を顔に浮かべて、どなった。「ああ! やつ、とても、ちさい、さかな。クイークェグ、ちさい、さかな、ころーす、ない。クイークェグ、おきい、くじら、ころーす!」

「いいか」船長は大声をだした。「あんなことをこの船のうえでもう一度やってみろ、わし、おまえ、ころーす、いいか、この人食い人種め、気をつけろ」

しかし、ちょうどそのとき、船長のほうがよほど気をつけなければならない事態が発生した。主檣帆《メインスル》にかかる膨大な風圧のために帆をとめている索がきれてしまい、巨大な帆桁《ほげた》が大きく左右にゆれ、甲板の後ろ半分を完全に支配化においてあばれまわっている。さっきクイークェグに手痛い仕打ちをうけた若造はなぎ倒されて海におちてしまった。全員がパニック状態におちいったが、帆桁にしがみついて止めようというこころみは狂気のさたとしか見えなかった。帆桁は右から左、左から右へと一瞬のうちに往復し、また一瞬ごとに微塵《みじん》にくだけそうなあんばい。何の手も打たれず、また打ちようもなかった。甲板にいた者は船首のほうにあつまり、そこに立ちつくして、まるで怒《いか》り狂った鯨の下あごを見つめるように帆桁を見つめるばかり。こういう騒動のさなかに、クイークエグはたくみな身のこなしでひざまずくと、そのまま帆桁が通過する下をはってゆき、一本のロープをひょいとつかみ、その一方のはじを舷牆《ブルワーク》にしっかり固定し、もう一方のはじで投げ縄のような輪をつくり、帆桁が頭上を通過するときにそれにひっかけ、ぐいとばかりに引くと、ロープはうまく円材をとらえて、一件落着。スクーナーは風上《かざかみ》に方向をかえ、その間に船員たちは船尾から救命ボートを下ろしにかかり、いっぽうクイークエグは腰まではだかになると、舷側から長い生きた弧をえがいて海中にとびこんだ。三分かそこいら、クイークエグが長い腕をまっすぐ前方にのばし、たくましい左右の肩を冷たい水しぶきのあいだからこもごも見せながら、まるで犬のように泳いでいるのが見えた。わたしはこの栄《は》えある偉丈夫をほれぼれと見ていたが、救助さるべき人間はいっこうに見えてこない。青二才は水没してしまったらしい。クイークエグは海から垂直に浮上し、あたりを一瞬見わたし、事態を見てとったとみえて、またすぐ海中にもぐり、姿をけした。さらに二、三分すると、クイークエグはまた浮上してきた。片腕はなおも水をかいていたが、もう一方の腕はぐったりした人間らしきものをひきずっている。ボートはすぐさまふたりをすくいあげた。あわれな田子作は息をふきかえした。一同はこぞってクイークェグの高貴な行為を賞賛し、船長もゆるしを請うた。それ以後、わたしはクイークェグにフジツボのように付着してはなれなかった――そう、クイークェグが最後の長い跳躍とともに永遠の水没をとげるあのときまで。

これほどの無私がいまだかつてあっただろうか？　クイークェグは自分の行為が「人道博愛協会」から表彰されてしかるべきなどとは微塵もかんがえていないようだった。この勇者が求めたのは水――塩気を洗い落とすための真水《まみず》――だけだった。塩気を落とすと、クイークェグは乾いた衣服を身につけ、パイプに火をつけ、舷檣によりかかり、おだやかな目でまわりの連中を見まわし、こうつぶやいているように思われた――「この世はどこへゆこうと相身《あいみ》たがいの持ち合い所帯だ。おれたち人食い人種はこういうキリスト教徒をたすけてやらねばならない」と。

第一四章　ナンターケット

これ以上は特記すべきことは何もおこらないまま、船はしばらく快走して、われわれは無事ナンターケットについた。

ナンターケット！　地図をとりだして見るがよい。それが世界のどんな片隅をしめているかを見るがよい。ナンターケットは陸地をはなれた沖合いに、エディストーン灯台(58)のように、ぽつねんと位置をしめる。よく見るがよい――海に浮かぶ低い丘、砂州《さす》が一本ひじ状に海にのび、あとはみんな砂浜で、後背地はない。砂だけは吸い取り紙のかわりに二〇年間つかいつづけても、まだあまりが出るほどある。冗談好きの連中に言わせれば、こうなる――ナンターケットでは雑草でさえ自然に生えないから栽培する必要があり、現にカナダからアザミを輸入している。鯨油用の樽《たる》がもれるのを止める栓だって海のむこうから取り寄せる。ナンターケットでは木《こ》っ端《ぱ》でさえローマにあるキリストさまをはりつけにした本物の十字架みたいにかついでまわる。あそこの連中は夏場の日よけのために、家のまえにからかさ状の毒キノコを植える。草の葉が一本あればオアシスだし、一日あるいて草の葉三本にお目にかかれば、大草原にぶつかったようなさわぎだ。ラップランドの住人が雪のうえで使うかんじきのようなものを、ここの住人は砂のうえではく。ここは海にとざされ、とりまかれ、四方八方、あるのは水ばかりの完全な海の孤島ゆえ、海亀の背中のように、室内の椅子《いす》やテーブルにさえ、ときおり小さな貝が付着していることがある。しかし、こういう駄法螺《だぼら》も、ナンターケットがイリノイではないということを言っているにすぎない。

さて、この島に赤色インディアンが住みついたいきさつを語る驚嘆すべき伝承に注目していただきたい。それはこういう物語だ。むかし、むかし、一羽のワシがニュー・イングランドの海岸に急降下して、インディアンの赤ん坊を爪でひっかけて、さらっていきました。インディアンの両親は自分たちの子どもが広い海のかなたに姿をけしてしまうのを見て大声でなげきました。ふたりはその方向へ追っていこうと決心しました。彼らはカヌーに乗って出発し、危険な航海のはてに、とうとうこの島を発見したのですが、そこで彼らが見つけたのは空《から》の象牙《ぞうげ》の小箱でした――それはあわれな幼いインディアンの骸骨《がいこつ》でした。

だとすれば、浜で生まれたこういうナンターケットびとたちが、生活の糧《かて》をもとめて海に乗りだしていったことに、なんの不思議があるだろうか！　彼らはまず浜辺でカニをとり、ハマグリをとり、もっと大胆になると、海に入っていって網でサバをとった。もっと経験をつむと、舟をしたてて沖に乗りだしてタラをとり、そしてとうとう大船団を組んで外洋に乗りだし、海の世界の探検に着手し、周航する航跡の無尽の輪で地球をいくえにもとりまき、ベーリング海峡をうかがい、あらゆる季節のあらゆる海で、ノアの洪水を生きのびた最強の生き物、あの天下無双の山のごとき怪獣に終わることなき宣戦を布告したのである――無意識という不吉な魔力を身にまとうあのヒマラヤのごとき海のマストドンに！　それがパニックにおちいるときにこそ、大胆不敵で悪意にみちた攻撃に出るときよりも、なお凶暴なあの海の怪物に！

かくして、この海の隠者たる、はだかのナンターケットびとたちは海の蟻塚《ありづか》のような島から出撃して、アレクサンダー大王さながらに、海の世界を侵略し、征服し、三つの海賊国家がポーランドを分割した(59)ように、大西洋、太平洋、インド洋を仲間内で分割したのだった。アメリカをしてメキシコをテキサスに合併せしめ、キューバとカナダをも併呑せしめるがよい。イギリスをして全インドを制圧せしめ、燦《さん》たるユニオン・ジャックを天上からかかげしめるがよい。だが、この陸《おか》と海からなる地球の三分の二は依然としてナンタケットびとのものである。というのは海はナンタケットびとが海を領有しているからである。皇帝が帝国を領有するように、ナンタケットびとが海を領有しているからである。他の船乗りたちは海を通過する権利をもっているにすぎない。商船はブリッジの延長にすぎないし、軍艦は浮かぶ砦《とりで》にすぎない。海賊船や私掠船といえども、辻強盗が辻を仕事場としているように海を仕事場としているだけのことで、ほかの船を、つまり自分たちと同類の陸の断片をかすめているだけのことで、その生活の糧を底いなき海そのものから得ているわけではない。ナンタケットびとだけが海に住み、海に憩《いこ》う。聖書のことばを借りるなら、ナンタケットびとのみが「舟にて海に浮かび」(60)、海をおのれの農地として、あちこちたがやしまわるのだ。海こそ彼らの家であり、海にこそ彼らの仕事があり、それをさまたげることは、シナで何百万もの民を圧倒したノアの洪水をもってしても無理であろう。ナンタケットびとは、草原雷鳥が草原に住むように、海に住む。彼らは波のあいまにひそみ、カモシカ狩りの猟師がアルプスにのぼるように波にのぼる。ナンタケットびとは何年にもわたって陸を知ることなく、それゆえ、ひさしぶりに陸につくと、陸は別世界のようなにおいがして、まるで地球人にとっての月のような違和感をおぼえるのだ。沖のカモメが日暮れとともにつばさをたたみ、波間にゆられて眠るように、ナンターケットびとは、夜がくると、陸影もない海に帆をたたみ、眠りにつく。その枕の下では、セイウチと鯨が群れをなして乱舞している。

第一五章　チャウダー

モス号がつつがなく錨《いかり》をおろし、クイークェグとわたしが上陸したときには、日はすでにとっぷり暮れていて、その日にする仕事としては、夕食をとって寝ることぐらいしかなかった。「潮吹き亭《スパウター・イン》」の亭主はいとこのホジア・ハッシーが経営する「にこみ亭《トライ・ポッツ》」を紹介してくれていたが、これはナンターケットでは超一級ホテルのひとつで、そのうえ「ホジア兄貴」のチャウダー料理の腕も超一級だということだった。つまり、亭主は「にこみ亭」で煮込みをたべるのが一番だと言いたかったのである。しかし彼がおしえてくれた道順というのが曲者《くせもの》で、黄色い倉庫を右舷に見て進行し、白い教会が左舷に見えるところまできたら、それを左舷に見ながら直進し、右舷三ポイントの方向に折れる角《かど》のところでターンをして、それがすんだら、だれでもよいから最初に出会った人に「にこみ亭」はどこだと聞けばよい、というもの。こういうつむじ曲がりな指示にわれわれは最初からつまずいた。そもそもの出発点で、クイークェグは黄色い倉庫——われわれの最初の指標——は左舷、すなわち左手に見えるはずだと言いはり、いっぽうわたしはピーター・コフィンが右舷と言ったと思いこんでいた。しかしながら、暗がりのなかでジグザグ航法をとったり、ときおり通りすがりの家の戸をノックして平和にまどろむクエイカー教徒をたたき起こしたりしたおかげで、どうやらそれらしき宿屋にたどりつくことができた。

古ぼけた玄関さきに、廃船の中段《トップ》マストが立ち、そのマストと十字状に交わる二本の横桁からは黒ペンキぬりの大きな木製の鍋がふたつ、そのロバの耳のような取っ手のところでぶらさがっていた。横桁の片側半分はふたつとも切りおとされていたので、この古びたマストはすくなからず絞首台に似ていた。たぶん、当時のわたしがその種の印象に過敏になっていたせいでもあろうが、とにかくわたしはこの絞首台を漠然とした不安な気持で見あげずにはいられなかった。この片翼しかない二本の横桁の残骸を見あげているうちに、わたしは首にひきつるような感じをおぼえた。そうだ、たしかに二人分ある——ひとつはクイークェグ用、もうひとつはわたし用。縁起でもない。はじめて上陸した捕鯨港の宿屋の亭主の名は棺桶《コフィン》とくる。捕鯨者教会でこちらをねめつけたのは墓碑銘だった。そしてここでは絞首台か！　おまけに、大きな黒い鍋がふたつぶらさがっている！　この最後のやつは、地獄をほのめかしているのだろうか？

こんな物思いにふけっていたわたしがふとわれに返ったのは、宿屋の入口にある眼病にかかった目のようにどんよりと赤っぽくともるランプの下に、そばかすだらけの顔をした黄色い髪に黄色い服を着た女が立っているのに気づいたからだった。女は紫色のウールのシャツを着た男を威勢よくののしっていた。

「さっさと出ていきな。ぐずぐずしてると、びんたをくらわすよ！」女は男に言った。

「おい、クイークェグ」わたしは言った。「まちがいなしだ。これぞ、ハッシーのおかみさんだ」

そのとおりだった。亭主のミスター・ホジア・ハッシーが家にいなくても、おかみさんのミセス・ハッシーが亭主の仕事をみんなとりしきるので、問題はなかったのだ。夕食と寝床が所望だとつたえると、ハッシーのおかみさんは、ののしるのを一時中断して、われわれを小さな部屋に案内し、食事のあとかたづけがまだすんでいないテーブルにわれわれをすわらせ、こちらをむいて、いきなり言った――「ハマグリ、それともタラ？」

「タラといいましても、どんなタラ料理ですか？」とわたしは言ったが、いとも丁重に言ったことはいうまでもない。

「ハマグリ、それともタラ？」彼女はくりかえした。

「夕食にハマグリですって？　あのハマグリのように冷たいというハマグリ、そうなんですか、ミセス・ハッシー？」わたしは言った。「冬場にしては、いささか冷たい、ハマらない接待ではありませんか、ミセス・ハッシー？」

しかし入口でどなられるのをまっている紫色のシャツを着た男のことで頭がいっぱいのおかみさんは、ハマグリということばしか耳にはいらなかったとみえ、台所に通じる開いたドアにかけよるなり、大声で「ハマグリ、二人前」とさけんで姿をけした。

「なあ、クイークェグ」とわたしは言った。「ハマグリひとつでおれたちふたりの晩飯のたしになるかい？」

ところが、温かく、うまそうな湯気が台所からただよってきて、われらの暗澹《あんたん》たる前途の予測は裏切られそうな気がした。そして湯気をたてたチャウダーが実際にはこびこまれてきたときには、ありがたいことに、すべての謎はとけた。ああ、親愛なる友よ、まあ聞きたまえ。それはハシバミの実ぐらいの小型だが多肉質のふとったハマグリに、くだいたビスケットと、塩豚の薄切りをまぜ、バターをたっぷりとかしこんでこくをつけ、塩と胡椒《こしょう》をしっかりきかせた逸品だった。酷寒の海をわたってきたせいか食欲は旺盛だったし、なかんずくクイークェグにしてみれば大好物の海鮮料理が出たのだし、そのうえチャウダーの味が超一級ときたので、われわれはまたたくまに平らげてしまった。一息ついて、わたしはハッシーのおかみさんのハマグリかタラかという問答を思い出し、ちょっぴり実験をしてみようとかんがえた。わたしは台所の戸口のところまでゆき、力をこめて「タラ」という語を発声して、席にもどった。二、三分すると、においこそ違え、同様にうまそうな湯気の香りがして、ほどなくタラのチャウダーが眼前にはこばれてきた。

われわれは作業を再開した。ふたりともスプーンを鉢につっこんで大奮闘したが、そうしながらも、わたしはふとかんがえた。こいつが頭にくることはないだろうな？　あほだら頭のことをチャウダー頭とか言わなかったっけな？　「おい、クイークェグ、おまえの鉢のなかにいるそいつ、生きたウナギじゃないのか？　銛《もり》はどこへやった？」

この「にこみ亭」ほど魚くさい、なまぐさい、うさんくさい場所はまたとあるまい。「にこみ亭」とはよく言ったものだ。この宿屋では鍋という鍋がいつもチャウダーを煮込んでいる。朝食にもチャウダー、昼食にもチャウダー、夕食にもチャウダーとくるから、しまいには服から魚の骨が生え出てこないかと心配になるくらいだった。建物の前庭にはハマグリの殻が敷きつめられている。ミセス・ハッシーはみがいたタラの椎骨をネックレスにしている。ホジア・ハッシーは帳簿を上等のサメ皮で装丁している。ここでは牛乳でさえ魚のにおいがする。これにはまったく合点《がてん》がいかなかったけれども、ある朝、浜にあげられている漁船のあいだを散歩しているとき、ホジアの縞模様《しま》の牝牛が、それぞれのひづめに切断されたタラの頭をスリッパみたいにつっかけて砂地をまるでだらしなくあるきながら、タラの残骸をたべているのを見てはじめて合点がいった。

夕食がおわり、われわれはおかみさんからランプをもらい、寝室への一番の近道についての指示をうけたが、クイークェグがわたしに先立って階段をのぼろうとしたとき、おかみさんは腕をのばしてクイークェグに銛を手渡すように要求した。「なぜですか？」とわたしは聞いた。「ちゃんとした鯨捕りはみんな銛をかかえて眠るのに――なんでいけないのですか？」「あぶないからさ」彼女はのたもうた。「スティグスという若衆が、四年半も海に出てたのに、鯨油が三樽しかとれなかった不運な航海からもどってきて、うちの一階の裏部屋にひきこもったはいいけれど、あとで脇腹に銛を突き立てて死んでいるのが見つかってからというもの、わたしは、あんな物騒な武器を部屋へもちこむのは禁止にしたのさ。それで、クイークェグさん(彼女はわが友の名をおぼえたのだ)、この金物《かなもの》はちょいとこっちにもらっといて、あしたの朝まであずかっておくよ。ところでチャウダーだけど、朝飯はハマグリ、それともタラ?」

「両方とも。それに、目先をかえて、ニシンの燻製《くんせい》もたのみますよ」とわたしは言った。

第一六章　船

ベッドに入ってから、わたしたちは翌朝の計画をねった。ところが、おどろいたことに、またすくなからず心配にもなったことだが、クイークェグがわたしの了解を得ておきたいことがあると切り出したのである。つまり、クイークェグが熱心にヨージョに——例の黒い小さな神さまに——おうかがいを立てたところ、二度三度にわたってご託宣があり、しかもそれがきびしいご託宣で、クイークェグとわたしがふたりそろって港の捕鯨船のたまり場へ行って合意のうえで船をえらんではならぬ、そうしないで船の選択は完全にわたしに一任すべし、というのがヨージョの至上命令であり、それがヨージョのふたりへの好意ある配慮だという。またヨージョによれば、じつはその主旨に沿って、すでに一隻《いっせき》の船に白羽の矢が立ててあり、わたしの一存にまかせておけば、わたし、すなわちこのイシュメールが、まるで偶然であるかのように、間違いなくこの船にたどりつくことになっている。船にたどりついたら、当座のところクイークェグのことは念頭から去り、わたしは即座にその船と乗組みの契約を結ぶべし——というのである。

言いわすれたが、おおくのことにおいて、クイークェグはヨージョのすぐれた判断力と預言にかかわる超能力に深い信頼をおいていた。またヨージョのことを、その慈悲ぶかい意図がかならずしも成就するとはかぎらなくとも、全般として好意的で、あらゆる場合において、どちらかと言えば、善に属するたぐいの神として信奉し、高い敬意をはらっていたのである。

ところで船の選択に関するこのクイークェグの、と言うよりむしろヨージョの計画には、わたしは全面的に反対だった。われわれの身柄と幸運をやすんじてまかすにたる最善の捕鯨船を選択することにかけては、わたしはむしろクイークェグの勘にかけていた。しかし、どう反論しようと、クイークェグは馬耳東風《ばじとうふう》、わたしが折れるよりほかはなかった。したがってわたしは、この種の些事《さじ》は手早くかたづけるにしくはないと観念し、勇猛果敢に事にあたろうと腹をきめ、翌朝、クイークェグとヨージョを寝室にのこしたまま——というのは、この日は、クイークェグとヨージョにとっては四旬節《レント》とか断食月《ラマダーン》に相当する断食と懺悔《ざんげ》と祈りの日らしかったからだが、かといって、何度かこころみてはみたものの、クイークェグの祈禱書《きとうしょ》や三九箇条(61)を理解しきれなかったわたしとしては、どうしてそういう理屈になるのか皆目見当がつかなかったけれども——ともかく、トマホーク・パイプの煙だけを摂取して断食中のクイークェグと、かんなくずで護摩《ごま》の火をたいて暖をとっているヨージョをのこして、わたしは出港準備中の捕鯨船めざして宿を出た。あちこちあるきまわり、行き当たりばったりの質問をくりかえしたすえに、三年の航海に出る三隻の捕鯨船がもやっていることが判明した——デヴィル・ダム号、ティット・ビット号[62]、それにピークオッド号[63]だった。デヴィル・ダムが何にちなんだ名かは知らない。ティット・ビットはすぐわかる。ピークオッドは、諸君もきっとご承知のことであろうが、いまでは古代メディア人のように絶滅した、高名なマサチューセッツ・インディアンの部族名である。わたしはまずデヴィル・ダム号を一瞥《いちべつ》してから、ティット・ビット号にうつり、最後のピークオッド号には乗船して、しばらくあたりを詮索したあと、これこそわれらが船だと即決した。

　諸君も人生の盛りにはいろいろと風変わりな船を目撃されたにちがいない——舳先《へさき》が四角い帆掛け船、山のように高い帆を立てる日本のジャンク、バター容器みたいな格好のオランダ帆船など。しかし、信じていただきたいが、この古さびて珍奇なピークオッド号ほど古さびて珍奇な船にお目にかかったことはあるまい。ピークオッド号は旧式に属する船で、どちらかと言えば小型船である。どことはなしに猫足をした脚をもつ家具に似た古風な感じがする。長年にわたり四つの海の嵐やら凪《なぎ》やらにさらされ、きたえられたせいで、船体は、まるでエジプトとシベリアを転戦してきたフランス擲弾兵《てきだんへい》の顔のように黒ずんでいる。その年へた船首はひげを生やしているように見えた。マストは――もとのは日本沿岸で嵐にへし折られたので、現地の海岸で採伐したものとのことだが――その三本のマストは、ケルンの大聖堂にまつられる三人の王の背骨のように毅然《きぜん》として直立している。その甲板は摩滅して木目が浮き出し、さながらベケット大司祭(64)が血を流したカンタベリー大聖堂の敷石が、巡礼者たちの足にふまれて摩滅したさまをしのばせる。しかし、そういう古色蒼然《こしょくそうぜん》たる様相にくわえて、新規斬新《ざんしん》な様相も見てとれるのは、この船が半世紀以上にわたってかかわった荒くれ稼業に関係がある。老船長ピーレグは多年この船の一等航海士をつとめてから、自分の船をもって船長になり、いまは引退した船乗りとしてピークオッド号の主要株主のひとりになっている人物だが――この老ピーレグが一等航海士をつとめていたあいだに、もともとグロテスクなところがあったこの船のいたるところに、材料においても意匠においても奇怪千万な象嵌《ぞうがん》をほどこし、珍奇さの点ではいにしえのヴァイキングの王ソーキル・ヘイクがおのれの盾や寝台枠にほどこした彫刻以外には類をみないていの奇想の産物にしたてあげたのであった。こういうピークオッド号には、みがきあげた象牙《ぞうげ》のペンダントをやたらに首からぶらさげた野蛮なエチオピアの皇帝といった風情がある。船そのものが戦利品の寄せ集めだ。いわば船のなかの人食い人種とでも言おうか、浮き彫りをほどこした敵の骨で満身を飾りたてている。腰板のない素通しの舷牆《ブルワーク》が船をぐるりと取りまき、腰板のかわりにマッコウ鯨の長く鋭い歯が一列に並んでいるところは、まるで鯨のあご骨をしのばせるが、歯は索止め栓《ピン》のかわりにさしこまれているのであって、そこには船の筋とも腱とも言うべき古い麻のロープが係累されている。そして、これらの麻のロープは陸《おか》の木でつくった卑しい滑車などではなく、鯨の歯、すなわち海の象牙でつくられた滑車のうえを軽快にすべっていくのである。またピークオッド号は、おそれおおくもお尻の舵《かじ》に回転式の舵輪《ホイール》を用いる不敬をさけ、腕木式の舵柄《ティラー》(65)を装備していたばかりか、舵柄は宿縁の敵たる鯨の長く幅のせまい下あごの骨を器用に一本の柄《え》にけずりあげた逸品だった。嵐のなかをこの柄をにぎって船をあやつる操舵手は、血気にはやる馬のあごをつかんで制御する韃靼人《だったんじん》さながらであった。けだかくありながら、どこかひどく暗鬱《あんうつ》な船！　あらゆるけだかきものには、何がしかの暗鬱《メランコリー》はさけがたいのであろうか。

さて、乗り組みの意志をつたえようと思って、だれかその決定権をもっていそうな人物がいないかと後甲板を見まわしてみたが、はじめはだれも見つからなかった。しかし主檣《メインマスト》のすこし後ろにテント、と言うよりインディアンのウィグワムに似たものが張ってあって、これは見のがしようがなかった。停泊中の用件のために臨時に張られたものらしかった。円錐形状のもので、高さは一〇フィートばかり。セミ鯨の口蓋《こうがい》の中央部で天上のいちばん高いところから採取した、しなやかな黒い骨の大きく長い扁平《へんぺい》な板でできている。板の幅の広いほうを下にして甲板に置き、輪になるようにつづりあわせ、相互にもたれあうように立てかけ、それが頂点で集合してとんがった房になり、まるでいにしえのポトワトミー・インディアンの酋長《しゅうちょう》(66)のまげのように、そこからほつれた頭髪のような繊維が左右にゆれていた。三角形の入口が船首にむかってついていて、なかにいる者には正面が全部見える仕組みになっていた。

さて、この奇妙な幕舎になかばかくれて、その風采からして権威ありげな人物がいることにわたしは気づいた。昼時でもあり、船の仕事もとぎれていたのか、この人物は指揮監督の重荷から解放されて休息をたのしんでいた。古風なカシ材の椅子《いす》に腰をおろしていたが、その椅子は一面にのたうつような彫刻がほどこされ、その座部《ボトム》は例のウィグワムとおなじ弾力性のある骨材を頑丈につづりあわせたものからできていた。

わたしが見た老人の容貌は、何の変哲もなかった。たいていの老水夫がそうであるように、赤銅色《しゃくどういろ》に日焼けして筋骨たくましく、クエイカー教徒の流儀で裁断した濃紺の厚手のウールの外套《がいとう》にくるまっていた。ただ、目の周囲に、ほとんど顕微鏡的と言ってよいほどの微妙微細なちりめんじわが網の目をなしていたが、それは幾多の嵐のなかを、いつも風上《かざかみ》に目をむけて航海してきたせいだろう——というのは、そういう習慣は目のまわりの筋肉を巾着状《きんちゃく》につぼませることになるからだ。こういう目じわは顔をしかめるときにはすごみがあって、きわめて効果的である。

「ピークオッド号の船長さんですか？」テントの入口にちかづいて、わたしは言った。(67)

「わしがピークオッド号の船長だとして、おぬしは船長に何の用か？」相手は聞いた。

「乗り組みたいと思いまして」

「おぬしが、乗り組みたいともうすか？　おぬしはナンタケットの者《もん》ではなかろう——船に穴をあけられた経験はあるか？」

「いいえ、ありません」

「捕鯨のことは何も知らん、そうだな——え？」

「何も知りません、でも、すぐにおぼえる自信はあります。商船に乗り組んで何度か航海したことがありますし――」

「商船に乗り組んだ、それがどうした。商船なんてことばはもう二度と口にするな。おぬしのその脚、見えるな？　このわしに商船に乗り組んだなどと二度と口にしおったら、おぬしの船尾から、その脚をだな、引っこ抜いてくれるぞ。商船だと、ほんとに！　おぬしは商船に乗り組んだことがよほど自慢らしいが、いいかげんにしろ！　どうして捕鯨に出たくなったか、え？――なんとなく動機が不純ではないか、え？――海賊でもやっていたのではないか、おぬし？――船長のものをぬすんだのではないか、このまえの航海で？――こんどの航海では、航海士を殺すつもりではなかろうな？」

わたしはこういういわれのない疑念のことごとくをきっぱり否定した。こうした、なかば道化た当てつけの仮面をつけているとはいえ、この年老いた船乗りが露呈していたのは、さすがに島にとじこめられたナンターケットのクエイカー教徒だけあって、島国的な偏見にみちあふれ、コッド岬かヴィニャード島(68)の出身者以外は、よそ者と見なして信用しないということであった。

「おぬしは何につられて捕鯨に行きたくなったか？　わしはそのことをまず知りたい。

やとう、やとわぬ、はそれからだ」

「捕鯨の何たるかを見てみたいのです。わたしは世界を見たい[69]のです」

「捕鯨の何たるかを見てみたいだと、え？　おぬしはエイハブ船長を見たことがあるか？」

「エイハブ船長とはどなたですか？」

「やれやれ、そんなことだと思っていたぞ。エイハブ船長というのは、この船の船長だ」

「それじゃ、わたしが間違ってました。わたしは船長と話しているつもりでした」

「おぬしが話しているのはピーレグ[70]船長だ――その船長といまおぬしは話をしている、わかったか、お若いの。ピークオッド号の出港の準備をととのえ、乗組みもふくめて、必需品を補給するのが、このわしとビルダッド船長の役目だ。わしらふたりはこの船の共同所有者にして代理人というわけだ。ところで、さっきも言いかけたことだが、捕鯨の何たるかを知りたい、というのがおぬしの希望なら、もう足を洗うにも洗えなくなってからではおそいから、そのまえに、ひとつ教えておいてやろう。エイハブ船長をその目で見ればすぐわかることだが、いいか、お若いの、エイハブ船長は脚が一本しかない」

「どういう意味ですか？　もう一本は鯨にとられたのですか？」

「鯨にとられただと！　お若いの、もっとそばによれ。その脚はだな、ボートを一艘《いっそう》こなごなにした化け物みたいなマッコウ鯨に、食いちぎられ、かみくだかれ、のみこまれてしまったのだ！　ああ、ああ！」

相手の気魄《きはく》にいささか圧倒され、最後のうめきに秘められた深い痛恨の情に打たれもしたが、わたしはできるだけ冷静に言った――「おうかがいした話にけちをつけるつもりではありませんが、その特定の鯨が特別に凶暴であったという理屈には納得しかねます。おこったことの単純な事実から推量するかぎり、凶暴だったにちがいありませんが」と。

「なんだと、お若いの、おぬしの肺は空気がもれてるぞ。もっとはっきりものを言え。さっきは海に出たことがあるとぬかしたな、ほんとか？」

「はい、船長さん」わたしは言った。「言ったと思いますけど、わたしは四度ばかり航海に出ました、商船で――」

「それを言うな！　商船のことなど口にするなと言うたではないか――わしをおこら

せるな――そんなことは聞きとうない。だが、話はつけておかねばなるまい。捕鯨の何たるかについては、その片鱗《へんりん》は話したつもりだが、それでもおぬし、まだ捕鯨に出る気はあるか?」

「はい、あります、船長」

「よろしい。では、おぬしは生きた鯨の喉《のど》もとめがけて銛《もり》を打ち込み、それから鯨に飛びのることができるような人間か? すぐに、返事をせい!」

「はい、そういう人間であります、船長。もしそうすることが絶対に不可欠だというのなら、つまりそれが避けがたいというのなら、そうします。でも、わたしはそんなことがやたらにあるとは思っていません」

「なかなか、よろしい。さて、おぬしは捕鯨の何たるかを知るために、捕鯨に行きたいと言ったばかりか、世界を知るためにも捕鯨に行きたいと言ったな? そうだな。そうなら、ちょっと行ってこい、舳先《へさき》のところへ。そしてあたりを見まわしてきて、何を見たか、わしに報告せい」

一瞬わたしはこの奇妙な要求にとまどった。冗談なのか真面目《まじめ》なのか、わかりかねたからである。しかしピーレグ船長は例の目じりのしわをぐっとつぼめてしかめ面《づら》をつくり、指示にしたがうことをせまった。

舳先のほうに行き、そこからながめてみると、錨《いかり》につながれた船は上げ潮にあわせてゆれ、船体をすこしかしげながら沖合いに舳先をむけていた。眺望は際限なくひろがり、極端に単調で人をこばむ何かがあった。単調そのものなのだ。

「報告を聞くとするか？」ピーレグはわたしがもどると言った。「何が見えた？」

「ほとんど何も」わたしは答えた――「水ばっかりです。でも、水平線の雲行きにはあやしいものがありますね。スコールがきそうです」

「それでは、世界を見るという考えはどうなるのか？　わざわざホーン岬まわりで航海に出て、もっと水が見たいというのか、え？　ここでは世界が見えんというのか？」

わたしはいささかたじろいだ。しかし、わたしにはどうしても捕鯨に出なければならない理由がある。どうしてもなのだ。それにピークオッド号ほどいい船はない――どんぴしゃりの船です――こういう思いをわたしは口に出してピーレグに言った。わたしの決意のほどを見てとると、ピーレグ船長はこころよく採用の意向を表明した。

「では、さっそく契約書に署名といくか。わしについてこい」――そう言いながら、ピーレグ船長はわたしを甲板の下の船長室《キャビン》に案内した。

船尾梁《トランソム》に腰をかけていたのは、わたしの見るところ、まことに尋常ならざる、驚嘆すべき人物であった。それはあとでビルダッド船長であると判明したが、この人物はピーレグ船長とともにピークオッド号の大株主のひとりであった。その他の株は、こういう港ではめずらしいことではないが、おおぜいの年金受給者、夫をなくした女、父をなくした子ども、それに両親ともなくした法廷被後見人などがわかちもち、それぞれの持ち株の価値はせいぜい肋材の頭とか、甲板の板一枚とか、釘《くぎ》の一、二本といったところであった。ナンターケットの住民が捕鯨に投資するのは、諸君が元金保証の国債に投資するのとおなじなのである。

さて、ビルダッドは、ピーレグその他おおぜいのナンターケット島民の例にもれず、クエイカー教徒であった。そのゆえんは、この島に最初に住みついたのがこの宗派の連中だったからであるが、今日にいたるまで島の住民は概してクエイカー教徒の特質をおどろくほど顕著に保持しており、ただそれが各種各様のまったく異質なものと変則的に結合しているだけである。だからこそ、そのおなじクエイカー教徒のなかに、殺伐なことにかけては群を抜く船乗りや鯨捕りがいるわけである。彼らは戦うクエイカー教徒(71)でありながら、極端なまでに敬虔《けいけん》なクエイカー教徒なのである。

だからこそ、この島としては至極当然のことながら、よそ者からすれば珍妙な慣行として、この島には聖書にちなんだ名をもつ者がおおく、幼少のころから仰々しい芝居じみた「おぬし」〔thou〕とか「おぬしに」〔thee〕といったクエイカーことばを自然に身につけているばかりか、長じて勇猛果敢、豪放磊落《ごうほうらいらく》な冒険生活をつづけるうちに、北欧の海賊王や古代ローマの叙事詩に出てくる異教徒にもおとらぬ幾多の豪胆な性癖が、幼児期から不変のままに保持してきた敬虔な特質とふしぎな結びつきをしめしているのである。そして、こういう資質が、地球のように巨大な頭脳と重厚な心情をもち、かつ抜群の膂力《りょりょく》にめぐまれた人物のなかで結合するとき、そしてまた、その人物がさいはての海で、はたまたこの北半球では見ることのできない南海の星座のもとで、静寂と孤独の長い夜直をかさねるうちに、因習を解脱した独立自尊の思考の領域に到達して、全自然の甘美な、もしくは原初の刺激を、その処女なる自然そのものの無垢《むく》にして隠しだてしない乳房からじかに受けとり、そのうえ、僥倖《ぎょうこう》のたすけも得て、大胆にして繊細かつ高邁《こうまい》な言語を習得したとき――その人物は国民のなかの第一人者となり――高貴なる悲劇を演ずるにふさわしい偉大なる立役者となるのである。劇的な観点からすれば、そのような人物は、遺伝のせいか環境のせいかはさておき、その性格の根底にはなかば意志的とも思える病的な暗鬱の気分がひそんでいようとも、それがその人物の価値をいささかなりとも減ずるものではないのである。悲劇的に偉大な人物はつねに何がしか病的なところがあるものである。しかし、こころせよ、若き野心家よ、あらゆる人間的な偉大さとは病気にすぎないのだ。だが、よろしいか、われわれがこれまで遭遇してきたのは、それとはまったく別種の人間であって、なるほど特異ではあっても、クエイカー教の一側面が特異な環境によって異変をとげた人物であるにすぎないのである。

ビルダッド船長は、ピーレグ船長とおなじく、いまや引退した裕福な鯨捕りであったが――ピーレグ船長がいわゆるまともなことは歯牙《しが》にもかけず、まともなことをささいなことの最たるものと見なす種類の人物であったのに対して――このビルダッド船長はもともとナンタケット・クエイカー派のなかでもいちばん厳格な派の教義のもとに訓育をうけた人物であったばかりか、その後の海上生活やホーン岬以遠の愛すべきはだかの人たちの姿を見たことによっても――その生粋のクエイカー教徒の本性は微塵《みじん》も影響をうけることなく、そのチョッキの着方にも寸毫《すんごう》の変化をこうむることもなかった種類の人物だった。しかしながら、その不撓不《ふとうふ》屈《くつ》の性《さが》にもかかわらず、この高貴なビルダッド船長には、俗事における首尾一貫性に欠けるところがあった。良心的な理由によって、陸上の侵略者に対して武器をとることは拒否しながら、そのおなじ人物が、大西洋と太平洋は容赦なく侵略し、人間の血を流すことは神かけてこばみながら、いったん船長服に身をかためると、大樽《おおだる》何杯ものレヴィヤタンの血糊《ちのり》を海に流すのであった。いまや沈思黙考になじむ人生のたそがれにあって、この敬虔なビルダッドが、こういう矛盾を追想のもなかでどのように折り合いをつけているかは知る由《よし》もないが、そのようなことを彼はさして気にしていないようであった。おそらくビルダッドは、もうとっくのむかしに、信仰と実生活は別ものであるとする賢明かつ分別ある結論に到達していたものと思われる。この世はそれなりの配当金を支払うものだ。貧素きわまる寸詰まりの給仕服を着たキャビン・ボーイから身を立て、肩広・腰細の胴着《ヴェスト》をまとう銛打ちになり、それからボート長、一等航海士、船長、そして最後に船主になったビルダッドは、すでにふれたように、六〇歳という格好な潮時を期に、その波乱万丈の経歴に終止符をうち、現役生活からきっぱりと手をきり、その余生を勤勉な労働から得た収益をしずかに回収することに当てているのである。

さて、ビルダッドは、言うのもはばかられるが、度しがたい因業おやじという評判があったし、海に出ていたころは、部下にきびしい非情な上司だった。たしかに信じがたいところがある話だが、かつてこの人物がカッテガット号を指揮していたときのこと、帰港と同時に、乗組みのほとんど全員が疲労困憊《ひろうこんぱい》のためにそのまま病院に運びこまれたという。信仰の人としては、とくにクエイカー教徒としては、非情酷薄にすぎると言われても仕方がない。もっとも、この船長は部下に罵詈《ばり》雑言《ぞうごん》をあびせかけることは決してなかったというが、どういうわけか情け容赦のない過酷な労働を部下に強いたことは事実らしい。ビルダッドが一等航海士だったころ、そのくすんだ褐色の目でじっと見つめられると、部下はすっかり気が動転してしまい――ハンマーであれ綱通し針《マアリーンスパイク》であれ――手当たりしだいにひっつかみ、何でもいいから、やみくもに仕事をおっぱじめないわけにはいかなくなるのだった。怠惰も無為もビルダッドのまえでは霧散する。その体《たい》軀《く》そのものが功利主義の化身なのだ。その丈高い痩身には贅肉《ぜいにく》もなければ、余分なひげもない。そのあごに、ちょうど彼がかぶっているつば広帽のすりきれたけばのように柔らかく貧相な毛がひと房ついているだけだった。

　わたしがピーレグ船長のあとについて船長室におりていったとき、船尾梁にすわっているのを見たのは、つまりそういう人物だったのである。上下の甲板にはさまれた空間はせまかったが、そういう空間に老ビルダッドはまるで棒でものんだように背筋をぴんとのばしてすわっていた。このご老体はいつもそのような姿勢ですわり、決して腰をかがめたりしなかったが、それというのも外套のすそを痛めないためだった。つば広帽をそばに置き、脚を無骨にくみ、色あせた服のボタンを喉もとまでかけ、眼鏡を鼻にずらして、何やら分厚い本に読みふけっているようす。

「ビルダッド」とピーレグ船長は声をかけた。「また、やっとるな、え？　わしのたしかな記憶によれば、おぬしはこれで三〇年も聖書を勉強しておる。どれぐらいすすんだかね、ビルダッド？」

古い仲間のこういう冒瀆《ぼうとく》的な揶揄《やゆ》には慣れっこになっているせいか、ビルダッドはその不謹慎な物言いを意に介するふうもなく、しずかに頭をあげ、わたしを見とがめると、物問いたげにふたたびピーレグのほうを見た。

「この者が仲間にしてくれと言うのだ、ビルダッド」ピーレグは言った。「船に乗せてほしいと、な」

「おぬし、しかりか？」ビルダッドはうつろな口調で、わたしのほうを見ながら言った。

「し、い、い、しかりです」わたしは気魄にのまれて思わずクエイカーことばで答えていた。なにしろ相手は根っからのクエイカー教徒だ。

「おぬしはこの者をどう思う、ビルダッド？」ピーレグは言った。

「よかろう」ビルダッドはわたしに目をくれながら言い、それからまた聖書に目をもどし、はっきりそれとわかる声で、もぐもぐと読みつづけた。

こんなに風変わりなクエイカー教徒にはお目にかかったことがない、とわたしは思った。とくに、友人で同僚だというあの口うるさいピーレグとくらべると、なおさらそう思えた。だがわたしはそんなことはおくびにも出さず、ただ抜かりなくあたりに目をくばっていた。するとピーレグは書類箱のふたを無造作にあけ、なかから船の契約書類をとりだし、ペンとインクを自分のまえに置き、小さなテーブルにむかって腰をおろした。航海に出るにあたっての諸条件をきめるべき時がいよいよきたのだ、とわたしは思った。捕鯨業では給金を出さず、そのかわりに乗組みは、船長もふくめて、配当〔lay〕(72)と呼ぶ利潤の分け前をもらい、その配当の額面は乗組み各自の義務の重要度に比例するという慣行があることはわたしも先刻承知していた。また、わたしは捕鯨では新米だから、配当がさほど大きかろうはずがないことも覚悟していた。しかし、わたしには海の経験があり、船の舵をとることも、ロープの練り継ぎ《スプライス》もできれば、その他もろもろの技能があるのだから、これまで仄聞《そくぶん》したことから判断して、最低二七五番配当——つまり、この航海がどれぐらいの純益をあげるかは知る由もないが、とにかくその純益の二七五分の一——はもらえるものと期待していた。二七五番配当というのはどちらかといえば長番配当〔long lay〕に属するものだが、ただよりはましである。もしこの航海の運がよければ、航海中に消耗する衣類の代金ぐらいにはなるだろうし、これは言うまでもないことだが、三年間の下宿代は一銭も出さずに寝床と牛肉にありつける理屈だ。

これは大金をかせぐ方法としてはおそまつであると思われるかもしれない——まさしく、そのとおり、おそまつ至極である。しかし、わたしは大金をかせぐことには関心のない種類の人間だし、「雷雲亭《サンダー・クラウド》」なる剣呑《けんのん》な看板をかかげるこの世を定宿《じょうやど》としているかぎり、寝と食とにあずかれば、それで満足というたぐいの人間である。とにかく、二七五番配当というのはかなりいい線だろうが、わたしは体格もいいほうだから、二〇〇番配当をもらってもべつに驚くことはあるまい、とかんがえていたのであった。

しかしながら、気前のよい利益の配分にあずかる可能性について、ひとつだけ心配のたねがあった。それは陸《おか》で耳にしたピーレグ船長と、そのえたいの知れぬ古なじみのビルダッドについての風聞だった。このご両人はピークオッド号の主要株主だったので、他の群小株主は船の運営にかかわる権益のほとんどをふたりに委譲しているということだった。それに、あの吝嗇家《りんしょくか》のビルダッドが人員補給についてかなり強力な発言権をもっているのではないか、という不安もあった。とくに、こうしてピークオッド号上でビルダッドがのうのうと船長室に陣取り、わが家の暖炉のそばにいるかのごとくにくつろいで聖書に読みふけるさまを見るにつけ、なおさら不安がつのった。ピーレグが自分のジャック・ナイフで鵞《が》ペンをけずるのに苦労しているというのに、またこういう手続きでは重要な責任を分担しているはずなのに、老ビルダッドはこちらのことはまったく意に介さず、ひとり聖書をぶつぶつと読みつづけていた。「なんぢら己《おの》がために財寶《たから》を地に積むな〔lay not〕、ここは蟲《むし》――(73)」

「さて、ビルダッド船長」ピーレグはことばをはさんだ。「この若者に、配当をどれくらい積むつもりだね？」

「おぬしがいちばんよく知っておろうが」というのが返事だった。「七七七番でおおすぎることはあるまいな？――『ここは蟲と銹《さび》とが損《そこな》ひ、されど積め〔lay〕――』」

積め〔lay〕、とはよくも言ったものだ！　しかも七七七番配当(74)を積め、とは！　さても、ビルダッドの爺《じ》さまよ、おぬしは、このおれさまも、虫と銹が損なうこの世では、あまりおおくの配当を積ませまいと言うのだな。なるほど、それはきわめて長番配当《ロング・レイ》だ。数字が長いので陸《おか》の連中はたぶらかされるかもしれない。しかし、ちょっとかんがえてもみてほしい。七七七というのはかなり大きな数字であるにしても、その……分の一ということになれば、どうか。銅貨一枚の七七七分の一というのが金貨七七七枚よりどれくらい価値がないかは自明ではないか、とその時わたしはかんがえたものだ。

「おい、それはないぞ、ビルダッド」ピーレグは大声を出した。「おぬしはこの若者を騙《かた》るつもりか！　もっと積むべきだ」

「七七七番だ」ビルダッドは聖書から目もあげずにくりかえすと、またもぐもぐと読みつづけた――「『なんぢの財寶《たから》のある所には、なんぢの心もあるべし』」

「わしは三〇〇番を出すつもりだ」ピーレグは言った。「聞こえるか、ビルダッド！　三〇〇番配当だ」

ビルダッドは聖書を置いて、おごそかにピーレグのほうに向きなおって言った。「ピーレグ船長、おぬしは寛大なこころの持ち主だ。しかし、おぬしはこの船のほかの株主に負うている義務をかんがえねばならん――たくさんの、やもめや子どものことをな――この若者に過分な報酬をはらうことは、そういうやもめや子どもからパンをうばうことになる。七七七番配当だ、ピーレグ船長」

「おぬし、ビルダッドめ！」ピーレグはどなると、いきなり立ちあがり、船長室を足音高くあるきまわった。「いいかげんにしろ、ビルダッド船長、配当のことでおぬしの忠告を聞いていたら、もうとうに、わしの良心は、ホーン岬をめぐるどんな大きな船でも沈めるほどの重荷で沈没しているところだ——」

「ピーレグ船長」ビルダッドは落ち着きはらって言った。「おぬしの良心の喫水線が一〇インチさがって水にもぐっていようと、一〇尋《ひろ》さがって沈没していようと知ったことではないが、わしが大いにおそれるのはだな、ピーレグ船長よ、おぬしはいまだ悔い改めをしてない身であるがゆえに、おぬしの良心はすぐに水漏れするのではないか、そのうち地獄の業火に墜落するのが落ちだということではないか」

「地獄だと！　業火だと！　おぬし、わしを侮辱したな。よくも侮辱しよったな、もう我慢ならん。ひとのことを地獄落ちだとぬかすおぬしこそ、地獄落ちだ。銛でも火でも、もってこい！　ビルダッド、もういちど言ってみろ、わしの魂のかんぬきを抜いてみろ、わしは——わしはだな——生きている山羊《やぎ》を毛も角《つの》ももろともにのみこんでみせる。ここから出てけ、この信心づらした木偶《でく》の坊め——さっさと出てけ！」

こう罵倒しながらピーレグはビルダッドめがけて突進したが、ビルダッドはまことに巧妙迅速に身をくねらせて難をさけた。

主要な船主のふたりがこんな大げんかをするのに度肝をぬかれ、またこんな偏屈な人物が船主で、暫時にもせよ、こんな人物が指揮をとるような船に乗るのはきっぱり断念することもかんがえながら、ともかくビルダッドが逃げ出す邪魔はすまいと、わたしはドアのわきに寄った。ビルダッドが、すっかり怒らせてしまったピーレグのまえからさっさと雲隠れしたがっているものとばかり思っていたからだ。ところがさにあらず、ビルダッドはまた船尾梁にしずかに腰をおろし、出ていくつもりなど微塵も見せない。ビルダッドは短気なピーレグの言動には慣れきっているようだった。ピーレグのほうも、怒《いか》りをぶちまけ、蒸気抜きをしたせいか、まだ興奮のなごりでときおり体をぴくつかせながらも、小羊のようにおとなしく船尾梁に並んで腰をかけ、やがて「ひゅー！」と息をはいた――「どうやらスコールは風下《かざしも》に去ったようだ。ビルダッド、おぬしは槍《やり》をとぐのが得意だったな。あのペン先をなおしてくれんか。わしのジャック・ナイフは砥石《といし》をかける必要がある。ありがとう、ありがとうよ、ビルダッド。さて、お若いの、名はイシュメールともうしたな。それでは、ここに署名するのだ、イシュメール(75)、三〇〇番配当のところにな」

「ピーレグ船長」わたしは言った。「じつは上船を希望する仲間がもうひとりいるのです――あした連れてきてもいいですか？」

「いいとも」ピーレグは言った。「連れてきなさい。わしらふたりで面接するから」

「そいつは何番配当を所望だ？」ビルダッドはそれまで読みふけっていた聖書からふと顔をあげて、うなった。

「よせ！　ビルダッド、おぬしは配当のことに口出しするな」ピーレグは言い、わたしのほうを見て――「そいつは鯨をとったことがあるのか？」

「数えきれないほどの鯨を殺したやつです」

「それでは、連れてくるのだ」

そういうわけで、署名をすますと、わたしはさっそく失敬した。これで朝の仕事は一件落着。それに、ピークオッド号こそヨージョさまご指定の、クイークェグとわたしが乗るさだめの、ホーン岬まわりの船であることに間違いはなかった。わたしは満足だった。

ところが、あまり遠くまで行かないうちに、自分が航海をともにする船長にまだ会っていないことに気がついた。もっとも、捕鯨船のばあい、装備が完全にととのい、乗組み全員の乗船が完了してはじめて、船長が指揮をとりにお出ましになることがおおい。捕鯨航海はときにきわめて長期にわたり、母港にいる期間は極端に短いので、船長が家族持ちであるとか、それに類した関心事があるばあいには、船長は停泊中の船のことにはあまりかまわず、出港準備がととのうまで、船のことは船主にまかせるからである。とはいえ、引っこみがつかなくなるまえに、自分の全運命を託す当の人物に会っておくのは悪いことではあるまい。わたしはとってかえしてピーレグ船長にちかづき、エイハブ船長とはどこで会えるかとただした。

「エイハブ船長に何用だ？　心配するな、おぬしの乗船はもうきまった」

「はい、でもお会いしたいのです」

「しかし、おぬしがいま会えるとは思えんな。どういう理由か正確にはわからんが、エイハブ船長は家にとじこもっている。一種の病気かな、そうは見えんが。事実、病気ではない、しかし、健康でもないな。そして、どういうわけか、わしにも会ってくれんのだ。だから、おぬしに会ってくれるとは思えんな。変わった男だ、エイハブ船長は――そうかんがえる者もいる――しかし、いい男だ。ああ、おぬしもきっと好きになるさ、心配ない、心配ない。偉大な、神をおそれぬ、神のような男だ、エイハブ船長は。あまりしゃべらんが、エイハブがしゃべるときには、耳をかたむけるがよい。いいか、わすれるでないぞ。エイハブはなみの人間ではない。エイハブは大学にいたこともあるし、人食い人種のあいだにいたこともある。海よりも深い驚異にも通暁《つうぎょう》していれば、鯨よりもなお強力で怪異な敵に火のような槍を突きつけたこともある。エイハブの槍！　その槍よりもするどく、ねらいのたしかな槍は、この島のどこをさがしてもない！　おお！　あの男はビルダッド船長ではないのだ、そう、ピーレグ船長でもない。あの男はエイハブなのだ、わかるかな。おぬしも承知だろうが、いにしえのエイハブは冠《かんむり》をいただいた王者だった」

「しかもひどく悪辣《あくらつ》な王。その邪悪な王が殺されたとき、犬どもが、その血をなめたのではありませんか？」

「わしのそばによれ――もっと、もっとそばに」ピーレグは目にただならぬ色を浮かべて言った。「いいか、若者よ、それをピークオッド号の船上で言ってはならぬぞ。どこでも言ってはならんぞ。エイハブ船長はその名を自分でつけたのではない。それは、生まれてまだ一二カ月にもならぬときに死んだ、気のふれた、愚かで無知な、やもめの母親が気まぐれでつけた名だ。それに、ゲイ・ヘッド(76)のインディアンのティスティグばあさんによれば、あの名にはたたりがある。あのばあさんとおなじような愚か者が、おなじようなことをおぬしに言うかもしれん。注意しておくが、それはうそだ。わしはエイハブ船長をよく知っている。もうむかしになるが、わしはエイハブとは同僚として航海した。わしはやつの本性を知っている――あの男は善人だ――ビルダッドみたいに信心ぶかい善人ではなく、呪いをはく善人だ――いくらかわしに似ている――ただ、あの男には、わしなんかより、どこか桁《けた》ちがいに大きいところがある。そう、そう、エイハブがいつもひどく不機嫌なことはわしだって承知している。それに、こんどの帰り船でも、しばらく気がふれていたことも承知している。しかし、それは、だれでも想像できるように、血をふく脚の切断箇所の刺すような痛みのせいだったのだ。このまえの航海であの呪わしい鯨に脚をとられてからというもの、エイハブがふさぎがちなこと――絶望的なふさぎ気分で、ときには凶暴にさえなること、それも承知しているが、いまにきっとおさまる。もうこれでやめておくが、いいか、若者、よく聞け、これだけは言っておく――航海するなら、笑顔のへっぽこ船長とするよりか、渋面《しぶつら》のりっぱな船長とするほうがいいにきまっている。さあ、おぬしの幸運をいのる――それから、名前が悪いからといって、エイハブ船長をうとんじるではないぞ。そのうえ、いいか、あの男には妻がいる――結婚して、まだ三航海にしかならんが――やさしい、ひかえめな若い女だ。かんがえてもみるがよい、あの男とそのやさしい若い女とのあいだには子どもがひとりあるのだ。してみれば、おぬし、エイハブがどうにもならん悪党だとかんがえられるか？　いや、いや、そうではない、傷つき、ゆがんでいるとはいえ、エイハブにはエイハブなりの人間性があるのだ！」

その場をはなれながら、わたしは物思いにふけった。エイハブ船長についてたまたま知ったことで、わたしのこころはこの人に対する言い知れぬ痛ましい思いでいっぱいだった。とにかく、そのとき、わたしはエイハブ船長に対する共感と悲しみをおぼえたが、それが無惨にも片脚をもぎとられたことに対する憐憫《れんびん》の情でなかったとするなら、わたしの感懐はいったい何だったのだろうか。それに、わたしはエイハブに対して奇妙なおそれもおぼえていた。しかし、その種のおそれは、わたしにはとても表現しかねるが、正確には、おそれではなかった。わたしにはそれが何だかわからなかったが、それを感じることはできた。そして、それを感じることで、エイハブにひかれる気持が減じるわけではなかった。もっとも、当時のわたしはエイハブ船長をほとんど知らなかったので、この人が秘めているとおぼしい神秘性にはいらだちをおぼえたのだったが。しかし、そのうちわたしの物思いは他の方向にそれていったので、当座のところ、暗いエイハブはわが脳裡《のうり》から去った。

第一七章　ラマダーン

クイークェグのラマダーンが、すなわち断食と悔悟の儀式が、終日つづく予定だったので、わたしは夜がふけるまで邪魔をするのを遠慮した。わたしは他人の宗教的儀式に対して、それがどんなに滑稽であろうと、最大級の敬意をはらう者である。蟻《あり》の大群がサルノコシカケを礼拝しようと、また地球の一部に、ほかの遊星では類を見ないほどの奴隷根性をもつ妙な生き物が棲息《せいそく》していて、すでに他界した地主の胸像を平身低頭して崇拝し、そうする唯一の理由が、いまなおその地主の名義で膨大な土地が所有され、賃貸されていることであろうと、わたしはそういうことを軽蔑するたぐいの人間ではない。

しかり、われら善良なる長老会派のキリスト教徒は、こういう点について鷹揚であるべきである。ほかの人間が、異教徒であろうとなかろうと、こういう問題について狂気じみた観念をいだいているからといって、自分たちのほうが数等すぐれているなどと空想してはなるまい。たとえばクイークェグ。なるほどクイークェグはヨージョやラマダーンについてまことに荒唐無稽な考えをいだいている――が、それがどうしたというのか？　クイークェグは自分が何をしているかよく承知しているはずだし、それに満足しているようにも見える。そうなら、干渉は無用だ。議論をしかけてみてもはじまらない。天よ、われらすべてに――長老会派も異教徒も例外なしに――慈悲をたれたまえ――われらはみな、頭のどこかに重大な欠陥をもち、すみやかなる修理を必要としている者なればなり。

日が暮れて、クイークェグの儀式も勤行《ごんぎょう》も終了したころだと判断して、わたしは部屋にもどり、ドアをたたいた。しかし、反応がない。ドアをあけようとしてみたが、内側から鍵がかかっている。「クイークェグ」わたしは鍵穴から小声で呼びかけた――が、返事はない。「クイークェグ！　なんで返事をしないんだ？　おれだ――イシュメールだ！」しかし、室内は依然として静まりかえったまま。わたしは心配になってきた。時間的余裕は充分にとったはずだ。ひょっとして脳卒中でもおこしたのではなかろうか。鍵穴からのぞいてみた。だが、ドアは部屋の片隅にむかって開く仕組みになっていて、鍵穴から見てもいびつで邪険な眺めしか視野にはいってこない。寝台の裾板《すそいた》の一部と壁の線が見えるだけで、あとは視野の外。だが、おどろいたことに、前日の夕方、われわれが入室するまえに、おかみさんがクイークェグからとりあげた銛《もり》の木製の柄《え》が、その壁に立てかけられているのが見えてきた。これは変だ、とわたしは思った。しかし、とにかく銛があそこにあるのだから、そしてクイークェグが銛をもたずに外出することはまずないのだから、クイークェグはここにいるにちがいない。それに間違いはない。

「クイークェグ！　クイークェグ！」――反応なし。何かあったにちがいない。脳卒中だ！　わたしは体当たりでドアをあけようとしたが、びくともしない。わたしは階下《した》へかけおり、途中で出会った最初の人間に――つまり女中に、わたしの懸念をぶちまけた。「あーら！　あーら！」女中は頓狂な声をあげた。「変だと思ってたのよ、あたしも。朝ご飯がおわって、ベッドをつくりにいったら、ドアに鍵がかかってたもの。ネズミの足音さえ聞こえましぇん。そいから、ずうーと、しずまりかえってて、コトリとも物音がしぇん。でも、あたし、たぶん、おまさんがたふたりが外出したとき、荷物をぬすまれない用心に、部屋に鍵をかけていったとばっかし思ってた。あーら！　あーら！　たいへん、おかみはん！　ひとごろし！　ハッシーのおかみはん！　脳卒中でーす！」

——こうさけびながら女中は台所へはしり、わたしはそのあとを追った。

薬味トレーに香辛料をならべる仕事と、黒人の少年をしかりつける仕事に従事していたハッシーのおかみさんは、その仕事を中断して、一方の手にマスタードのポットを、もう一方の手に酢のビンをもって姿をあらわした。

「薪置《たきぎお》き場！」わたしは大声をあげた。「薪置き場はどっちだ？　大至急ドアをこじあけるものをもってくるんだ——斧《おの》！——斧だ！——脳卒中だ、ぐずぐずするな！」——とさけびながら、わたしは徒手空拳、またしてもがむしゃらに階段をのぼっていったが、そんなわたしをさえぎったのは、マスタードのポットと酢のビン、それにトレーそのもののようなハッシーのおかみさんの顔だった。

「どうしたんだい、おまえさん？」

「斧をたのみます！　おねがいですから、だれかに医者を呼びにやらせてください、そのあいだにわたしがドアをこじあけます!」

「ちょいと、おまえさん」おかみさんは言い、すばやく酢のビンを下に置き、片方の手を自由にしてから、「ちょいと、おまえさん、うちのドアをこじあけるんだって?」——といきなり自由になった手でわたしの腕をつかまえた。「いったい、どんな料簡だね? どういうつもりなんだい、船員さん?」

冷静に、しかしできるだけ手短に、わたしはことの次第をおかみさんに説明した。酢のビンで左側の小鼻を無意識にたたきながら、おかみさんはしばらく沈思黙考してから、突然さけんだ——「そうだ! あそこへしまったまま、見てない」。階段の下の小さい物置に突進すると、彼女はなかをしらべ、もどってくると、わたしに、クイークェグの銛が見つからない、と告げた。「自殺したんだ」おかみさんは言った。「これじゃスティグスの二の舞だ——また掛けぶとんがだいなしになった——神さま、あの男のあわれなおふくろさんをあわれみたまえ!——これでうちの宿屋もおわりだ——あの男には妹がいるのかい——おっと、あの娘《こ》はどこにいる?——いた、ベッティ、ペンキ屋のスナールズのとこへ行って、看板をひとつ注文してきておくれ、こう書いてもらうんだ——『本館における自殺、および客間における喫煙を禁ず』とね。これで一石二鳥、一つの石で二羽の鳥をうち落とすというわけ。落とす？　命を？　主よ、あの男の魂にお慈悲を！　あれは何の音？　こら、やめな、お若いの、やめなったら！」

こう言うと、おかみさんはわたしにつづいて二階にあがり、ふたたびドアをこじあける魂胆のわたしをさえぎった。

「ゆるしませんよ、うちの建物をこわすのはゆるしません。錠前屋へ行きなさいったら、ここから一マイルほど先に店をかまえているから。でも、おまち！」そう言いながら、おかみさんは腰のポケットに手をいれて、「ほら、この鍵ならあうかもしれないよ、さあ、ためしてみましょう」と、その鍵を錠にさしてまわしてみたが、やんぬるかな！クイークェグが内側からかけた補助かんぬきの栓がどうしてもはずれない。

「ぶちやぶるより手はない」そう言ってわたしは、勢いをつけるために入口からすこし後退したところ、おかみさんに胸元をつかまれ、うちをぶちこわされてなるものか、とわめかれたけれども、わたしはおかみさんを振りきり、目標めがけて体当たりを敢行した。

大音響とともにドアは開き、取っ手は壁に衝突し、漆喰《しっくい》は天上まで飛んだが、さて、たまげたことではないか！　クイークェグは頭のうえにヨージョをのせ、泰然自若として部屋のどまんなかに鎮座ましますではないか。右顧《うこ》も左眄《さべん》もするでなく、生きているけはいは微塵《みじん》も見せず、ただ彫像のように胡座《こざ》している。「クイークェグ、いったいどうしたんだ？」

「クイークェグ」わたしはちかづきながら言った。

「この人は一日中こうやってすわってたんじゃあるまいね」おかみさんは言った。

われわれが何を言おうと、馬耳東風《ばじとうふう》。クイークェグからひとことも引き出すことはできない。その姿勢はいかにも不自然で苦しそうだったので、わたしは姿勢をかえてやりたくなり、すんでのところでクイークェグをついて床に転がすところだった。なにしろ、この男、三度の食事もぬきにして、この胡座を八時間から一〇時間以上にわたって継続していたにちがいないのだ。

「ハッシーのおかみさん」わたしは言った。「とにかく生き、、、ているようです。ここのところは、わたしにおまかせください。このけったいな事態の始末は、わたしがつけます」

おかみさんに部屋からお引きとりねがうと、わたしはクイークェグに椅子《いす》にすわるようすすめてみたが、無駄だった。何をしようと——なだめようと、すかそうと——微動だにしない、ひとことも口をきかない。わたしのほうを見もしなければ、わたしの存在にすらまったく気づいていないのだった。

これがクイークェグのラマダーン勤行の一部なのではないか、とわたしはかんがえた。生まれ故郷の島ではあんなふうに胡座して断食するのがならいなのだ。そうにちがいない。そうだ、あの勤行は信仰と不即不離の関係にあるのだ。そうなると、クイークェグのしたいようにさせねばならない。遅かれ早かれ、目をさますにちがいない。こんなことが永遠につづくわけはない。そのうえ、クイークェグにとって、ラマダーンは年に一度しかめぐってこないのだし、しかもそれほど正確にやってくるのでもなさそうだった。

わたしは夕食におりていった。いわゆるプラム・プディング航海（小型・中型の帆船スクーナーかブリッグで大西洋赤道以北の海域に限定されて行なわれる短期捕鯨航海のこと）からもどってきたばかりの水夫たちの長話を聞いてから、つまりプラム・プディング航海もどりの連中の自慢話を一一時ごろまで拝聴してから、いくらクイークェグでも、もうラマダーンはやめにしただろう、とほぼ確信し、寝るつもりで部屋にもどった。ところが、予想に反して、クイークェグは出たときのままの場所に鎮座したまま、微動だにしていない。さすがにわたしも腹が立ってきた。まる一日と半夜、火の気のない部屋で、頭のうえに木っ端《こっぱ》をのせて、ただひたすら胡座にふけるとは、まったく無意味でふざけたことだ、と思えてきたのだ。

「たのむから、クイークェグ、起きて、うごいてくれ。起きて、食事をしてくれ。飢え死にするぞ、自殺行為だぞ、クイークェグ。」だが返事はない。

それゆえ、わたしはもうクイークェグのことはあきらめ、そのうちわたしを見習うだろうと思って、ベッドにはいって寝ることにした。しかし寝床にはいるまえに、わたしは自分の厚手のウールのジャケットをクイークェグの肩にかけてやった。ひどく寒い夜になりそうだったし、クイークェグは普通の短いジャケットをはおっているだけだったからだ。しばらくのあいだ、いくらあせっても、一瞬のまどろみもおとずれそうになかった。ロウソクは先刻わたしが吹き消したのだが、クイークェグが――四フィートとはなれていないところで――寒さと暗闇のなかで、ただひとり、窮屈な格好ですわっていると思うだけで、なんともやりきれない気持になるのだった。かんがえてもみてもらいたい。なんとも腑に落ちないラマダーンとやらで、大きく目を見ひらいた異教徒が夜っぴて結跏趺坐《けっかふざ》の勤行をやっているおなじ屋根の下で、一夜の安眠をむさぼることができるかどうかを！

しかし、どうやら眠りにおち、それ以後のことは、夜明けまで、わたしは何もおぼえていないが、夜が明けて、ふとベッドのわきを見ると、クイークェグが、まるで床にねじ釘《くぎ》でとめられたかのように、しゃがんでいるではないか。しかし窓から朝一番の光がさしこんだとたん、クイークェグは立ちあがった。関節はこわばり、ギシギシ音をたてたが、顔は晴ればれとしていた。そして足をひきずりながら、わたしの寝ているところにちかづき、例によって、自分の額《ひたい》をわたしの額に押しつけ、ラマダーンはおわった、と言った。

さて、まえにも言ったように、わたしはひとの宗教に対しては、それがどんな宗教であろうと、他人が自分とおなじ信仰をもたぬからといって殺したり侮辱したりしないかぎり、いささかの異議もさしはさむものではないが、ある人の宗教が真に邪教の域に達し、当の本人にとってさえ耐えがたい苦痛になりおおすようなときには、つまり共同の宿としてのこの地球が住みにくくなるようなときには、本人をかたわらに呼び、問題点を論じあうべきときであると勘考するのである。

そこで、わたしはさっそくクイークェグをかたわらに呼び、そうしたのである。「クイークェグ、ベッドにはいって、横になって、こっちの話を聞いてくれ」とわたしは言った。それからわたしは、原始宗教の発生と進歩から説きおこし、現代のさまざまな宗教の問題にいたり、その間、四旬節《レント》とか断食月《ラマダーン》とか、寒く陰気な部屋で長時間にわたって胡座の勤行にはげむようなことは愚の骨頂であり、健康にも悪いし、精神にとっても無益であり、要するに、衛生の基本原理にも常識にも反することをクイークェグに納得させようとはかった。わたしはまた、クイークェグがその他の点ではきわめて分別のある賢明な蛮人でありながら、ことラマダーンになると絶望的に愚かになるのを見るのは苦痛だ、耐えがたいほどの苦痛だ、と強調した。そのうえ、断食は肉体を衰弱させ、したがって精神も衰弱し、ゆえに断食に由来するあらゆる思考は必然的に飢餓状態にある思考にほかならない、と断じた。消化不良の宗教家がたいてい自分の死後の世界について悲観的な観念をいだいているのは、以上のような理由による。要するにだ、クイークェグ、とわたしは脱線ぎみに言ったものだ——地獄というのは、まずはアップル・ダンプリングの消化不良から生じ、その後は、断食にもとづく歴代の消化不良患者によって継承されてきた観念にほかならない、と。

ついでに、わたしはクイークェグ自身に、消化不良になった経験があるかどうか、ただしてみた。むろん、クイークェグにも理解できるようにという配慮から、消化不良なる観念をよくかみくだいて説明してからのことである。「ない」というのがその返事だったが、ただし一度だけわすれがたい体験があるとのこと。それは父なる王が勝利をおさめた大戦争で、午後二時ごろまでに五〇人の敵を殺し、その夕方に全部を料理してたべた、あの王主催の晩餐会《ばんさんかい》のあとでのことだったという。

「もういいよ、クイークェグ、もういいったら」わたしは身ぶるいしながら言った。その先は言われなくとも見当がついたからだ。わたしは当の島をおとずれたことのある水夫に会って、島の習慣について話を聞いたことがある。かの地では大戦争で勝利をおさめると、勝者は自分の庭ないし庭園で敵の死体をことごとくバーベキューにして、ひとつひとつ大きな木皿に盛り、まるでピラフのように、まわりにパンの木の実やココヤシの実をあしらい、口にはパセリをくわえさせ、それを友人一同に、ちょうどクリスマスの七面鳥のように、挨拶《あいさつ》をそえてプレゼントするらしい。

結局のところ、わたしの宗教論議がクイークェグにさしたる感銘をあたえたとは思えなかった。その理由は、第一に、クイークェグ自身の観点に即していないかぎり、どんなに重要な主題についてもクイークェグが聞く耳をもたなかったこと、第二に、いかにわたしが自分の観念をやさしく説明しても、クイークェグには三分の一ほども理解できなかったこと、そして最後に、真の宗教に関しては、自分のほうがわたしなどより数等よく知っているとクイークェグが自負していたことに帰することができる。クイークェグは一種の憐憫と同情の色を目に浮かべてわたしを見た。こんなに道理をわきまえた若者が、わが福音主義的異端信仰にまったく無関心であるとは、なんとも遺憾千万だ、とかんがえているようだった。

そのうちふたりは寝床を出て、身ごしらえをした。クイークェグはあらゆる種類のチャウダーをたいらげて、盛大な朝食をとった。というわけで、宿のおかみさんはクイークェグの断食のおかげで、それだけ余計にもうかったということはなさそうだったが、ともあれ、われわれはピークオッド号めざして出発し、ヒラメの骨を爪楊枝《つまようじ》がわりに使いながら、ぶらりぶらりと歩いていった。

第一八章　クイークェグのしるし

銛《もり》をかついだクイークェグとわたしが連れ立って波止場の突端の船にむかってあるいていくと、ピーレグ船長が例のウィグワムのなかから大きなしわがれ声で、わたしの仲間が人食い人種だとは思わなかった、とおらび、そのうえ、事前に洗礼証明書を提示しないかぎり人食い人種を上船させるわけにはいかん、とのたもうた。

「それはどういう意味ですか、ピーレグ船長？」わたしはそう言うと、仲間を波止場においたまま舷牆《ブルワーク》にとび乗った。

「洗礼証明書が必要だという意味だ」ピーレグは答えた。

「しかり」ビルダッド船長はピーレグ船長の背後から頭をつき出し、ウィグワムのなかから、うつろな声で言い、「その者には改宗したことをしめす証明書が必要だ。闇の子よ」とクイークェグのほうを見ながら、「現在おぬしは、どこかのキリスト教会と霊的な交わりを有しているか？」と聞いた。

「ええ、あの銛打ちは第一組合教会[77]の会員です」わたしは言った。ここで付言しておくが、ナンターケットの船で航海に出る、入れ墨をした蛮人のおおくは、結局のところキリスト教に改宗するのである。

「第一組合教会だと」ビルダッドは大声をだした。「なんだと！　あのデュートロノミ・コールマンが執事をつとめる[78]教会の？」そう言いながら、眼鏡をとりだして絞り染めの黄色い大型のハンカチでふいてから、いとも慎重にそれをかけ、ウィグワムから出てきて、骨ばった体を舷牆から乗り出しながらクイークェグをじろじろと吟味した。

「教会員になって何年になる？」ビルダッドはわたしのほうをむいて言った。「そんなに長くはあるまいな、どうだ、お若いの」

「そうだとも」ピーレグも言った。「それに、まともに洗礼をうけているかどうかも、あやしいもんだ。うけていれば、あの悪魔じみた青黒い入れ墨も、もうすこし色あせていてよさそうなものだ」

「さあ、もうしてみよ」ビルダッドは声を荒げた。「この蛮人はデュートロノミ・コールマン執事の教会の正式会員かどうか。わしは安息日にはかならずあのまえをとおるが、ついぞあの蛮人が教会へはいるのを見かけたことはないぞ」

「デュートロノミ執事のことも、その集会のことも知りません」わたしは言った。「わたしが知っているのは、ここにいるクイークェグが生まれながらにして第一組合教会の正会員であるということです。彼自身が執事なのです、このクイークェグが」

「お若いの」ビルダッドはいかめしく言った。「おぬしはわしをからかっているな――はっきりもうせ、この若きヒッタイトめ(79)。どこの教会のことだ？　答えるのだ」

こう問いつめられて、わたしは言った。「え、つまり、あなたもわたしも、あそこのピーレグ船長も、こちらのクイークェグも、あらゆる人の子とその魂が所属するところの、あの万古不変の普遍教会《カトリック》、つまり神をあがめる全世界のしもべが集《つど》いあつまる第一組合教会のことであります。われわれはみんなその教会に属しております。なかにはつむじまがりの説を立てる者もおりますが、そんなことぐらいで、その大いなる信仰は微塵《みじん》もゆらぐものではありません。その信仰のもと、われわれはみな手に手をつないでいるのであります」

「つなぐ、ロープをつなぐように手をつなぐというわけだな」ピーレグはわたしに近づきながら、どなった。「お若いの、おぬしは水夫として船に乗るより、説教師として船に乗った方がよさそうだな。あんなにうまい説教は聞いたことがない。デュートロノミ執事でも――いや、マップル牧師でさえ、おぬしには負けだな、あれほどのお人でもな。さあ、船に乗った、乗った。証明書なんかもうどうでもよい。よいか、あそこのクォーホッグ(80)とかいうハマグリみたいな名前のやつに言ってくれ――おぬしは確かあの蛮人をそう呼んでいたな？　ともかくクォーホッグに上船するように言ってくれ。ほう、たまげたもんだ、なんと見事な銛をもっていることよ！　なかなかの逸品と見うけた。扱いもなかなか堂にいっている。おぬし、クォーホッグとか言ったな、クォーホッグよ、おぬしは捕鯨ボートの舳先《へさき》に立ったことがあるか？　魚をやったことがあるか？」

無言のままクイークェグは、彼一流の荒っぽいやり方で舷牆にとびあがり、それから舷側にぶらさがる捕鯨ボートの舳先に飛びうつると、やおら左のひざを立てて銛を投げる姿勢をとり、だいたいつぎのようなことを口にした――

「せんちょ、あそこ、水のうえ、ちさい、タールのしずく、見る？　おまえ、あれ、見る？　あれ、鯨の目ある、片目ある、いいか、いくぞ！」ねらいをさだめて、クイークェグは銛を投げた。銛はビルダッドのつば広帽のうえをかすめ、船の甲板をきれいに飛びこえ、キラキラ光るタールの点に命中し、点は消滅した。

「どうだ」クイークェグはゆっくりと銛綱《もりつな》をたぐりよせながら言った。「あれ、鯨の目、その鯨、死ぬ」

「大変だ、ビルダッド」ピーレグは同僚に声をかけたが、ビルダッドは銛があまりにも近くを通過していったのに仰天して、船長室《キャビン》の昇降口のほうに避難していた。「はやくしろ、ビルダッド、船の契約書をもってきてくれ。このヘッジホッグ、いやクォーホッグを、わしらのボートにやとうのだ。いいか、クォーホッグ、おぬしに一九番配当をつかわす。ナンターケットの銛打ちで、こんないい配当をさずかった者はおらんぞ」

そこで一同は船長室におりてゆき、クイークェグはまもなくわたしとおなじ船に乗り組むことになったが、これはわたしのまことに欣快《きんかい》とするところであった。

予備的な手続きはすべて完了し、署名の準備も万端ととのうと、ピーレグはわたしにむかって言った。「そこのクォーホッグはおそらく字の書き方を知らんだろうな? おい、こら! クォーホッグ、おぬしは名前を書くか、それともしるしにするか、どっちにする?」

この質問に対して、クイークェグはこれまでにこの種の儀式を二、三度経験したことがあるせいか、すこしも臆することなく、ペンをうけとり、契約書の所定の場所に、腕にほった奇妙なまるい入れ墨模様(81)を正確に模写してみせた。その結果、ピーレグ船長の頑迷な呼称の間違いも保存しながら、だいたい以下のようなものにあいなった。

その間、ビルダッドは腰をかけたままクイークェグを熱心に観察していたが、そのうち荘厳な身振りで立ちあがり、すその広がった鉄錆色《てつさびいろ》の外套《がいとう》の巨大なポケットをまさぐり、小冊子の束をとりだし、そのなかから「終末の日は近づきぬ、時を失することなかれ」という題のものをえらび、クイークェグの手に置き、その手と冊子をいっしょに自分の両の手でにぎりしめ、クイークェグの目を真剣なまなざしで見つめながら言った。
「闇の子よ、わしはおぬしに対する義務を果たさねばならん。わしはこの船の共同所有者であるゆえ、その全乗組員の魂についても責任がある。そこでわしが大いに危惧する

のは、おぬしがいまだ邪教にしがみついているのではないかということだ。もしそうなら、わしはおぬしに懇願する、いつまでも悪魔のしもべであることをやめるのだ。偶像の神を廃し、邪悪なる竜を排して、来《きた》るべき神の怒《いか》りをさけるのだ。よいか、気をつけるがよい！　用心するのだ！　地獄に落ちぬように、舵《かじ》取りに注意するのだ」

ビルダッドのことばにはいまだに海の香りがただよい、それに聖書の文句や日常会話の語彙《ごい》が奇妙にまざりあって、特異な混交ぶりをかもしていた。

「やめろ、そこでやめるのだ、ビルダッド、わしらの銛打ちを骨抜きにするようなことはやめてくれ」ピーレグがさけんだ。「信心ぶかい銛打ちがいい鯨捕りになったためしはない——凶暴性がなくなったらおしまいだ。サメみたいに凶暴なところがない銛打ちは使いものにならん。ナット・スウェインという若者のことをおぼえているか？　ナンターケットからヴィニャードにかけた界隈《かいわい》でぴかいちの鯨捕りだったのに、教会にゆくようになってから、からっきしだめになった。おのれの迷える魂のことがえらく気になりだして、鯨を見るとちぢみあがり、にげまわるようになった。ボートに穴をあけられて海底にしずむとなれば、こんどは地獄の火責めがこわくなる、というわけだ」

「ピーレグ！　ピーレグ！」ビルダッドは手をあげ、目もつりあげて、言った。「おぬしも、わしも、あぶない目には何度もあってきた。おぬしも承知だろう、死の恐怖がどんなものか。それだのに、どうしておぬしは、あんな神をもおそれぬ口をたたくのか。ピーレグよ、おぬしはおのれのこころをいつわっている。ほかならぬこのピークオッド号が日本沖を航海中に台風に襲われてマストを三本へし折られたとき、おぬしはたしかエイハブ船長と同乗していたはずだが、そのときおぬしは『死』と最後の『審判』のことを思わなかったか？」

「よくぞ、ほざいたな」ピーレグはポケットの奥までぐっと手をつっこんだまま、船長室を大股であるきまわりながら、どなるように言った。「おい、みんな聞いたか。かんがえてもみろ！　船が沈みかかっているときにだぞ！　そんなときにだぞ、『死』とか『審判』のことをかんがえるというのか？　なんだと？　三本のマストがどれもこれも雷みたいに舷側を猛烈にたたきつけているさなかにだぞ、大波がまえからも後ろからも襲いかかってくるさなかにだぞ、そんなさなかにだぞ、『死』だの『審判』だののことをかんがえるというのか？　絶対にありえん、そんなときに『死』のことをかんがえるひまなどあるものか。エイハブ船長もわしも、かんがえていたことは『生きる』ことだけだった。どうやってみんなを助けるか――どうやって補助マストを立てるか――どうやって最寄りの港にたどりつくか、そんなことばかり、わしはかんがえていたのだ」

ビルダッドは口をつぐみ、外套のボタンをきちんとかけ、甲板にのぼっていったので、わたしたちもそのあとについていった。ビルダッドは甲板に立ちどまり、中央甲板のところで中段横帆《トップスル》をつくろっている縫帆手《セイル・メイカー》たちの仕事をものしずかに見守り、ときおり身をかがめて、帆のはぎれやタールのしみた撚《よ》り糸の切れはしを、もったいないと言わんばかり、ひろいあげていた。

第一九章　預言者

「兄弟たちよ、おぬしら、あの船に乗るのか?」

クイークェグとわたしがピークオッド号をあとにし、それぞれ物思いにふけりながら、ぶらぶらと海辺から遠ざかろうとしていたとき、見知らぬ男が、太い人差し指でくだんの船をさしながら、そうことばをかけてきた。男は色あせたジャケットにつぎはぎだらけのズボンというみすぼらしい風体《ふうてい》で、首にはぼろきれのような黒いハンカチをまいていた。天然痘の融合性瘢痕《はんこん》が顔一面のあらゆる方向に溝をほり、干上がった奔流の川床《かわどこ》のように複雑なうねを形成していた。

「おぬしらはあの船に乗るのか？」男はくりかえした。

「あの船って、ピークオッド号のことですか」この男をもうすこしじっくり観察する時間をかせぐために、わたしは言った。

「さよう、ピークオッド号のことだ――あそこにいる船のことだ」と男は言い、いったん突き出した腕をもどしてから、ふたたび威勢よくそれを前方に突き出し、剣つき鉄砲の剣のようにとがった指でぴたりと目標にねらいをつけた。

「そうです、上船契約をしてきたばかりです」わたしは言った。

「魂についての契約はしなかったのか？」

「何についてですって？」

「ああ、たぶん、おぬしらは魂をもっておらんのだ」男は早口に言った。「気にするな。魂をもたぬやつはたくさんいるからな――それもよかろう。どうせ、そういう連中は魂なんぞ、ないほうがあんばいがいいのだ。魂は第五番目の車輪のようなものだからな」

「何をぶつくさ言っているのですか、兄弟」わたしは言った。

「あの人にはたっぷりある、欠けている連中の埋め合わせをしてなお余りあるほど、あの人にはある」男はあの人ということばに異様な力点をおいて、唐突に言った。

「クイークェグ」わたしは言った。「ゆこう。この人はどこかの施設からずらかってきたらしい。おれたちの知らないだれだかについて、なんだかわけのわからないことを言っている」

「まて！」見知らぬ男は言った。「無理もない――おぬしらはまだ雷親爺《おやじ》に会っていない、そうだろう？」

「雷親爺ってだれのことですか？」男のただならぬ真剣な態度に再度ほだされて、わたしは言った。

「エイハブ船長のことだ」

「なんだって！　おれたちの船、ピークオッド号の？」

「さよう、われら古い船員仲間では、雷親爺でとおっている。おぬしらはいまだ雷にお目にかかっていないのか？」

「いいえ、お会いしてません。病気だそうです。でも、快方にむかっていて、もうすぐ全快だそうです」

「もうすぐ全快だと！」男は荘厳な嘲笑といった調子の笑い声をあげた。「いいか、おぬしら、エイハブ船長が全快するのなら、わしのこの左腕も全快するだろうが(82)、それまでは無理だろうな」

「あなたはどれくらい知っているのですか、船長のことを？」

「おぬしらはどんな話を聞いてるんだ？　それをさきに言え！」

「エイハブ船長のことは大して聞いていません。ただ、鯨捕りの名手で、乗組員にとっても、いい船長だと聞いています」

「そのとおり、そのとおりだ――しかり、両方ともほんとうだ。あの人が命令を出してみな、ぶっとぶぜ。出てきて、ほえる、ほえて、引っこむ――それがエイハブ船長の流儀だ。しかし、だいぶ古い話になるが、あの人が、ホーン岬沖で、三日三晩、死んだように転がっていたときのことや、ペルーの港サンタの祭壇の面前でスペイン人と死闘を演じたことについては聞いていないな？――そういうことについては何も聞いていない、そうだな、え？　銀の正餐式用の器《うつわ》につばを吐いた件についても？　それに、預言どおりに、このまえの航海で片脚をなくしたことについてはどうだ？　そういうことや、その他もろもろのことについて、何ひとつ聞いてないな、え？　おぬしらが聞いたとは、わしは思わん。聞けるわけがない。知ってるやつが何人いる？　ナンターケットのだれもが知ってるわけではあるまいし。だが、たぶん、あの脚のことについては、どうやってそいつをなくしたかについては、聞いたかもしれん。いや、それについては聞いたにちがいない。おお、しかり、あのことについては、ほとんどだれもが知っているからな――つまり、あの人には脚が一本しかなく、もう一本はマッコウ鯨にもっていかれたことについてなら、だれもが知っているということだ」

「兄弟よ」わたしは言った。「あなたが何をつべこべ言ってるのか、わたしにはとんとわかりませんし、わかりたくもありません。あなたは頭がすこしいかれているようにわたしには思えるのです。でも、もしあなたがエイハブ船長とあのピークオッド号のことを話しているというのなら、わたしはあの人が脚をなくした件については一部始終わきまえております」

「一部始終だと、え――たしかか？――何もかもだぞ？」

「まあ、そういうことです」

その乞食のような風体の男は、ピークオッド号を指さし、しっかりと目で見すえ、まるで悪夢を見ているかのように、しばしたたずんでいたが、二、三歩前進したかと思うと、振りかえって言った――「おぬしらはもう上船契約をした、そうだな？　書類に名前を書いたのだな？　やれやれ、サインしちまったものはサインしちまったものだ。起こるべきことは起こるだろう。それでも、ひょっとすると起こらんかもしれん。ともかく、もうすでに賽《さい》は投げられたってわけだ。いずれにせよ、だれかがあの船長といっしょにゆかねばならん。どこのだれでもおなじことだ。神よ、この者たちをあわれみたまえ！　さらばおぬしら、さらば兄弟、天の祝福がありますように。引きとめてわるかったな」

「ちょっとまった、兄弟」わたしは言った。「もしわれわれに言わねばならない大事なことがあるのなら、はっきり言ってもらいたい。だが、もしわれわれをかつぐつもりなら、あなたは相手を間違えている。わたしの言いたいことはそれだけだ」

「なかなか言うではないか。若造がそういう口をきくのを耳にするのもわるくない。おぬしはあの人むきだ――おぬしみたいなのが。さらば、兄弟よ、さらば！　あ、そうだ！　船に乗ったら、わしは乗るのをやめたと言っておいてくれ」

「ああ、友よ、われわれをそんな手口でだまそうたってだめですよ――われわれはだまされたりしない。何か重大な秘密があるみたいなそぶりをするのは、たやすいことです」

「さらば、兄弟、さらば」

「こちらこそ、さらばだ」わたしは言った。「ゆこう、クイークェグ、こんな狂ったやつは相手にしないほうがいい。だが、ちょっとまった、お名前を聞かせていただけませんか？」

「エライジャさ」(83)

なるほどエライジャね！と、わたしは納得し、クイークェグとふたりでその場を立ち去ることにした。道すがら、ふたりはそれぞれの流儀で、ぼろを着た男のことをあれこれ品定めしてみたが、結局のところ、あの男はこけおどしのペテン師にすぎないという結論に達した。しかし、百ヤードほど行ったところで角をまがろうとして、ふと後ろを振りむくと、一定の距離をたもってはいたが、なんとエライジャがあとをつけてくるではないか。その姿にはどこかわたしに口をつぐませるようなところがあったので、わたしはエライジャがあとをつけていることをクイークェグには言わずに、だまって先へと歩をすすめたが、あの男がおなじ角をまがるかどうかについては充分に気をつけていた。はたして男はまがった。そこで男がわれわれを尾行しているらしいことが判明したが、その意図となると、わたしにはさっぱり見当がつかなかった。こういう事態とあいまって、男の曖昧《あいまい》な、なかばほのめかすような、なかば暴露するような思わせぶりな物言いのせいで、わたしの胸中にありとあらゆる漠然とした驚きと疑念がむらがりおこり、それがことごとくピークオッド号にむすびつくのだった――エイハブ船長に、その失われた脚に、ホーン岬での発作に、銀の器《うつわ》に、前日わたしがピークオッド号を去ろうとしたとき、ピーレグ船長がエイハブ船長について言ったことばに、インディアンの巫女《みこ》テイスティグの預言に、われわれがゆくとさだめた航海に、その他無数の漠たるものごとに――むすびつくのであった。

このぼろをまとったエライジャがほんとうにわれわれを尾行しているのかどうか、たしかめてやりたくなったので、わたしはそのつもりでクイークェグといっしょに道路の反対側にわたり、そこを逆にあるきはじめた。しかしエライジャはわれわれに気づいたふうもなく、通りすぎていった。これでわたしは安堵した。そして、再度、またこれで最後だと自分に言いきかせながら、あいつはペテン師だ、とこころのなかでつぶやいた。

第二〇章　出港準備

一日か二日たつと、ピークオッド号の船上には活発な動きが見られるようになった。古い帆の修理が進行していたばかりか、新しい帆も、カンヴァスや索具《さくぐ》の束も、どんどん船にはこびこまれていた。つまり、すべての徴候が船の出港準備がおわりにちかづいていることを物語っていた。ピーレグ船長はめったに船をおりることなく、例のウィグワムのなかに席をしめて、船員たちの仕事ぶりにするどい監視の目をそそいでいた。ビルダッドは店で物品を購入したり調達する仕事を一手にひきうけていた。船艙内部での仕事や艤装部品の調達にたずさわる者は、深夜まではたらいていた。

クイークェグが上船契約をした翌日、ピークオッド号に上船を予定している船員が宿泊しているすべての宿屋におふれがまわり、船はすぐにも出港するかもしれないので、衣類箱《チェスト》は明るいうちに船に搬入するようにとのことだった。そこでクイークェグとわたしは衣類箱に私物をつめて船にはこんだが、ぎりぎりまで陸《おか》で宿泊するつもりだった。しかし、こういうことは早めに通告するものとみえ、船が実際に出港したのはその数日後のことだった。が、それも道理で、ピークオッド号を完全に艤装するまでには、なすべきこと、配慮すべきことが山積していたのであった。

いかに雑多なものが——寝台、鍋、包丁、シャベル、やっとこ、ナプキン、クルミ割り、その他もろもろが——世帯のいとなみに不可欠であるかは周知のことである。捕鯨についてもおなじであって、食料品屋も、行商人も、医者も、パン屋も、金貸しも何もいない大海原《おおうなばら》で、三年にわたって船の所帯を切り盛りしていかねばならないのである。むろん、これは商船のばあいもおなじであるが、その程度において捕鯨船とは比較にならない。捕鯨航海は通例きわめて長期にわたるうえに、その捕鯨業務を遂行するためには多数の特殊な機材を必要としながら、ふつう寄港する遠隔の港でそれらを調達することは不可能なので、捕鯨船はあらゆる種類の事故にみまわれる危険に常時さらされているばかりか、とくに航海の成功が大いに依存している当の機材を喪失したり破損したりする危険にも常時さらされていることをわすれてはならない。ゆえに、予備のボート、予備の円材、予備のロープ、予備の銛《もり》、その他あらゆる種類の予備が必要だが、予備がないのは船長と船体ぐらいであった。

われわれが島についたころにはピークオッド号の肝要な積荷の積載はほとんど完了していた。牛肉、パン、豆、水、燃料、樽《たる》をつくるための鉄のタガに樽板《たるいた》などのことだが、まえにもふれたように、その後もしばらくは、大小の雑多な日用品の補給がこまごまと継続されていたのである。

こういう品物の調達や搬入を主として手がけていたのは、ビルダッド船長の姉であった。やせた老婦人だが、不撓不屈《ふとうふくつ》の精神と、まことにやさしい心根の持ち主で、ピークオッド号がいったん沖に出てから不足の品が見つかるようなことがあってはならぬ、とかたくこころに決めているようだった。あるときは調理室の貯蔵庫におさめるためにピクルスのビンをもって船をおとずれ、またあるときには一等航海士が航海日誌を書く机のうえに鵞《が》ペンを一束おいていったり、また別のときにはリューマチをわずらう者が腰に湿布するためのフランネルを一巻き持参したりした。この婦人の名はチャリティといったが、これほどぴったりの名はまたとあるまい——みんなはチャリティおばさんと呼んでいた。「慈善婦人友の会」の会員よろしく、この慈悲心あふれるチャリティおばさんはあちらこちらとかけまわり、愛する弟ビルダッドが関与し、自分自身もつましくためた数十ドルを投資した船の全乗組みの安全、やすらぎ、なぐさみを約束するものなら何でも手にいれようと心がけて奔走したのだった。

しかし、このやさしい気性のクエイカー教徒のご婦人が、最後の日に、長い鯨油用のひしゃくを片手にもち、もっと長い捕鯨用の槍《やり》を他方の手にもって上船してきたのを見たときには、わたしもさすがに啞然《あぜん》とした。もちろんビルダッドにせよピーレグ船長にせよ、このご婦人にひけをとるものではなかった。ビルダッドは必要品のリストを書いた長い紙を肌身はなさずもちあるき、新しい品目が到着するごとに、リストの当該の項目の頭にしるしをつけていた。ピーレグは頻繁に鯨骨の小屋から出てきて、ハッチから下にいる者にはどなりおろし、マストの天辺《てっぺん》で索具の調整にあたっている者には、どなりあげ、またも、どなりながらウィグワムにもどっていく。

この準備期間中の日々にクイークェグとわたしはしばしば船をおとずれ、しばしば船長のようすや、船長の上船予定についてたずねた。こういう質問に対しては、船長は日々よくなっており、今日明日にも上船することだろうし、船長が留守のあいだは、ピーレグとビルダッド船長が船の航海に必要なものはすべて調達することになっているので心配ない、という答えだった。もしわたしが自分に対して真っ正直だったとすれば、船がいったん沖に出れば、とたんに絶対的な独裁者になるのがさだめの人物を一瞥《いちべつ》さえしないで、長い航海のあいだその人物に身をゆだねることに一抹の不安をおぼえていたことは明瞭に意識していたはずである。だが、人はいったんあることに荷担してしまうと、何か具合の悪いことに感づいても、無意識のうちにそれを自分自身にも隠蔽《いんぺい》しようとする傾向があるものである。かなりの程度、わたしのばあいがそうであった。わたしは口をつぐみ、何もかんがえないようにしていた。

　とうとう翌日のある時刻に船は間違いなく出港するという知らせがあった。そこで翌朝、クイークェグとわたしは早々に宿を出た。

第二一章　上　船

われわれが波止場にちかづいたときには、かれこれ六時になっていたが、空はまだ明けやらず、灰色の霧にかすんでいた。

「前方を船乗りが何人かはしっていくみたいだが、錯覚かな」わたしはクイークェグに言った。「幽霊じゃあるまいしな。船は日の出まえに出るかもしれない。さあ、いそごう！」

「まて！」と声がかかり、同時にその声の主が背後にせまり、われわれの肩に手をかけると、ふたりのあいだにたくみにすべりこみ、体をすこし前倒しにして、薄明かりのなかで、クイークェグとわたしの顔をいぶかるように見た。エライジャだった。

「上船するのか？」

「手をどけてくれませんか」わたしは言った。

「うるさい」クイークェグは体を振りほどきながら言った。「あっち、行け！」

「なら、乗らぬのだな？」

「いや、乗りますよ」わたしは言った。「でも、それがあなたと何の関係があるのですか？　おわかりですか、エライジャさん、わたしが癇《かん》にさわっているのが？」

「いや、いや、いや、それには気づかなかった」エライジャは言い、なんとも言いようのない目つきで、ゆっくりと、いぶかるようにクイークェグとわたしをこもごも見た。

「エライジャ」わたしは言った。「お引き取りねがえればありがたいのですが。わたしたちはインド洋および太平洋方面に出かけるところでして、邪魔をしていただきたくないのです」

「ほんとに、さようかな？　朝飯まえにご帰還か？」

「あの男は狂っている」わたしは言った。「ゆこう、クイークェグ」

「ヤッホー、まて！」エライジャはそこに停止したまま、二、三歩あるきかけたわたしたちにさけんだ。

「かまうな、クイークェグ」わたしは言った。「クイークェグ、ゆこう」

しかしエライジャはまたしてもわれわれに追いつき、いきなり手でわたしの肩をつかんで言った――「しばらくまえに、人間らしきものの姿があの船のほうにゆくのを見なかったか？」

この即物的な質問に虚を突かれて、わたしは答えた。「ええ、四人か、五人の人を見たような気がしますが、暗くてよく見えませんでした」

「暗い、たしかに暗い」エライジャは言った。「さらば、おぬしら」

ふたたびわれわれはエライジャとわかれた。しかし、またしてもこの預言者は忍び足でふたりのあとをつけてきて、またしてもわたしの肩に手をふれて言った。「いまならやつらを見つけることができるかもしれない。ためしてみないか？」

「見つけるって、だれを？」

「さらば、おぬしら！　おぬしら、さらば！」エライジャは立ち去りながら言った。「ああ！　おぬしらに警告するつもりであったが――まあ、いい、気にすることはない――みんな一蓮托生《いちれんたくしょう》、ひとつ家族みたいなものだしな――刺すように寒い朝ではないか？　さらば、おぬしら。すぐに再会することはなかろう。再会は最後の裁きの場でかな」こういう不可解なことばをのこしてエライジャはとうとう立ち去ったが、わたしのほうは、その頓狂な差し出がましさの意味を解《げ》しかねて、しばらく頭をなやました。

いよいよピークオッド号に乗りこんでみると、船は森閑《しんかん》と静まりかえり、人ひとり動くけはいもない。船長室《キャビン》の入口には内側から鍵がかかっている。ハッチのふたはみんなしまっていて、そのうえには索具《さくぐ》の束が置かれている。船首楼《フォクスル》のほうに行ってみると、そこの開口部のふただけがあいている。明かりがもれていたので、おりていくと、そこには、ぼろぼろのピー・ジャケットにくるまった年老いた索具職人《リガー》がただひとりいるだけ。職人は衣類箱をふたつ並べたうえに身をなげだし、両腕に顔をうずめて眠りこんでいた。

「なあクイークェグ、おれたちがさっき見たあの連中、どこへ消えたのかな?」わたしは言いながらも眠りこんでいる男を不審な気持で見た。しかしクイークェグは、波止場にいたとき、いまわたしが言及した連中について何も気づいていなかったようだった。わたしとしては、あれは目の錯覚だと片づけたいところだったが、事実だったとしなければ腑《ふ》に落ちかねるエライジャの質問の主旨が気になって仕方なかった。が、わたしはそんな思いを振りはらい、眠りこけている水夫を指さして、この「死体」に敬意を表して通夜の座業でもするか、おまえもしかるべくすわったらどうだ、とクイークェグに冗談めかして言った。するとクイークェグは眠りこけている男の尻に手をふれた。すわりごこちを吟味したらしい。そしてあげくに、悠然とそのうえに腰をおろした。

「やめろ！　クイークェグ、そこへすわるのはまずいよ」わたしは言った。

「おお！　なかなか、よーそろ、ざぶとん」クイークェグは言った。「これ、おれの島のやりかた。顔、だいじょうぶ」

「顔だって！」わたしは言った。「そこを顔って呼ぶのかい？　それにしても、えらく慈悲ぶかげなご面相だな。息があらいよ、ヒーヒー言ってる。おりるんだ、クイークェグ、おまえは重すぎる。貧しき者の顔を臼《うす》でひきつぶすことなかれ、と聖書にあるぞ。(84) おりろ、クイークェグ！　いまに振りおとされるぞ。それにしても、どうして目をさまさないんだろう」

クイークェグは「死体」からおりると、その頭のすぐ横に移動し、例のトマホーク・パイプに火をつけた。わたしは「死体」の足のそばに腰をおろした。われわれは眠っている男の体ごしにパイプをかわしあったのである。その間、わたしのいろいろな質問に対してクイークェグは彼流の片言で次のように説明してくれた。自分の故郷では、長椅子《ながい》とかソファーがないので、王や酋長《しゅうちょう》といったお偉方は、下層民をふとらせて人間椅子《オットマン》にしたてあげるのがならいだという。この点で家を快適にしようと思えば、八人から一〇人ほどのなまくら者を買いあつめ、窓ぎわや床の間《とこのま》に配置しておけばことたりるというのだ。そのうえ遠出のときには格別に重宝する。散歩用の杖が自在に庭椅子に変換できる例の発明品よりはるかに便利である。時に応じて、主人は従者を呼んで、あの木陰の下で椅子になれ、と命じればよいのだから。その木陰がじめじめした湿地であろうと、それはおかまいなしだ。

こういう話の最中にも、クイークェグはトマホーク・パイプをわたしから受けとるたびに、パイプの刃のついているほうを眠っている男の頭上で振りまわすのだった。

「それ、何のまじないだい、クイークェグ?」

「ころす、とても、かんたん、おお! とても、かんたん!」

トマホーク・パイプには敵の脳天をうちこわす用途と自分の魂を慰撫《いぶ》する用途のふたつがあるようだったが、クイークェグがそのパイプにまつわる奔放な思い出話をしているうちに、われわれはふと眠っている索具職人のようすに注意をひかれた。せまい穴倉に充満した強烈なタバコの煙がこの男にもこたえはじめたのだ。いっとき息をつまらせるようにあえいでいたが、こんどは鼻がむずむずするらしい。やがて一、二度、寝返りをうったかと思うと、むっくり起きあがって目をこすった。

「ヤッホー!」男はとうとう声をあげた。「おぬしら何者だ、タバコなんか吸いやがって？」

「乗組みですが」わたしはこたえた。「船はいつ出るんです？」

「アイ、アイ、この船に乗るんだな、おぬしら？　船はきょう出る。船長はきのうの晩、上船した」

「船長って、どの？——エイハブ？」

「ほかにだれがいるんだい？」

わたしは男にエイハブのことをもうすこし聞こうと思ったが、そのとき甲板で物音がした。

「ヤッホー！　スターバックさまの登場だ」索具職人は言った。「あの人はきびきびした一等航海士だ。いい人だ。それに信心があつい。さて、みんなもうごきだした。おれも行かねば」そう言うと職人は甲板にのぼっていき、われわれもそれにしたがった。

もうすっかり日も出ていた。乗組みたちは二人、三人と上船してきた。索具職人たちはいそがしく立ち働いていた。航海士たちも活発にうごいていた。数人の陸《おか》の人たちは最後の品物をせっせと船にはこんでいた。そのあいだ、エイハブ船長だけは自室にこもって姿を見せなかった。

第二二章　メリー・クリスマス

いよいよ、正午ちかくになって、索具《さくぐ》職人たちが最後のおいとまをもらって下船し、ピークオッド号が波止場からもやい綱をはずし、善意にみちたチャリティおばさんが最後の贈り物——二等航海士で義理の弟のスタッブのためにナイト・キャップをひとつ、司厨に予備の聖書を一冊——捕鯨ボートに乗って持参してから——つまり、こういうことがみんなすんでから、ピーレグとビルダッドの両船長が船長室《キャビン》からお出ましになり、ピーレグのほうが一等航海士をかえりみて、こう言った。

「さて、スターバック君、準備は万事よろしいかな？　船長も準備はよろしい——いま話してきたところだ——もう岸から搬入するものはないな、え？　よろしい、では、全員集合をかけろ。船尾に集合——罰当《ばち》たりども全員だ！」

「ピーレグよ、どんなに急《せ》いていても、冒瀆《ぼうとく》的なことばはやめてもらおう」ビルダッドは言った。「ところでスターバック同志、もうさがってよろしい。命令どおりにやってくれ」

いったい、どうなってるんだ！　いよいよ船出というこの期《ご》になって、なおもピーレグ船長とビルダッド船長が後甲板で高飛車《たかびしゃ》に命令をくだしている。停泊中はあきらかにそうだったが、海上においてもまた、ふたりは共同で指揮をとりつづけるつもりだろうか。それにエイハブ船長はまだ影さえ見せていない。船長室にいるという風聞だけはある。すると、船を出発進行させて沖に誘導するまでは船長の出る幕ではないという考えなのだろうか。たしかに、それは船長の任務ではなく、水先案内人の任務ではある。それに、聞くところによると、船長はまだ本復ではないということだ——だからこそ、エイハブ船長は自室に引きこもっているというわけか。となると、何もかもが至極当然に思われてくる。とくに商船では、おおくの船長は船が錨《いかり》をあげてからも相当のあいだ船長室のテーブルをかこんで陸《おか》の友人たちと陽気な別れの宴《うたげ》に興じて、客人が水先案内人とともにいよいよ船を去るときになるまで、甲板にはいっさい姿を見せないのがあたりまえだからである。

しかし、このようなことに思いふけっているいとまはなかった。いまやピーレグ船長が大活躍をはじめたからだ。訓示をしたり、命令を下《くだ》したりするのはもっぱらピーレグの役目で、ビルダッドの役目ではなさそうだった。

「船尾に集合、独身者の息子どもよ！」ピーレグは主檣《メインマスト》のあたりにたむろする水夫たちにむかってどなった。「スターバック君、あの連中を船尾にあつめてくれ」

「天幕たため！」——これがつぎに出た命令だった。すでにのべたように、この鯨骨のテントは停泊中にしか張られることはない。ピークオッド号では、この三〇年間にわたり、「天幕たため」の命令のすぐあとにつづくのが「錨をあげよ」であることは周知のことであった。

「巻き揚げ機《キャプスタン》にかかれ！　それゆけ！　すっとべ！」——これがつぎなる命令だった。乗組みはいっせいに巻き揚げ機の取っ手にとびついた。

　さて、出港にさいして、水先案内人が席をしめる場所は一般に船首のほうである。そしてビルダッドは、ピーレグとともに、数々の役職にくわえて、この港の公認水先案内人のひとりであったが、そのビルダッドが水先案内人になったのは自分が関与しているすべての船にかかるナンターケットの水先案内料を節約するためだと信じられていた。それというのも、ビルダッドは他の船の案内は一度も請け負ったことがなかったからである。さて、このビルダッドはいまや錨があがってくるのを舳先《へさき》から身をのりだして監視しながら活発に監督業務に従事しているのが見られた。そして、ときおり、巻き揚げ機《ウインドラス》にとりついている水夫たちを激励するつもりか、賛美歌と思われる歌の陰気な一節をくちずさんだ。かたや水夫たちは「ブーブル横町」[85]のかわい子ちゃんをたたえる賛美歌を声をはりあげてがなりたてたが、べつに水夫たちに悪気があってのことではなかった。しかしながら、ビルダッドがこの連中に、ピークオッド号では、とりわけ出港時には、罰当《ばち》たりな歌をうたうことを厳禁し、そのかわりに姉のチャリティがウォッツ[86]の賛美歌選集の小型本を一冊ずつ各船員の寝棚に配分してから、まだ三日とたっていなかったのは事実である。

その間、船尾のほうを監督していたピーレグ船長はすさまじい剣幕でどなりちらし、のろいまくり、この調子では錨があがるまえに船のほうが罰にあたって奈落に沈んでしまうのではないかと心配になったので、わたしはこころならずも巻き揚げ機の取っ手を押す手をやすめ、クイークェグにもそうするようにすすめ、こんな悪魔のような男を水先案内人にして出《い》で立つ航海の前途の危険にこころをはせた。しかしながら、七七七番配当などとほざいたけれども、あの敬虔《けいけん》なビルダッドの存在はいくらか救済につながるかもしれないと思いなおして、みずからをなぐさめていると、そのときだった、わたしは何かで尻をするどく突かれたような衝撃をおぼえた。振りかえると、おどろいたことに、ピーレグ船長の姿をした者がわたしの身辺から脚をひっこめているところだった。これがわたしの蹴《け》られぞめ(87)だった。

「それが商船で錨をあげるときのやり方か？」ピーレグ船長はどなった。「けっぱれ、このとんまめ。けっぱって、背中の骨なんかへし折れ！　なんでけっぱらんか、おぬしら、みんな――けっぱれ、クォーホッグ！　そこの赤ひげを生やしたの、けっぱれ。スコットランド帽をかぶったの、けっぱれ。青パンツをはいたの、けっぱれ。けっぱるんだ、おぬしら、みんな、目玉が飛び出るまでけっぱれ！」そう言いながら、ピーレグは巻き揚げ機《ウインドラス》のそばを動きまわり、ときおり自在に脚を用いて、だれかれとなく蹴りをいれた。その反面、ビルダッドはすこしも動ずることなく、賛美歌で音頭をとりつづけていた。今日のピーレグ船長は一杯ひっかけてるな、とわたしは思った。

ようやく錨があがり、帆が張られ、船は沖にむかってすべりだした。その日はクリスマスだった。日の短い、酷寒のクリスマスだった。日が夜に溶解するころには、凍《い》てつく水しぶきがみがきあげられた鎧《よろい》のように船をくるみ、舷牆《ブルワーク》の鯨の歯の長い列は月光にきらめき、船首からつりさがった湾曲するつららは、まるで巨大なゾウの白い牙のようであった。
痩身のビルダッドが、水先案内人の資格で最初の当直の指揮をとった。古びた船がその舳先を緑の海に深くもぐらせるたびに、凍てつくしぶきは船一面にふりかかり、風はうなり、索具が悲鳴をあげるなかで、ビルダッドの歌声はとぎれなく聞こえていた――

荒波さかまく遠いかなたに
緑したたる野のあるごとく、
ヨルダンの水をへだてて
ユダヤの民のカナンはありぬ。

このうるわしい歌詞が、このときほどうるわしく、わたしの耳にひびいたことはなかった。ことばは希望と充溢感《じゅういつかん》にあふれていた。荒れ狂う大西洋の身もこごえる冬の夜とはいえ、また足は水にそぼぬれ、ジャケットはびしょぬれになっていたとはいえ、前途にまちうけているのは幾多のこころなごむ港であるように、そのときわたしには思われた。春に萌《も》えでた草が、ふみしだかれることもなく、なえることもなく、そのまま真夏のさかりをむかえる牧場や森の草地があるように。

やがて船はかなり沖合に達したので、ふたりの水先案内人はご用済みとなった。伴走していた頑丈な帆船が本船の舷側に接近しはじめた。

この期《ご》におよんでピーレグとビルダッドが、ことにビルダッド船長がこころ乱されるのを見るのは心外であったが、不愉快ではなかった。ビルダッドはいまだ立ち去りがたかったのだ――暴風が吹きすさぶホーン岬と喜望峰をこえて、長く危険な航海に出ようとしている船に別れを告げるのがつらかったのだ。つましくためた何千ドルという金を投資した船、同年輩の老同僚がまたふたたび船長として非情な鯨のあごの恐怖に立ちむかおうとして旅立つ船、追憶のしがらみに充満したこの船――その船に、ああ、あわれ老ビルダッドは別れを告げかねていたのだった。ビルダッドは甲板を心配そうな足取りであるきまわっていたかと思うと、船長室にかけこんで再度の別れのことばをのべて、また甲板に出てくると、こんどは風上《かざかみ》をながめ、目路《めじ》のはてまでさえぎるものが何ひとつない水また水の無辺の海を見やり、その海をかこむ目には見えない東洋の大陸を幻視する。そして陸地を振りかえり、天をあおぎ、左右を見まわし、そうしていながらも、何も見ていないのだ。あげくに、ほとんど無意識にロープを一本つかんで索止めピンに引っ掛け、発作的に頑丈なピーレグの手をつかみ、もう一方の手でランタンをかかげ、しばらくのあいだ立ったままピーレグの顔を悲愴な面持で凝視した。それはまるでこう言っているかのようだった――「だがなあ、ピーレグよ、わしは耐えるぞ、そう、耐えるのだ」と。

ピーレグはといえば、もっと哲人らしく事態をうけとめていたが、その哲学にもかかわらず、ランタンがちかづくと、その目には涙がひとしずく光っているのが見えた。そしてピーレグもまた船長室から甲板へと頻繁に往復し――下で船長とひとこと、上で一等航海士のスターバックとひとこと交わす、というあんばいであった。

しかし、ついにピーレグは同僚にいくらか決然とした顔つきになって言った――「ビルダッド船長――さあ、おいとまだ。そこのボート、アッホイ！　主檣下桁《メイン・ヤード》をまわせ！　スピードをゆるめるんだ。舷側接近、スタンバイ！　注意いっぱい、注意いっぱい！――さあ、ビルダッド、別れを言わんか。幸運をいのる、スタッブ君――幸運をいのる、スタッブ君――幸運をいのる、フラスク君――さらば、おぬしらすべての幸運をいのる――三年たったきょうのこの日には、ナンターケットで、湯気の立つ晩飯をつくってまってているからな。ばんざい、さらば！」

「おぬしらのうえに神の祝福がありますように、おぬしらに神のご加護がありますように」老ビルダッドは、ほとんどとりとめもなく、つぶやいた。「天候にめぐまれますように。天候がよくなれば、エイハブ船長も甲板に出てくる――ここちよい太陽がエイハブには何よりもの薬だ。これからゆく熱帯には、太陽がいっぱいあるわ。鯨を追うときは、慎重にやってくれ、航海士諸君。やたらにボートに穴をあけてくれるな、銛打《もり》ちの諸君。上等の白い杉板は一年に三パーセントも値上がりしたからな。お祈りもわすれるな、みなのもの。スターバック君、桶屋が予備の桶板を無駄にしないように気をつけてくれ。ああ、そうだ！　帆針《ほばり》は緑色のロッカーにはいっているぞ！　よいか、安息日には、むやみに鯨をとるでないぞ。だが、好機はのがすな。それは天のお恵みをこばむことになる。スタッブ君、糖蜜の大樽《おおだる》には気をつけてくれ、あれはすこし漏るようだった。フラスク君、島に上陸するときには、姦淫《かんいん》に気をつけろ。さらばだ、いざさらばだ！　スターバック君、あのチーズはあまり長いこと船艙に置かないこと。くさるからな。バターにも気をつけるんだ――あれは一ポンド二〇セントもした。それから、みなのもの、気をつけろ、もしも――」

「さあ、さあ、ビルダッド船長、おしゃべりはやめた――ゆこう！」そう言ってピーレグはビルダッドを舷側へせきたて、ふたりしてボートに降り立った。

船とボートは離れていった。そのあいだを、湿っけた夜風が吹きぬけていった。一羽のカモメが鳴きながら頭上をかすめていった。船もボートもはげしくゆれた。われわれはこころもおもく万歳を三唱し、運命のごとく盲目に、寂寥《せきりょう》の大西洋に突進していった。

第二三章　風下の岸

何章かまえ、バルキントンなる者について言及した。背の高い、上陸したての船乗りで、ニュー・ベッドフォードの宿屋で見かけた者のことだ。

凍《い》てつく厳冬の夜、ピークオッド号がその復讐にはやる船首を憎悪にみちた冷たい波間に突っこんでいったとき、舵《かじ》のまえに立っていたのは、だれあろう、このバルキントンであった！　酷寒の冬のさなかに、四年にわたる危険な航海からもどったばかりだというのに、休むいとまもなく、また新規の疾風怒濤《しっぷうどとう》の航海に乗り出してゆくこの男をわたしは共感と畏怖の念をもって見やった。陸《おか》はこの海の男の足の裏を焼くのだろうか。最たる驚異はことばにならず、重々しい記憶は碑文にならない。この六インチの短章はバルキントンへの墓石なき墓標だ。バルキントンは嵐にもてあそばれながら風下《かざしも》の岸辺ぞいに悲惨な彷徨《ほうこう》をつづける船のようなものだとだけ言っておく。港はよろこんで援助の手をさしのべる。港は慈悲ぶかい。港には安全、安楽、炉端、夕餉《ゆうげ》、温かい毛布、友など、人間の日常性のすべてがある。だが、その嵐のなかの船にとっては、港や陸地は最大の危険のたねなのである。船はあらゆる歓待から退避しなければならない。陸をすこしでもかすめれば、竜骨のわずかな擦過《さっか》であろうと、船体をすみずみまで震撼する。あらんかぎりの帆を張り、全力をふりしぼって岸からはなれなければならない。そうすることによって、船は故郷へと吹き寄せる風とあらがい、またしても陸地なき荒海へと乗り出すことになる。安泰を求めて、ひとり危険に突入してゆく船にとって、陸地という唯一の友が最悪の敵であるとは!

これで、読者諸氏よ、バルキントンがおわかりだろうか? この耐えがたい人間の不条理が、たとえ片鱗《へんりん》にもせよ、見えてくるような気がしないだろうか? すべて深遠で真摯《しんし》な思考とは、大海原《おおうなばら》のように広大無辺な独立心をたもとうとする魂の不屈な努力にほかならないことがおわかりだろうか? にもかかわらず、天と地の邪悪な風は人間の魂を欺瞞《ぎまん》と屈辱にけがれた岸辺へと追いやろうとはかっていることが、おわかりだろうか?

だが、陸影なきところにおいてのみ、神のごとき岸辺なく広大無辺の真理があるとするならば——たとえそこが安全であろうとも、不名誉にも風下の岸に打ちあげられるよりは、あの咆哮《ほうこう》する無限の海にほろびるほうがましではないか！　おお！　そうなら、いったいだれが蛆虫《うじむし》のように陸地にむかってはいずってゆくだろうか！　ああ、この恐怖と戦慄《せんりつ》のきわみよ！　この苦悩のすべてもまた空《くう》の空たるものか？　さあ勇気をだせ、勇をふるえ、バルキントンよ！　したたかに耐えるのだ、半神よ！　汝《なんじ》が水没する海のしぶきから——まっすぐに汝の神格が立ちのぼるのだ！

第二四章　弁　護(88)

クイークェグとわたしがこの捕鯨という事業に首尾よくたずさわるようになり、かなり順調にここまできたが、どういうわけか、陸《おか》の人たちはこの捕鯨という事業をいかにも散文的で、いかがわしい職業だと見なす傾向がある。それゆえ、われわれ鯨捕りがいかに不当におとしめられているかを、諸君に、そう、陸上の諸君に、知らしめたい、というのがわたしのたっての願望なのである。

第一に、いまさらもちだすまでもないことではあるが、おおかたの人士は、捕鯨業を紳士の職業と同列に論ずるべきものにあらず、と見なしている。多様な人物がつどう都会の社交の場で、たとえば新顔が銛《もり》打ちだと紹介されるとすれば、そのために彼の評価があがるということはまずない。また、鯨捕りが海軍士官(89)のまねをして名刺にS・W・F (Sperm Whale Fishery)という肩書きをつけたところで、まったくの見当ちがいで滑稽至極なしわざと見なされるのが落ちであろう。

世間がわれわれ鯨捕りに敬意を表するのをためらう主たる理由は、おそらく、われわれの職業は一種の屠殺業で、この業務に活発に従事するなら、われわれはあらゆる種類の汚穢《おあい》にまみれるにきまっているという偏見だろう。なるほど、われわれは屠殺業者だ。それは事実だ。しかし世間がこぞって賛美をおしまぬ武勲《ぶくん》の将軍たちこそ屠殺業者、しかも、もっとも血なまぐさい種類の屠殺業者ではないか。それに、わが捕鯨業の名うての不潔さに関しては、これまで一般に知られていない二、三の事実を紹介すれば、マッコウ鯨漁船は、概して、この小ぎれいな地球のなかで一番きれいなもののひとつに擬せられても不当ではないことがおわかりだろう。だが、一歩さがって、そういう非難を甘受するにしても、捕鯨船の甲板のヌルヌルした乱雑さは、ご婦人たちの賞賛のうちに祝杯をあげる凱旋《がいせん》将兵が、いましがたあとにしてきた戦場の名状しがたい死屍《しし》累々の惨状とは比較にならぬほど清潔ではないか？　またもし危険という観念のために軍人という職業がかほどの大衆の人気を博しているというのなら、わたしにも言い分がある。堂々と城砦《じょうさい》にむかって前進した古強者も、マッコウ鯨の巨大な尾がのうっと出現して、頭上の空気をあおって旋風を巻きおこすと、たちまちおぞけをふるって退散するにきまっているのだ。恐怖と驚異が混交するこの神わざにくらべれば、人間わざの恐怖など底の知れたもので、何ほどのことがあろうか！

しかし、世間はわれわれ鯨捕りを軽蔑しているとはいえ、それとは知らずにわれわれに深甚なる敬意を表してもいるのである。しかり、あふれんばかりの鑽仰《さんぎょう》の念をささげてさえいるのである！　というのは、地球のいたるところで火をともすランプやロウソクは、神前灯明のように、われわれの栄光をたたえて燃えているからである。

しかし、これをべつの観点から見てみよう。あらゆる種類の天秤にかけてみよう。鯨捕りとは何であり、何であったかを検討してみよう。

デ・ヴィット時代[90]のオランダが捕鯨船団に提督をすえたのはなぜか？　フランスのルイ一六世が、私財をはたいてまでして、ダンケルクで数隻《すうせき》の捕鯨船を艤装したうえで、わがナンターケットの島から二、三十家族をその町に礼をつくして招待したのはなぜか？　英国が一七五〇年から一七八八年にかけて百万ポンドにのぼる助成金を自国の捕鯨業者に出したのはなぜか？　そして最後になるが、わがアメリカ捕鯨業にあっては、これに従事する者の数が全世界の鯨捕りを束にした数よりもおおく、一万八千人が乗り組む七千隻以上の船を擁する一大船団を保有し、毎年四百万ドルを消費し、出港時に二千万ドルの価値を有する船が毎年七百万ドルになんなんとする収益をわれらが港にもちかえるのは、いったい何ゆえであるか？　もし捕鯨に富をもたらす甚大な潜在力がなければ、こんなことがありうるだろうか？

しかし、これではまだ話は半分にも達していない。さらに語りつがしていただく。

わたしはだれはばかることなく断言する——この六〇年のあいだに、広大な全世界を、平和裡に、ひとつの束にまとめあげるような影響力を発揮しえたものが、この高貴にして強大なる捕鯨業をおいてほかにあったと指摘しうる者などありえない、と。世界主義者《コスモポリタン》を標榜する哲学者にしても、そういう例外的事例のひとつすら、一生をかけたところで提示することはできまい。捕鯨業は、いろんな意味で、それ自体において顕著な成果をあげたばかりか、その後の事態においても持続的な波及力を保持してきたので、捕鯨業とは、さながら、すでに子をはらんでいる子孫をおのれの胎《はら》から生んだあのエジプトの母に比すべきものである。こういう事例を列挙してみてもきりがない。一、二、三の事例をもってたりるとしよう。多年にわたって、捕鯨船は世界の最果てや未知の領域を探索する開拓者だった。クックやヴァンクーヴァー(91)も航海したことのない、海図にものっていない海や群島を探検したのは捕鯨船だった。今日アメリカやヨーロッパの軍艦がかつての未開の港に平和裡に入港するときには、最初に航路をひらき、最初に蛮人と西洋人との交流をなかだちした捕鯨船の名誉と栄光のために、礼砲をとどろかせてもらいたいものだ。むろん、クックやクルーゼンシュテルンなどの探検航海の英雄たちをたたえるのは結構だが、ナンターケットから旅立った数おおくの無名の船長たちがクックやクルーゼンシュテルンにまさるとも劣らぬ偉大な英雄であったことを言っておきたいのである。というのは、彼らは、孤立無援、徒手空拳のまま、異教徒的なサメさわぐ海で、また投げ槍《やり》とびかう未知の島の浜辺で、マスケット銃で武装した海兵隊を擁したクックでさえあえて挑戦しようとしなかった未曾有《みぞう》の驚異と恐怖に立ちむかっていったからである。むかしの南洋航海記などで喧伝されている事物のことごとくは、わがナンターケットの英雄たちにとっては日常茶飯事にすぎなかった。ヴァンクーヴァーがその著書に三章をついやして記述した冒険などは、しばしば、こういう英雄たちにとっては通常の航海日誌に書きとめるにさえ値しないたわごとであった。ああ、世界よ！　おお、世界よ！

捕鯨船がホーン岬をまわって太平洋に出るまでは、太平洋岸ぞいに延々とのびる富裕なスペイン属領とヨーロッパとのあいだには、植民を目的とする商業活動以外のほとんどあらゆる交流はなかった。こういう植民地にかかわるスペイン王室の排他的な政策に最初に突破口をつくったのは鯨捕りだった。もし紙幅がゆるすならば、ペルー、チリ、ボリヴィア(92)を旧スペイン帝国のくびきから解放し、この地域に永遠の民主主義を確立するよすがを最終的にもたらしたのが鯨捕りであったことを詳細かつ明確にのべることも可能である。

北半球の反対側にある、大いなるアメリカであるところのオーストラリアが文明世界に知られることになったのも、鯨捕りの功績である。最初オランダ船がけがの功名で発見してからも、長らくほかの船はこの地を疫病が蔓延《まんえん》する蛮地と見なして接岸をさけていたが、捕鯨船は接岸した。捕鯨船こそ、あの今日の有力な植民地の生みの親なのである。そのうえ、オーストラリア植民の初期においては、入植者が、幸運にもその海域に錨《いかり》をおろした捕鯨船によってめぐまれたビスケットによって餓死をまぬかれた事例が数件ある。無数のポリネシアの島々も同様の恩義をみとめ、捕鯨船が宣教師や商人に渡航の道をひらき、多くの初期宣教師たちを当初の目的地に送りとどけたことに対する代償として、捕鯨船に商業上の特典をみとめるのにやぶさかではないのである。もしあの二重にかんぬきをかけた国、日本が外国に門戸を開くことがあるとすれば、その功績は捕鯨船にのみ帰せられるべきだろう。事実、日本の開国は目前にせまっている(93)。

しかし、このように真実を並べ立ててもなお、捕鯨は美的で高貴な連想とむすびつきがたいとおっしゃるのなら、わたしはいつでも、さような御仁と五〇回にわたり槍をまじえ、そのたびに兜《かぶと》を突きやぶり、落馬させてみせる用意がある。

鯨について書いた有名な著述家はなく、捕鯨についての有名な年代記作者もいない、と諸君はおっしゃりたいのだろう。

鯨についての有名な著述家はなく、捕鯨についての有名な年代記作者もいない？　はたしてそうか？　われらが巨獣レヴィヤタンについて最初に書いたのはだれか？　あの偉大なるヨブではなかったか？　捕鯨航海について最初の物語を書いたのはだれか？　ほかならぬアルフレッド大王(94)その人ではなかったか？　大王は、みずからペンをとって、当時のノルウェイの鯨捕りオーテルの語るところを書きとめたのである！　また英国議会においてわれわれ鯨捕りに華麗なる賛辞をささげたのはだれであったか？　ほかならぬエドマンド・バーク(95)だった！

なるほど、鯨捕り自身は貧相ならず者で、その血管にりっぱな血は流れていない、とおっしゃるむきもある。

その血管にりっぱな血は流れていない？　とんでもない。王家にまさる高貴な血が流れているではないか。ベンジャミン・フランクリンの祖母はメアリー・モレルであるが、彼女はのちに結婚によって、古くからナンタケットに住みついた者のひとりメアリー・フォールジャー(96)になった、つまり代々銛《もり》打ちで名をなしたフォールジャー家の先祖のひとりになった——これがみな高貴なベンジャミン・フランクリンの親類縁者であり——これが今日地球の一方の端から他方の端までにわたり、かかりのついた銛の刃を投《とう》擲《てき》してまわる者たちなのである。

よろしい、それでもなお、どなたも捕鯨は上品な職業ではない、とおっしゃる。

捕鯨が上品な職業でない？　とんでもない。捕鯨は王者の事業である。いにしえの英国の法令によれば、鯨は「王室魚《ロイヤル・フィッシュ》」と規定されている。*

おお、それは名目だけのことだ！　鯨が威風堂々たる扱いをうけて公衆の面前に姿をあらわしたことなどない。

鯨が威風堂々たる扱いをうけて公衆の面前に姿をあらわしたことなどない？　あるローマの将軍が大勝利をおさめて世界の首都たるローマへ凱旋するにさいして、そのシンバルを打ちならす行進のなかで格別に衆目をあつめたのは、シリア海岸からはるばるもちかえられた鯨の骨であった。**

＊・＊＊　この二件についてはあとの章でもうすこし述べる。（原注）[97]

そんなことまで引き合いにだすのなら、みとめるとしよう。だが、どんなに強弁したところで、捕鯨には真の威厳はない。どうだ？

　捕鯨に威厳がない？　わが職業の威厳は天そのものがご照覧ある。鯨座[98]は南天にかかる大星座ではないか！　が、もうやめよう。ロシア皇帝のまえで帽子を目深《まぶか》にかぶる者も、クイークェグのまえでは脱帽するがよい！　わたしは生涯に三五〇頭の鯨をとった男を知っているが、同数の都市の征服をほこる古代の大将軍よりも、この男のほうが威厳があるとかんがえる。

　そして、私事にわたるが、もしいまだ発見されざる美質がわたしのなかにあるとすれば、もしわたしが不当にも希求しているわけではない真の名声を、小さいながら高尚で寡黙な世界において獲得するようなことがあるとすれば、もしまた、なさずに放置しておくより、どちらかといえば、なしたほうがよい何かをわたしが今後なすようなことがあるとすれば、さらにもし、わたしの死にあたって、わが遺言執行人、いや、もっと妥当に言えば借金取りが、わたしの机に貴重な原稿を見つけたりするようなことがあるとすれば、わたしはここで事前に宣言しておくが、そのすべての栄誉と栄光は捕鯨業に帰

すべきものである。なぜなら、捕鯨船こそ、わがイェール大学にして、わがハーヴァード大学であるからである。(99)

第二五章　追　記(100)

捕鯨の威厳のために弁ずるにあたって、わたしは実証ずみの事実だけをもちだして論ずるつもりであるが、事実をもって論陣を張るからといって、自分の主張を雄弁に展開するために、理にかなった推論を援用することまで潔癖に排除するような弁護人——そのような弁護人は非難されずにすむだろうか？

王や女王の戴冠式において、近代になってもなお、その機能を万全たらしめるため、この高貴なる人たちにある種の調理をほどこす奇習があることは周知のことである。王室に塩壺《しおつぼ》があるからには、王室にそれを収納する薬味台があっても不思議はないが、あの方々がどのように塩を用いるか——それを正確に知る者がいるだろうか？　しかしながら、戴冠式では、サラダなみに、王の頭にうやうやしく油がそそがれることは、わたしもよく承知している。王の頭に油をそそぐのは、ところで、われわれが機械に油をさすように、頭の内部の回転がよくなるようにという意図によるのであろうか？　このような王室のしきたりの本質的尊厳性については、ここで熟考してみてしかるべきであろう。というのは、われわれ一般庶民のあいだでは、頭の髪に油をそそぎ、そのにおいをぷんぷんとさせているような男はあまり高く評価されないからである。実際のところ、成熟した男でヘア・オイルを薬用以外の目的で使用する者は体のどこかに欠陥があるものと推定される。一般論として、そのような男に大した価値はないのである。

だが、ここでかんがえるべき唯一のことは、以下のことである——戴冠式では、いかなる種類の油が使われているか、である。たしかに、それはオリーヴ・オイルではない、マッカサル・オイルでもない、ひまし油でもない、熊の油でもない、セミ鯨の油でもなく、タラの肝油でもない。それは油のなかでも格別にかぐわしいマッコウ鯨の脳油、生《き》のままで、夾雑物《きょうざつぶつ》のない脳油以外の何ものでありえようか？

忠良なるブリトンの人びとよ、かんがえてもみたまえ！　諸君の王や女王に戴冠式の油を供給しているのはわれわれ鯨捕りなのである。

第二六章　騎士と従者（その一）

ピークオッド号の一等航海士はスターバック(101)で、生まれはナンタケット、クエイカー教徒の家系である。背が高く、真摯《しんし》な男で、寒冷の海岸に生まれたにもかかわらず、熱帯にもよろしく適応しているようで、二度焼きのビスケットのように引きしまった体をしている。インド諸島に送られても、その生きのよい血はビン詰めのビールのようにくさらない。彼はあの大旱魃《だいかんばつ》と飢餓があった時期、あるいは州がそれを記念して制定したかの有名な「断食日」(102)に生まれたにちがいない。まだ生まれて三〇回ほどしか乾燥の夏は経験していないのに、その三〇回の夏のおかげで贅肉《ぜいにく》はことごとく干上がっていた。しかし、スターバックのこのやせよう、つまり痩身は、神経衰弱や心配事の結果とも見えなかったし、肉体的な病いのせいとも見えなかった。いわば肉体が凝縮しただけだった。その容姿は醜悪どころではなく、むしろその反対だった。彼の引き締まった皮膚はぴったり体にフィットした衣装のように肉体をつつみ、その内部から健康と活力がミイラづくりの香料のように作用して、まるで生きかえったエジプトのミイラのようであった。このスターバックは、現在もそうであるように、このさき幾世代にもわたって、いつもかわらず耐え抜き、かつ生きつづける準備ができているように思われた。北極の雪であろうと灼熱の太陽であろうと、その内なる活力は、新案特許のクロノメーター[103]のように、あらゆる気候において狂いなく作動することが保証されている。その目をのぞきこめば、生涯を通じて冷静に耐えてきた幾千もの危機のなごりが今なおたゆたっているのを見る思いがするだろう。この冷静にして意志堅固な男の生涯を劇にたとえるなら、行動で語る無言劇《パントマイム》といったもので、ことばで語るやわな一幕劇ではなかった。しかしながら、沈着冷静にして堅忍不抜でありながら、スターバックには時として情動にかられるところがあり、ある場合には、それが他のいっさいを圧倒してしまうことさえあった。船乗りとしては格別に良心的であり、自然を崇拝する念があつかったので、孤独で荒寥《こうりょう》とした海上生活はその迷信的傾向を大いに助長した。ところでスターバックの迷信は、理由ははっきりしないが、ある種の人間に散見される無知に由来するというよりは、むしろ叡《えい》智《ち》に由来するていの迷信だった。外界の予兆と内心の予感をスターバックは敏感に感じとる。そして時おり、それが鋼鉄《はがね》の魂さえたわませることがあったが、何よりもそのこころをたわませたのは、コッド岬においてきた若い妻や子どもにまつわる、はるかなる家庭の思い出であった。その思い出が、とくにこの男のような正直なこころの持ち主のばあいには、生来の剛毅一本の性質をたわませるように作用し、内心にひそむ潜在的な影響力にこころをひらかしめ、捕鯨業のように危険な生業《なりわい》においてはしばしば見られる、あの無謀な勇気の噴出を抑制するのであった。「鯨をおそれないような者は、わたしのボートにはひとりも乗せん」とスターバックは言ったものだ。その意味は、おそらく、もっとも信頼にあたいする有益な勇気とは、直面する危険を公平に評価できる能力に由来するということばかりか、同時に、まったく恐れを知らぬ者は、同僚としては卑怯者よりよほど危険であるということでもあったろう。

「アイ、アイ、捕鯨業界のどこをさがしたって、あのスターバックくらい用心ぶかい男はいるもんじゃない」と二等航海士のスタッブは言ったものだ。しかし、スタッブやその他ほとんどの鯨捕りが「用心ぶかい」ということばを使うとき、正確にはどういうことを意味するかについては、やがておわかりになるはずである。

スターバックは好んで危険を求めるたぐいの人間ではなかった。この男にあっては、勇気はひとつの感情ではなく、自分にとってのひとつの有用な物件にほかならず、生死にかかわる肝要なばあいには、つねに手元にあって利用できる道具にほかならなかった。そのうえ、おそらく、スターバックの考えによれば、この捕鯨業における勇気とは、船につむ牛肉やパンとおなじく、重要な備蓄品のひとつであって、いたずらに消費さるべきものではなかったのである。それゆえ、スターバックは日没後にボートをおろして鯨を追うことはなかったし、あまり抵抗のはげしい鯨を深追いすることもなかった。この危険な海にきて鯨を殺すのは自分が生きるためであって、鯨が生きるために殺されにきているのではない、とスターバックはかんがえるのだった。しかも、幾多の鯨捕りたちが鯨のために死んだことを、スターバックは承知していた。ほかならぬ自分自身の父親の最期《さいご》はどうだったのか？　底なしの海のいずこに、ばらばらになった兄の肢体を見つけることができるだろうか？

胸にはこのような記憶をいだき、そのうえ、すでにのべたように、迷信ぶかいところもすくなからずあったスターバックが、にもかかわらず発揮する勇気には格別のものがあったにちがいない。しかし、そのような精神構造をもち、またそのようなおそろしい経験と記憶をもつスターバックのような人間にあっては、そういう資質や経験や記憶がその内部にある要素をひそかにはぐくみ、それがしかるべき状況下において殻をやぶって噴出し、その勇気をことごとく焼きつくすことがあることも当然ながら予想されるのである。なるほどスターバックは勇敢であったが、それは主として豪胆な人物に見られるたぐいの尋常な勇敢さであって、海や嵐や鯨など、この世に通例見られる理性をもたないものがそなえる恐怖を相手にするときには、めったにたじろぐことはなかったが、相手がより精神的なものゆえに、なおいっそう戦慄《せんりつ》すべき恐怖となると、たとえば憤怒《ふんぬ》を発した偉大なる人物の深い眉間《みけん》のしわが忍ばせる脅威となると、もはや抗すべきすべをもたぬていのものであった。

しかし、このさき、物語のいずれかのくだりで、あわれなスターバックが完全に勇気を喪失する事態が発生しようとも、わたしはそれを書くに忍びない。魂が勇気を喪失するさまを暴露するほど悲しい、いや、むごたらしいことはないからである。集団としての人間は株式会社や国家がそうであるように唾棄《だき》すべきものであるかもしれない。そこ

には悪党もいるだろうし、間抜けもいるだろう。それに人殺しもいることだろう。卑しく貧相な顔をした連中もいるだろう。しかし理想像としての人間はまことに高貴にして優雅、偉大にして絢爛《けんらん》豪華な存在であるがゆえに、もしその人のうえに不名誉な瑕瑾《かきん》が見つかったなら、同胞たるもの、すべからくおのれの最上の衣服をたずさえてはせ参じ、その瑕瑾をおおいかくすべきである。われわれの内なる男らしさはわれらの奥深くにひそんでいるので、われわれの外面的性格がすべてだいなしになっても、なお無傷のまま存在しつづけるのである。それだけにかえって、威厳を喪失した人間の赤裸の姿を見るのは苦痛のきわみ、血を吐く思いがするものである。敬虔《けいけん》の化身ですらも、そのような無惨な姿を目撃しては、くだんの運命をゆるす星に対して非難の声をおさえかねるのである。しかし、いまわたしが言及している不可侵の威厳は、王侯貴族の威厳とは無縁であり、地位も身分もない人に充溢《じゅういつ》する威厳のことなのである。その威厳が、つるはしをふるい、釘《くぎ》をうつ者の腕にかがやくのを諸君は見られることであろう。そのような民主主義的威厳は、神から出て、無限に世界を照らすのである。おお、神よ！　かの偉大なる絶対の神よ！　あらゆる民主主義の中心にして周縁であるところの神よ！(104)　神の遍在よ、そのもとにおけるわれらの聖なる平等よ！

それゆえ、今後わたしが卑賤の船乗りや自堕落者や無頼《ぶらい》の徒にさえ、暗いながらも高貴な資質をみとめ、彼らを悲壮美のころもでかざることもあろう。またそういう者のうちでも格別にいたましく、それゆえに堕落の極致にある者をさえ、時として至高の高みにもちあげることもあろう。一介の勤労者の腕に天上のかがやきを付与することもあろう。はたまたその悲惨な落日を虹の輪でかざることもあろう――そういうときにも、汝《なんじ》、「平等の精神」よ、あらゆる悪意ある批評家からわたしを守りたまえ！　汝はわが同朋《はらから》のすべてを人間性という高貴な衣装でおおってきたではないか。汝、偉大なる民主主義の神よ、わたしを守りたまえ！　汝は、かの煤《すす》でよごれたお尋ね者のバニヤンに純白の詩的な真珠をこばまず、貧困にあえいだセルバンテスの切断された腕を純金の金箔《きんぱく》の鎧《よろい》でまとい、アンドリュー・ジャクソン(105)を平民のなかからえらんで軍馬に打ちまたがらしめ、玉座よりなお高きところにかけのぼらしめたではないか！　汝は、地上において大いなる軍をすすめながらも、王者のこころざしをもつ平民のなかから最上の戦士をえらびだすのがつねではなかったか！　神よ、わたしを守りたまえ！

第二七章　騎士と従者（その二）

スタッブ(106)は二等航海士である。コッド岬の生まれで、土地の習慣によって、ケープ・コッド衆と呼ばれている。運は天まかせの呑気《のんき》者で、臆病でもなければ勇敢でもない。ただ、どんな危険にも無造作に立ち向かっていくのである。鯨を追跡中の切迫した瞬間にも、淡々として作業をすすめ、まるで一年がかりの仕事を手がけている腕自慢の大工さながらに沈着かつ冷静である。陽気で、きさくで、こだわりがない。命がけの遭遇戦のもなかにあっても、スタッブが捕鯨ボートを指揮するさまには悠揚《ゆうよう》迫らぬものがあって、まるで部下をひきつれて晩餐会《ばんさんかい》に出ているようなあんばい。ボートのなかで自分が陣取る場所の整理整頓にはうるさかったが、それは老練の御者が自分の御者台をこぎれいにしておきたいのと同じ理屈からだった。鯨に接近して、いざ死闘というときにも、非情の槍《やり》を、まるで鋳掛け屋が口笛を吹きながらあやつる槌《つち》さながらに、冷静にあやつる。ボートの横腹《よこばら》を死に物狂いの鯨の横腹に横づけにするときにも、おなじみの歌を鼻歌まじりで口ずさみながらやってのける。慣れのせいで、スタッブにとって、死のあぎとも安楽椅子《いす》とかわりがなかった。そのスタッブが死そのものをどうかんがえていたか、それは知る由《よし》もない。彼が死についてかんがえたことがあるのかどうかさえ、疑問である。しかし、晩餐をたんのうしたあとで、ふとその方向に考えをむけることがあったにしても、スタッブはきっと、りっぱな船乗りらしく、死ぬことを、当直のためにマストにのぼれという業務命令ぐらいに受けとめ、それがどんなものかは、命令に服してみなければわからないと心得ていたにちがいない。

いろいろ理由はあるだろうが、いったい何が、スタッブをしてこんなにも楽天的で不敵な人間にしたてたのか。この世は荷物の重みで体を折り曲げて彷徨《ほうこう》する墓石の行商人で充満しているというのに、いったい何が、この男に、いとも陽気に人生の重荷をかついで闊歩《かっぽ》する運命を付与したのか。いったい何が、不敬にも類する陽気さをこのスタッブにもたらしたのか。それはパイプのせいだったにちがいない。その短く、黒い小ぶりのパイプは、スタッブの鼻とおなじく、顔の造作の一部をなしていた。スタッブが寝床からパイプをくわえずに出てくるのを期待するのは、彼が鼻をつけずに寝床から出てくるのを期待するのとおなじだ。その寝床の枕もとにはパイプ立てがあり、タバコの葉をつめたパイプがずらりと並んでいて、ちょいと手をのばせば取れるようになっていた。そして、寝床にころがりこむと、スタッブはパイプのひとつひとつに火をつけ、つぎからつぎへと順番に吸ってゆき、一列全部を吸いおわると、つぎのラウンドにそなえて、あらたにタバコの葉をつめなおす。というのは、スタッブが着替えをするときには、ズボンに足をいれるよりさきに、口にパイプをいれるのがならいだったからである。

スタッブの特異な性格を形成した原因のすくなくともひとつが、このような不断の喫煙にあったことは想像にかたくない。どなたもご存知のとおり、この地球上の空気は、海上であろうと陸上であろうと、それを吐き出して死んでいった無数の人間の名状しがたい悲惨さがかもす瘴気《しょうき》によってひどく汚染されている。コレラの流行時に樟脳《しょうのう》をしみこませたハンカチを鼻にあてて予防するように、スタッブのタバコにも、人間のあらゆる艱難《かんなん》の伝染を予防する効能があったのかもしれない。

三等航海士はフラスクで、(107)マーサズ・ヴィニャード島はティズベリーの産。ずんぐりした赤ら顔の若者で、こと鯨に対しては、きわめて戦闘的であった。どうやらこの若者は、かの大いなる海獣レヴィヤタンを個人的な敵、先祖代々のかたきと見なしているらしく、遭遇したが最後、これを打ちとらねば名誉にかかわるとかんがえているようだった。鯨の壮大な体軀《たいく》や神秘的な生態の驚異に対する畏敬の念にまったく欠けているばかりか、鯨との遭遇に付随するあらゆる危険に対する危惧の念らしきものは皆無で、結果として、フラスクの見るところ、驚異の鯨も一種の巨大なハツカネズミないしドブネズミにすぎず、ただ殺したり煮たりするのには多少の策略と手間がかかる代物《しろもの》であるにすぎなかった。こうした鯨についての無知、また無意識ゆえの恐怖心の欠如は、鯨に関するフラスクの立場をいささか滑稽なものにしていた。フラスクはたのしみのために鯨を追うことになる。三年がかりのホーン岬まわりの航海も、三年もつづく長い冗談ということになる。大工の釘《くぎ》にも種類があって、練り釘と裁断釘があるように、人間も同様に分類できる。小兵《こひょう》のフラスクはさしずめ練り釘で、しまりがよく、長持ちする。彼はピークオッド号ではキング・ポストの名で呼ばれていた。その体形が、北洋捕鯨船ではその名で知られている短い角材に似ていたからである。ちなみに、この角材には添え木が何本も放射状に突きささっていて、荒れ海がたたきつける氷塊の衝撃から船を守るクッションの役割を果たす。

さてこれら三人の航海士――スターバック、スタッブ、フラスクは重要人物であった。乗組みすべての認めるところによって、この三人がピークオッド号の三艘《さんそう》からなる捕鯨ボートの指揮をとる長《おさ》だった。エイハブ船長がやがて鯨に軍団をさし向けるときには、これら三人の指揮者が中隊の長をつとめることになる。あるいは、三人はそれぞれ長く鋭い捕鯨用の槍で武装しているので、彼らはいわば選《え》りぬきの三人の槍騎士であり、銛《もり》打ちたちはさしずめ配下の槍投げといったところか。

この高邁《こうまい》なる捕鯨という事業においては、おのおのの航海士、つまりボートの長は、中世の騎士さながら、つねにボートの舵《かじ》取り、つまり銛打ちを従者としてしたがえており、この従者は、前者の槍が攻撃中にひどく曲がったり、はねとばされたりしたときには、ただちに新しい槍をさしだすのを仕事としている。そのうえ、両者のあいだには親密感と友愛の念が存在するのがつねである。それゆえ、この時点で、ピークオッド号の銛打ちたちを紹介し、それぞれがどのボートの長に属するかをしるしておくのは当を得たことであろう。

まず第一にクイークェグ。一等航海士のスターバックはこの者を自分の従者としてえらんだ。が、クイークェグのことについては、すでにのべた。

つぎはタシュテーゴで、マーサズ・ヴィニャード島の最西端にくらいするゲイ・ヘッド岬生まれの生粋のインディアンである。この岬にはいまだに赤色人が住む最後の村のひとつがあり、むかしから、近くのナンターケット島に勇猛果敢な銛打ちを多数供給してきた。捕鯨業界では、彼らはゲイ・ヘッド衆の名でとおっている。タシュテーゴの長い、すくなめの黒い髪、高いほお骨、黒くまるい目――そのインディアンにしては大きい目はオリエントの人たちの目をしのばせ、そのギラギラした輝きは北極圏に住む人たちの目をしのばせるとはいえ――これらすべての特質が物語るのは、この男の体内には、かつて弓を手に、北米大陸の原生林を大鹿をもとめてかけめぐった誇り高き戦士にして猟師であった者たちのけがれない血が流れていることであった。しかし、もはやタシュテーゴは森の野獣の臭跡を追うのをやめ、いまや海の大いなる鯨の航跡を追うことになったのである。的をはずすことのない先祖の矢が必殺の銛に取ってかわったのである。そのしなやかな蛇《へび》のような黄褐色の筋肉をながめる者は、昔日の清教徒たちの迷信にならって、インディアンを「サタンの手下」「悪魔の申し子」と信じたくもなることだろう。タシュテーゴは二等航海士スタッブの従者である。

銛打ちの三人目はダグー。ライオンのような歩き方をする、漆黒《しっこく》の肌をしたニグロの巨漢で——アハシュエロス王(108)をしのばせる。両耳に金のイヤリングをぶらさげていたが、それがあまりにも大きいので、水夫たちはデッキに索条を固定する環《わ》、つまりリング・ボルトになぞらえ、中段横帆動索《トップスル・ハリヤード》をむすびつけたらどうだろう、などと語らったものだ。若いころダグーは、生まれ故郷のうらさびれた入江に停泊中の捕鯨船にみずから望んで乗りこんだ。そして、それ以来、アフリカ、ナンターケット、その他鯨捕り以外はめったに訪れない異教の港にしか足をふみいれたことがなく、船主が乗組員の選択にとりわけうるさい捕鯨船に乗り組み、豪放な捕鯨生活を長年やってきたので、ダグーは野蛮人の美徳をことごとく保持したままで、まるでキリンのように首筋を立てて甲板をあるきまわり、その六フィート五インチの威容であたりを圧倒した。ダグーを見あげる者は肉体的劣等感をおぼえ、そのまえに立つ白人は城砦《じょうさい》に休戦を乞う白旗のように見えたものだ。おかしな話だが、フラスクがこの帝王のごときアハシュエロス・ダグーのそばに立つとチェスの駒みたいだが、この小男フラスクの従者がダグーだった。ピークオッド号の残余の乗組みについて言えば、今日のアメリカ捕鯨業界においては、上級船員のほとんどはアメリカ生まれだが、何千という平水夫のうちでは二人に一人はアメリカ生まれではない。この点については、アメリカ捕鯨業界とほぼ同じことが、アメリカ陸軍、海軍、商船、および運河や鉄道建設に従事する土木業についても言える。そう言えるのは、これらすべてのばあいにおいて、アメリカ生まれは頭脳を存分に提供し、残余の世界に属する者は筋肉を惜しみなく提供する仕組みになっているからである。すくなからぬ数の捕鯨船員はアゾレス諸島の出身者であるが、それというのも、ナンタケットを出て遠洋にむかう捕鯨船がしばしばここに立ち寄り、岩だらけの海岸がそだてた屈強な百姓から船員を補給するからである。同様に、ロンドンやハルから出港する捕鯨船はシェトランド諸島に立ち寄って船員を補充する。これらの捕鯨船は、帰途、またそれぞれの島に船員たちを下ろしていく。理由はよくわからないが、島育ちは最上等の鯨捕りになるらしい。ピークオッド号でも船員はほとんどが島育ちで、しかもそれぞれが離れ島のようなものだ。わたしがそう言うのは、彼らは人類共通の大陸などは認めず、おのれ独自の大陸に住む孤島のような人間だからである。それがいまや一本の竜骨のもとにまとめられている。孤島人間の世にも奇妙な集団！　アナカーシス・クローツ[109]代表団のように、大洋のあらゆる島々から、地球のあらゆる隅々からピークオッド号に集合して、老エイハブにひきいられて例の法廷に、ほとんどだれもそこから生還したことのないあの法廷に、世界の苦情を申し立てに出かけようというのだ。黒人のピップ少年——あの子はかえらなかった！　あわれなアラバマ生まれの少年！　天なる後甲板にむかえられ、天使たちの合奏にあわせて、栄光のうちにタンバリンを打ち鳴らす永劫の時の前兆として、このピークオッド号の陰気な船首楼《フォクスル》でタンバリンを打ち鳴らす黒人の少年を、諸君はやがて見るだろう。地上では臆病者とさげすまれ、天上では英雄とたたえられる者よ！

第二八章　エイハブ

ナンタケットを出てから数日のあいだ、甲板上にはエイハブ船長の姿はまったく見あたらなかった。航海士たちが交代で当直につき、事実は反対であるにもかかわらず、もっぱら彼らが船を指揮しているように見えた。ただ、ときおり、彼らが船長室《キャビン》からあわただしく出てきて、突如として断固たる命令を出すところから判断して、つまるところ彼らは船長の業務を代行しているだけだとわかった。しかり、最高権力者にして独裁者たる御仁はあそこに鎮座まします――内部を見ることを許されていない者には知るよしもない、かの聖なる隠遁所に。

当直をおえて甲板に出るたびに、わたしはすばやく船尾のほうに目をやり、まだ見ぬ人物がいないかどうか、たしかめた。こうして洋上に隔絶されてみると、この未知の船長に対してわたしが最初にいだいた漠然たる不安は、ほとんど確固たる脅迫観念となっていた。あのぼろをまとったエライジャの悪魔じみた妄言がわが意に反して思い出されたりすると、その予想外のふしぎな影響力によって、この脅迫観念は異様なたかぶりを見せるのだった。その影響力に、わたしはほとんど抗しかねた。ちがう心理状態のもとでなら、あんなすっ頓狂な波止場の預言者の、もったいぶったたわごとなど一笑に付するところだったが、そうはいかなかったのだ。しかし、わたしが感じたものが危惧の念であったにせよ不安の念であったにせよ――まあ、そう呼んでおくとして――船のなかであたりを見まわしてみると、そのような懸念をいだく根拠は皆無のように思われた。銛《もり》打ち衆は、他の乗組みの大部分もだが、わたしが以前の経験によって知った商船のおとなしい乗組みと比較すると、はるかに野蛮で、異教徒的で、雑多な集団ではあったが、それはやはり、わたしが無謀にも飛びこんだこの荒っぽいスカンディナヴィア起源の職業の殺伐たる性質そのものに由来していた――いや、そう断定したい。しかし、そういう漠然たる懸念を巧妙に沈静化し、航海の前途について自信と楽観をもたらしてくれたのは、とくに三人の上級船員、つまり航海士たちの態度だった。この三人はそれぞれタイプこそちがえ、上級船員として、また人間として、これほどの人材はそうたやすく見つかるものではない。彼らはみなアメリカ人で、それぞれナンターケット、ヴィニャード、コッド岬の出身だった。さて、船が母港を出たのはクリスマスの日だったので、しばらくのあいだは身を切るような極北の天候がつづいたが、それでも船はたえず南下をつづけていたので、緯度が一分、一度とさがるにしたがい、われわれは徐々にかの非情の冬と耐えがたい気候から脱出していった。空模様の険悪さはいくらか緩和されたとはいえ、なお暗鬱《あんうつ》の気がただよう天候が変わり目をむかえたある朝、船は追い風をうけて仇敵を追うようにたけり、憂鬱《ゆううつ》病者のようにせわしなく波を切って疾走していたが、わたしは午前の当直の呼び出しをうけて甲板にのぼり、船尾の手摺《てすり》の方向に目をやったとたん、前兆めいた戦慄《せんりつ》がわが全身を走った。現実が予兆をさきがけたのだ。エイハブ船長が後甲板に立っていたのだ。

この人には肉体的な不調の徴候は見えなかったが、かといって、不調から回復したという徴候も見えなかった。火あぶりの刑に処せられて全身に火がまわりながらも焼け落ちもせず、また硬く肉がこけた老年の頑健さを微塵《みじん》もそこなうことなく、火刑柱から釈放された男といったところ。その丈高く、胸幅広い姿は正真正銘の青銅でできているようでもあり、しかもチェリーニのペルセウスの像(110)さながらに、一点の瑕瑾《かきん》もない型から鋳造されたようにも見えた。一条の鞭《むち》打ちのあとのような白っぽい鉛色の瘢痕《はんこん》が、半白の頭から発して、なめし皮の色に日焼けした顔と首筋の片側をくだって服のなかに消えている。そびえ立つ巨木のまっすぐにのびる太い幹に天から電光が落下して、梢《こずえ》から根元まで垂直の裂け目をうがって地に消えながら、ただ樹皮に剝離《はくり》と傷をのこすだけで、一本の小枝もいためず、木そのものは生き生きとした青葉をしげらせているという情景にはままお目にかかるが、エイハブはそれに似ていた。そのしるしが生まれつきのものか、あるいは、大けがのなごりか、それをはっきり知っている者はだれもいない。暗黙の了解によって、航海中にそのことに言及した者はまずいない。とくに、航海士たちはかたく口をとざしていた。ただ一度だけ、タシュテーゴの先輩にあたるゲイ・ヘッドの老インディアンの水夫が、迷信じみた説をのべたことがある。エイハブには四〇をすぎるまであのような傷はなかった、あれは人間同士のあらそいの結果ではなく、海との根源的な闘争のたたりとして、エイハブにできた傷であるという。しかし、この妄言は、マン島からきた老水夫の空論によって、無根拠に否定されるかたちになってしまった。この男、墓場に片足を突っこんでいるような陰気な老人で、ナンターケットから船出したことも、これ以前にエイハブ船長を目撃したこともなかったのに、水夫たちは、因習的な船乗り気質のせいか、太古以来のだまされやすい性質のせいか、このマン島の老水夫を超自然的な判断力の持ち主と信じて一目おいていた。それゆえ、かりにもエイハブ船長がやすらかに柩《ひつぎ》のなかに横たわることがあるとしたら――そんなことにはとうていなるまいが――そのときには、だれが最後の死者へのおつとめを果たすにせよ、その者はエイハブの頭の天辺《てっぺん》から足の裏にかけて生まれながらのあざが一すじ走っているのを認めるであろう、とこの老人がのたもうたとき、まともに反論した白人水夫はひとりもいなかった。

エイハブの姿態がかもす悲壮感、それに体を貫通する鉛色のあざのことに、わたしはすっかりこころをうばわれて、しばらくのあいだ、あの悲壮感がすくなからず由来するのは、エイハブが体の半分をあずけているあの殺伐な白い隻脚《せっきゃく》であることにほとんど気づかなかった。この象牙《ぞうげ》色《いろ》の隻脚が洋上で、みがきあげられたマッコウ鯨のあごの骨からつくられたことは聞いていた。「そうとも、船長は日本沖で自分のマストをへし折られたのだ」老ゲイ・ヘッド・インディアンはかつて言った。「それでも、船のマストがへし折られたときもそうだが、あの人はわざわざ母港にもどったりしないで、べつのを調達した。代用品ならいくらもあるさ」

わたしはエイハブの立ち姿のあまりもの奇妙さに衝撃をうけた。ピークオッド号の後甲板の両側、後檣《ミズンマスト》の支檣索《シュラウズ》(11)を舷牆《ブルワーク》にとめてあるあたりの甲板に、口径半インチほどの穴がうがたれていた。エイハブはその穴に骨の脚を固定し、片腕をあげて支檣索をつかみ、すっくと立ち、たえず上下する船首のかなたを凝然と見つめ、その不動の、恐れを知らぬ、前方を見すえる凝視には、堅忍不抜の精神、敗北を知らぬ不屈の意志がこめられていた。エイハブは一言も発するではなく、航海士たちもエイハブに一言も問いかけるわけではなかったが、彼らのささいな身振りや表情からは、苦悩する頭領の監視のもとにあることを意識して、苦痛とは言わぬまでも、不安に感じていることが如実に見てとれた。それればかりではない。憂鬱の気にとらわれたエイハブは、十字架上のキリストのような表情を顔に浮かべ、何やら大いなる悲しみを名状しがたい王者の威厳にみなぎらせて立っていたのである。

外気にはじめてふれたエイハブは、ほどなく自室にひきさがった。しかし、その朝から、船長は毎日船員たちのまえに姿を見せた。ときには軸穴に脚を突っこんで立ち、ときには愛用の鯨骨製のスツールに腰掛け、またときには甲板上を重々しくあるいた。空が陰鬱の度合いを減じるにつれ、いや、いくらか温暖になりかけるにつれ、エイハブの隠遁の度合いも減じた。まるで、船が母港を出たころ自室に引きこもったのは、もっぱら厳冬の海があまりにも荒寥《こうりよう》としていたせいだと言わんばかりだった。それでもやがて、エイハブはほとんどいつも外気に身をさらすようになった。とはいえ、いまやようやく陽がさすようになった甲板で、エイハブが何を言おうと、何をしようと、余分なマストのように無用な存在にしか見えなかった。しかしピークオッド号はひたすら航行をつづけた。本格的に遊弋《ゆうよく》しているのではなかった。監督を必要とするような捕鯨のための予備作業はほとんど航海士の指示で充分まにあっていたので、いまのところ、エイハブをわずらわさなければならない仕事はまずなかったのである。それゆえ、雲という雲が高《こう》嶺《れい》に群がるように、エイハブの愁眉《しゅうび》に層をなして群がる暗雲を追いはらう仕事もまた、いまのところなかったのである。

さりながら、ほどなく、われわれは温暖で、鳥がさえずる休暇日和の海域に到達したが、その魅惑にエイハブの暗雲も徐々に晴れていくようだった。というのは、紅《くれない》のほおをした「四月」と「五月」という踊る乙女たちが冬めく人間ぎらいの森に足取りもかろやかにもどってくると、赤裸の、節くれだった、雷に打ちすえられたカシの老木にしても、なけなしの緑の芽を吹き出して、そのようなこころはずませる訪問者をむかえようとするように、エイハブもまた、そのたわむれ好きの乙女のような大気のさそいに、ついに、おずおずと応じたのである。一度ならず、エイハブはその表情をわずかにほころばせた。余人ならば、すぐにも微笑となって花ひらくところであった。

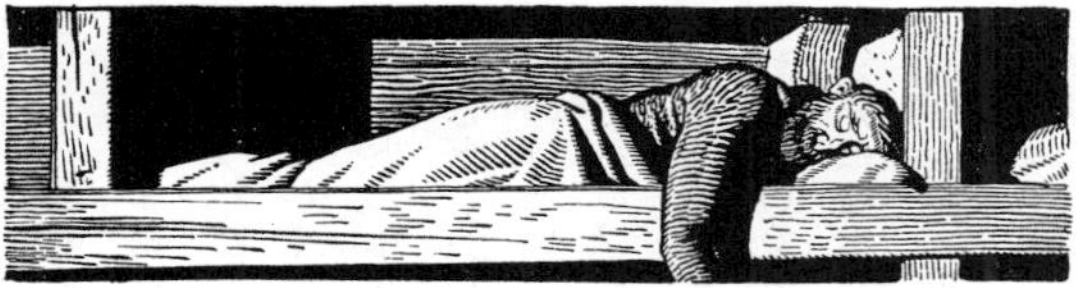

第二九章　エイハブ登場、つづいてスタッブ

いく日かがすぎ、氷も氷山もことごとくあとにして、常夏《とこなつ》の熱帯に隣接する海域にはいったピークオッド号は、そのあたりの海を常時支配する、明るい「キトの春(112)」と呼ばれるのどかな気候のもなかを、すべるように航行していた。その温暖にして涼しく、晴朗にして芳香にみち、豊饒《ほうじょう》にして爽快な日々は、薔薇水《ローズ・ウォーター》の雪片をふりかけたペルシャのシャーベットを盛った水晶のゴブレットをしのばせた。星きらめく豪奢な夜空は、宝石をちりばめたビロードを身にまとう誇り高き貴婦人が、黄金の兜《かぶと》をいただいて征服の途についた太陽の君を、故郷の孤閨《こけい》にしのぶさまにたとえられようか！　キトの春に眠る者は、清冽《せいれつ》な昼に眠るか、妖艶《ようえん》な夜に眠るか、選択に苦労する。だが、とこしえの春を謳歌する天候の魔術は、外部の世界に

その魔力をおよぼすにとどまらない。その魔力は、とりわけ静謐《せいひつ》でおだやかな夕闇せまるころ、内部の魂にもはたらきかけるのである。そのときにこそ、澄明な氷がたいてい薄明のしじまに形成されるように、記憶を結晶させるのである。そして、そういう微妙な諸力のすべてが、じわじわとエイハブの五体にはたらきかけていたのである。

老人はとかく眠りをきらうものである。人生とのかかわりが長ければ長いほど、死に類することにはかかわりたくないということか。船長のなかでも灰色のひげをたくわえた老骨ほど、真夜中に起きだして、夜のとばりがおりる甲板に出たがるものである。エイハブのばあいもそうだった。ただ、最近のエイハブは一日の大半を外気のなかですごしていたので、もっと正確に言うなら、船長室《キャビン》から甲板に出ると言うより、甲板から船長室をおとずれると言ったほうがよかろう。「わしのような老船長がこんなせまい昇降口をおりていくと」——と彼はひとりごちるのであった——「自分の墓におりていくような気分になるものだ」

さて、ほぼ二四時間ごとに夜の当直が任につき、甲板上の一隊が甲板の下で眠る連中のために番兵に立つのがしきたりで、そういうとき船首楼《フォクスル》のうえでロープをあつかう必要が生じたときには、水夫たちは眠っている同僚の安眠をさまたげないように、昼間のように手荒にロープを投げたりせず、用心して所定の場所にそっと置くのがならいであった。こうして、この種の静けさがあたりを支配しはじめるころになると、黙々と舵《かじ》をあやつる操舵手はきまって船長室の昇降口に目をやる。するとまもなく老エイハブが、不具の脚をかばいながら、鉄製の手摺《てすり》をつかんで姿をあらわす。が、この人にも他人をおもんぱかる何がしかの人間味があって、このような時刻には、後甲板を巡回するのをひかえるのがつねだった。そんなまねをされたのでは、鯨骨のかかとから六インチ以内のところで疲労困憊《ひろうこんぱい》して眠る航海士たちの夢のなかで、あの骨の脚がたてる響きと音は、さしずめ迫りくるサメの歯ぎしりとも聞こえることだろう。しかし一度だけ、あまりにも深い憂鬱《ゆううつ》の気にとらわれたエイハブが、いつもの他人への気くばりがきかなくなって、船尾手摺から主檣《メインマスト》にかけて重々しい千鳥足であるいていったことがあった。すると、例の二等航海士のスタッブが下からのぼってきて、おびえながらも冗談めかして、いやみを言った――エイハブ船長さまが甲板をおあるきになるとなりゃ、だれもいやとは申しませんが、なんとかその音をけす手立てはないものでしょうか、と。そのうえ、躊躇《ちゅうちょ》して遠まわしにだが、鯨骨のかかとに麻の球を串刺しにしてはいかが、と言ってのけたのである。ああ、スタッブよ、汝《なんじ》はいまだエイハブを知らざりし。

「わしは大砲の弾丸《たま》か、スタッブよ」エイハブは言った。「そいつをわしの筒《つつ》につめろと言うのか？　さがりおれ。わすれてやる。おぬしの夜ごとの墓にさがりおれ。さっさとシーツの経帷子《シュラウズ》にくるまって、やがてはさだめの墓穴のつめものになる練習でもしておくがよい――この犬め、犬小屋にさがりおれ！」

突如として怒《いか》りを発した老人の捨て台詞《ぜりふ》に虚をつかれたスタッブは、しばらくことばもなかったが、やがて興奮して言った――「船長、スタッブめはそんな口のきき方にはなれてませんので、あんまりうれしくありませんね」と。

「だまれ！」エイハブは歯ぎしりして言い、そう言いながらも、激情の発作にかられるのを用心してか、荒々しくその場を去りかけた。

「だまれません、船長、言わせてもらいます」スタッブは大胆になって言った。「犬と言われて、だまっているわけにはいきません」

「ならば、なんべんでも言ってやる、ロバだ、ラバだ、トンマだ、となｏ　さあ、さがりおれ。それがいやなら、このわしがおぬしをこの世からけしてやる」

こう言いながらせまってくるエイハブのものすごい剣幕にけおされて、スタッブはわが意に反してしりぞいた。

「あんなひどい扱いをうけて、一発かまさずにすんだことはこれまでにないことだ」スタッブは船長室の昇降口をおりてゆく自分自身に気がついて、つぶやいた。「これはなんとも妙だ、変だ。まてよ、スタッブ、どういうわけだか、さっぱりわからん。とってかえして、あの爺《じ》さまに一発かましてやるか、それとも——なんだと？——ここにひざまずいて、あのご老体のために祈る？　たしかに、それがいましがたおれの頭に浮かんだ考えだった。そうなると、おれは生まれてはじめて祈ることになる。これは変だ、なんとも奇妙だ。そういえば、あれも奇妙な老人だ。どう見たって奇妙きてれつな老人だ。あんな奇妙な御仁といっしょに航海したおぼえは、このスタッブにはないぞ。あの火をふく目！——あの目は火薬皿か！　狂っているのか？　とにかく、あの老人のこころには何か重いものがのしかかっているにちがいない。甲板も、何か重いものがのっていると、ひびがいくからな。近ごろでは、あの爺さま、日に三時間とは寝床にいないらしい。それに、寝床にいるときも眠らない。給仕の団子小僧も言ってたな。朝なんかに行ってみると、あの爺さまのハンモックの毛布はしわくちゃ、シーツは足下にまるまり、掛け布はよじれてこぶだらけ、枕は焼きレンガがのってたみたいに、熱いそうじゃないか？　いやはや、ほてった老人か！　きっと、陸《おか》の連中が良心とか呼んでいるものを、もっているせいだろうよ。そいつは顔面神経痛みたいなものだそうだが、歯が痛いのより始末がわるいという。まあ、まあ、ともかく、おれは良心がどんな代物《しろもの》かは知らんが、どうぞ神さま、そんなものをおさずけくださいませんように。とにかく、あの船長は謎だらけだ。団子小僧が言うには、あの老人は毎晩、後部船艙《アフターホールド》に足をはこぶらしいが、いったい何のためにだ？　おれはそのわけが知りたい。船艙で船長とあいびきするやつでもいるというのか？　これは妙な話じゃないか？　しかし、おれにはさっぱりわからんが、それが浮世のならいとか――さて、もうひと眠りするか。ぐっすり眠ることができれば、それだけでこの世に生まれてきた値打ちがあるというものさ。それにかんがえてみれば、生まれてきて赤ん坊が最初にやることといえば、まず眠ることだが、それもやっぱり変なことだな。だが、こん畜生め、何もかも奇妙だ――かんがえてみればな。しかし、かんがえるのはおれの主義に反する。かんがえることなかれ、それがわが第一一番目の戒律で、眠れるときにはいつでも眠れ、というのが第一二番目の戒律だ――それじゃ、おやすみとするか。ところで、どうしてああなったのだ？　あの爺さま、おれのことを犬と呼ばなかったか？　畜生！　おれのことを一〇ぺんもロバと呼んで、おまけにトンマとぬかした。いっそのこと、おれのことを蹴《け》とばして、けりをつけてく

れたほうがよかった。いや、まてよ、ほんとにけったかもしれんぞ。ただ、おれが気づかなかっただけで。なにせ、あの老人の眉間《みけん》にはすっかり圧倒されてたからな。あの眉間は白骨のように光ってたからな。おやおや、おれとしたことが、どうしたことか？　足がなえて立っておれん。あの老いぼれとかかわりあったんで、こっちのほうがおかしくなったのかな。おれは夢をみていたにちがいない、だけど――どうして？　どうして？　どうして？――いや、口外無用。さあ、ハンモックにもどろう。そして、朝になったら、お日さまのもとで、この厄介な不思議をかんがえなおしてみるとするか」

第三〇章　パイプ

スタッブが姿をけすと、エイハブはしばらく舷牆《ブルワーク》にもたれて立っていたが、やがて、最近の習慣にしたがって、当直の水夫を呼び、自分用の鯨骨のスツール、それにパイプを下の船長室にとりにやらせた。それから羅針儀台のランプでパイプに火をつけ、スツールを甲板の風上側《かざかみ》にすえると、エイハブはそれに腰をおろしてパイプをくゆらせはじめた。

北欧民族がさかえたころ、海を愛するデンマークの王たちの玉座はイッカクの牙でできていたという。ならば、三脚の鯨骨の椅子《いす》にすわるエイハブを見る者は、それが象徴する王位を連想せずにいられようか？　エイハブこそ船上の君主、海の王、巨鯨《レヴィヤタン》の支配者であった。

しばし時が流れ、そのあいだ、エイハブの口からはもうもうたる煙がせわしなく、たてつづけに吐きだされ、またその顔に吹きもどされていった。「どうしたことか」エイハブはパイプを口からはずして、ひとりごちた。「この煙も、もはやなぐさめにはならぬ。おお、わがパイプよ！　おぬしの魅力がうせたとなれば、伴侶とはなしがたいではないか！　わしは無意識に苦しんでいた、楽しんでいたのではない――知らずと、ずっと風上にむかって吸っていた、風にむかってな。しかも、せわしなく。まるで末期《まつご》の鯨があげる断末魔の潮吹きみたいに、はげしく、苦悩にみちている。こんなパイプに何の用があろうか？　おぬしはもともと安らぐためのものだ。おだやかな白髪の老人がおだやかな白い煙を吐きだすための道具だ。わしのようなごま塩色の乱れ髪した老骨のための道具ではない。わしはもう吸うのはやめた――」

エイハブはまだ火がついたままのパイプを海になげ入れた。火は波間でシュッと音をたて、その瞬間、船は沈むパイプがつくった泡をかすめていった。エイハブは帽子を目深《まぶか》にかぶり、よろめくように甲板をあるいた。

第三一章　夢魔《クイーン・マブ》(113)

翌朝、スタッブはフラスクに話しかけた。

「あんな妙な夢は、キング・ポストよ、見たことがないぜ。あの爺《じ》さまの鯨骨の脚に、蹴《け》られた夢を、おれは見たのよ。それで、蹴りかえしてやろうとしたら、おどろいたな、もう。おれの脚のほうが、抜けて、すっとんじまった！　そしたら、これまたびっくり仰天、エイハブ親爺《おやじ》がまるでピラミッドみたいに大きくなりやがって、それを、おれときたらあほみたいに、蹴りつづけてるじゃないか。だけど、それよりもっと奇妙なことにだ、フラスクよ——夢ってものが奇妙なことは承知だろうが——おれはカンカンに怒ってるくせに、どうやら頭では、エイハブに蹴られたところで大した侮辱じゃない、とかんがえているらしいんだな。『何が問題だ？　あれは本物の脚じゃない、義足っても んだ』とかんがえてるんだな、おれさまの頭が。生きた脚で蹴られるのと、死んだ脚で蹴られるのとでは大ちがいだ。平手でひっぱたかれるほうが、棒でひっぱたかれるより五〇倍も野蛮で、たえがたいのはそのためよ。生身の手足だからこそ――侮辱も生身にこたえるんだ、いいか、ちび助。おれはずーっとかんがえつづけていた、いいか、あのいまいましいピラミッドを脚の先っぽで蹴りつづけていたあいだじゅうかんがえつづけていた――まったくつじつまがあわない話だけど、そのあいだじゅう、かんがえていたのだ。『エイハブの脚というのは、つまり棒だ――鯨骨の棒だ。そうだ、あれはただ、たわむれの蹴りだ――実際のところ、鯨の骨で愛撫《あいぶ》しただけなんだ――悪意ある蹴りではない。それに』というふうに、おれはまだかんがえつづけていたのだ。『もう一度見てみろ。あの先端を――足にあたるところをさ――なんと小さなとんがりだろうか。ところが、べた足の百姓に蹴とばされてみろ、こいつは、べたの侮辱だ。ところが、こちらの侮辱は先細りの一点が接触する侮辱にすぎん』とな。さて、フラスクよ、これからがこの夢の山場だ。笑えるぞ。おれがピラミッドに体当たりをくりかえしているうちに、穴熊みたいな毛皮をつけ、背中にこぶをつけた海坊主がおれの背中に手をかけて、おれをグルリとまわしやがった。そして『おまえさん、何をしているんだね？』と聞きやがる。いやはや、ぞっとしたな、もう。そいつの面相ときたら！　だが、どうやら、もちなおして反撃にでた。『おれが何をしてるか、だって？』おれはやっと言った。『それがおまえさんと何の関係があるんだ、せむしどの？　おまえも一発かましてほしいのか？』そしたら、おどろいたな、フラスク、とたんに、やつは、クルリとまわっておれに尻をむけ、かがみこみ、尻をかくしていた海草をたくしあげたじゃないか――おれが見たのは何だったと思う？――おったまげたのなんのって、綱通し針《マアリーンスパイク》がとんがったほうをこちらにむけて、尻いちめんにぎっしり植わっているじゃないか。そこで、おれはかんがえなおして、『おれはおまえさんを蹴るのをやめた』と言った。『賢明なスタッフよ、賢明なスタッフよ』とやつは、まるで暖炉の魔女が歯ぐきをもぐもぐさせているように、つぶやきつづけた。やつがこの『賢明なスタッフ、賢明なスタッフ』と言うのをいつまでもやめそうにないんで、おれはまたあのピラミッドを蹴とばしたほうがましだと思ったほどだ。だけど、おれがちょっと蹴る気配をみせると、とたんにやつは『蹴るのはやめろ！』とさけぶ。『やれやれ、こんどは何の用かね、ご老体？』と言うと、『まあまあ、急《せ》くな』とやつは言う。『その侮辱とやらを勘案してみようじゃないか。エイハブ船長はほんとにおまえを蹴ったのだな、え？』『ほんとに蹴った』とおれは答えた――『ここんところをな』と。『わかった』とやつは言う――『船長は鯨骨の脚で蹴った、そうだな？』『そうだ、そのとおり』とおれは答えた。『賢明なスタッフよ、それなら文句を言う筋合いはないではないか？　エイハブは善意をもって蹴ったのではなかったか？　エイハブはおまえをありきたりの松の義足で蹴ったわけではあるまい、え？　そうではあるまい。おまえさんは偉大な人物に蹴られたのだ。しかも美しき鯨骨の脚で蹴られたのだ、なあスタッブよ。それは名誉というものだ。わしなら名誉と見なす。よいか、賢明なスタッブよ、いにしえのイングランドではな、領主たちは、女王さまにひっぱたかれてガーター勲章[114]をさずかるのを大いなる栄誉と心得ていたものだ。おまえの誇りとするがよい、スタッブよ、老エイハブに蹴られて、賢くなったことをな。わしの言うことを夢わするることなかれ。エイハブには蹴らせておけ。そして、蹴られたことを名誉に思い、夢にも蹴りかえそうなどと思うな。この世には始末におえんことがあるのだからな、賢明なスタッブよ。あのピラミッドが見えんのか？』そう言ったかと思うと、海坊主は、なんとも奇妙なあんばいに、空のかなたに泳いでいった。おれはいびきをかき、寝返りをうち、気がついてみると、ハンモックのなかよ！　フラスク、この夢をどう思う？」

「わかりませんね、なんだかあほくさい話だってことはわかるけど」

「うん、そうかもしれん。でも、おかげでおれは賢くなったぜ、フラスク。あそこにエイハブが立っているのが見えるだろう、船尾のところで左右を見わたしているのが？　フラスク、いいかい、あの老人はそっとしておくのが一番だ。何を言われようと、口答えするんじゃやない。おや！　爺《じ》さまが何だかさけんでるぞ、何だ？」

「おーい、檣頭《マスト・ヘッド》の者！　みんな、よーく見張るんだぞ！　このへんには鯨がいるぞ！　白いのが見えたら、胸がさけるほど、さけべ！」

「いまのをどう思う、フラスク？　なんだか、ちょっぴり変なところがないか、え？　白い鯨だと――聞いたか？　おや――どうも風向きがあやしい。注意しろよ、フラスク。エイハブの頭には血なまぐさい風が吹いてるぞ。が、しっ！　船長がこっちへくる」

第三二章　鯨　学

われわれはすでに大胆にも大洋に乗り出していたが、時ならずして、岸辺なく、港なき広大無辺の領域に迷いこむことになるのは必定である。そうなるまえに、つまりピークオッド号の海草におおわれた船体が、フジツボにおおわれた巨鯨《レヴィヤタン》の体軀《たいく》に伍して海原《うなばら》を遊弋《ゆうよく》することになるまえに、まずもって留意すべきは、巨鯨にまつわる特異な驚異の数々やあらゆる種類の伝奇伝承のたぐいを十全に理解するために不可欠なことどもについての周到な知識を準備することであるのは理の当然であって、以下はその作業にほかならない。

鯨を「属」としてまるごととらえて体系的に提示すること、それがさしあたってのわたしの意図である。だが、それは容易ならざる仕事である。ここでこころみられることは、いわば混沌を形成するものについての分類にほかならないからである。まずは最近の最高権威者たち(115)が語っていることに耳をかたむけられたい。

「動物学の分野において、鯨学と称される分野におけるほど錯綜せるはこれなし」とスコーズビー船長は西暦一八二〇年に書いている。

「鯨類を種と属とに分類する真正なる方法を探索することは、たとえそうすることがわが能力の範囲内にあろうと、わが意図とするところではない。……この動物（マッコウ鯨）の研究家のあいだにはただ混乱あるのみ」とは、外科医ビールの西暦一八三九年の言である。

「底知れぬ深海の探究をこころみることの無謀性」「鯨類に関するわれわれの知識をおおう不透明なヴェール」「茨《いばら》の分野」「われら博物学者をなやますのに役立つだけの不完全な諸説」等々。

鯨について以上のように語るのは、偉大なるキュヴィエ、ジョン・ハンター、レソン(116)などの動物学および解剖学の泰斗である。しかしながら、正確な知識は僅少なりとはいえ、本の数は膨大であって、鯨学、つまり鯨に関する科学も、小規模ながら存在する。鯨について多少とも書いた者になると、大家に小家、新人に旧人、陸《おか》の人に海の人をあわせると膨大な数にのぼる。そのいくつかをあげれば――聖書の作者たち、アリストテレス、プリニウス、アルドロヴァンディ、トマス・ブラウン卿、ゲスナー、レイ、リンネ、ロンデレティウス、ウィロビー、グリーン、アルテディ、シバルド、ブリソン、マーティン、ラセペード、ボナテール、デマレー、キュヴィエ男爵、フレデリック・キュヴィエ、ジョン・ハンター、オウエン、スコーズビー、ビール、ベネット、J・ロス・ブラウン、『ミリアム・コフィン』の著者、オームステッド(117)、ヘンリー・T・チーヴァー師。これらの人士がいかなる最終的な一般化の意図をいだいたかについては、前掲の「抜粋」をお読みいただけばたりよう。

ここにあげた名前のうち、生きている鯨を見た者はオウエン(118)以下に列挙した人たちだけで、しかも本物の職業的銛《もり》打ちで鯨捕りだった者となると、ひとりしかいない。スコーズビー船長がそれである。スコーズビーはグリーンランド鯨すなわちセミ鯨類にかかわる専門分野において、現存する最高権威者である。しかしながら、あの偉大なるマッコウ鯨については皆目知らず、言及もない。ちなみに、マッコウ鯨にくらべれば、グリーンランド鯨など物の数ではない。ここで断定しておくが、グリーンランド鯨は海の王座の簒奪者にすぎない。それは大きさの点でも最大級の鯨ではない。しかしながら、グリーンランド鯨が王者を僭称《せんしょう》してからすでに久しく、そのうえマッコウ鯨のことについては、つい七〇年ほどまえまでは、伝説的にはともかく実際的にはまったく知られておらず、今日にいたってもなお、ごくかぎられた科学の殿堂や捕鯨基地以外では蒙昧《もうまい》のご時世が継続しており、この深甚なる無知ゆえに、グリーンランド鯨による王位簒奪はいまだ微動だにしていないのである。古来からの偉大な詩人による巨鯨への言及を吟味してみれば、彼らにとってグリーンランド鯨こそが天下無双の海の王者であったことが判然とする。だが、新しい王権が布告さるべき時がついに到来したのである。本書こそが、王権布告の場、チャリング・クロス(119)である！　善良なる臣民に告ぐ――グリーンランド鯨は退位せり――いまや大いなるマッコウ鯨が即位せり。

いやしくも生きた鯨を諸君に提示する意図をいだき、同時に、かりそめながら、そのこころみにおいて成功している本は二冊しかない。ビールとベネットの本(120)がそれである。両者はともに当時のイギリス南洋捕鯨の船医をつとめた外科医で、また、ともに正確にして信頼にあたいする人物である。彼らの書物に見えるマッコウ鯨の記述のうち真に独創的なものは当然ながらおおくはないが、書かれているものに関するかぎり、大部分は科学的記述に限定されているとはいえ、きわめて良質なものである。しかしながら、科学的にせよ文学的にせよ、マッコウ鯨がその生きた全貌をあらわにしている文献となると、いまだに存在しない。捕獲された他の鯨にくらべれば、マッコウ鯨の生態はなお未解明の状態にある。

ところで、鯨という種の多様性を包括的に把握するための簡便な分類法があってしかるべきである。さらに詳細にわたる本格的な分類は今後の研究者の労にゆだねるとし、当座の用には簡略で大まかなものがよい。この仕事をすすんで手がけようという適任者があらわれないまま、おそまつながら、このわたしがその仕事を引き受けることにするが、もとより完璧を約束するものではない。人事において完璧はありえないので、まさしくその理由によって、わたしがすることは間違いなく間違うことであろう。わたしには、それぞれの種の詳細な解剖学的記述をするつもりはない、いや——すくなくとも今回のところは——そもそも記述などという大それたことを手がけるつもりもない。わたしの意図は鯨学の体系についての下書きを提示することにとどまる。わたしは建築家《アーキテクト》であって、土建屋《ビルダー》ではない。

しかし、これは大事業である。なみの郵便局の仕分け人ができるような仕事ではない。鯨を追って海の底までもぐり、その言語を絶する地球の基盤をまさぐり、その肋骨をまさぐり、その骨盤をまさぐる——これはおそろしいことではないか。このように巨鯨の鼻づらに鉤《かぎ》をひっかけようとしているわたしは、いったい何者か！　あの「ヨブ記」のおそろしい叱責はわたしに向けられたものではなかろうか。「巨鯨《レヴィヤタン》、あに汝《なんぢ》と契約を為《な》さんや……視《み》よその望《のぞみ》は虚《むな》し。」[121]だが、わたしは図書館から図書館へとわたりあるき、大海原を航海した者だ。わたしはこの両の手で鯨にいどみもした。わたしは本気だ。わたしは最善の努力をする。が、そのまえに片づけておかねばならない問題がいくつかある。

第一の問題。この鯨学がおかれている不確実かつ不安定な状況は、まさしくそのとば口において遭遇する以下の事実によっても明らかである——すなわち、ある方面においては、鯨が魚であるか否か、という基本的問題が今日になってもなお未解決のままなのである。西暦一七六六年、リンネはその『自然大綱』において「それゆえに余《よ》は鯨を魚から分離するものなり」と宣言している。だが、わたしの知るかぎりでは、リンネの明快なご託宣にもかかわらず、一八五〇年の今日にいたるまで、サメ、ニシンダマシ、タラ、ホンニシンなどは巨鯨とともにおなじ海を共有しているのである。

鯨を海の世界から追放しようとはかった根拠について、リンネは、鯨が「温血二心房、肺、可動性の眼瞼《がんけん》、空洞の耳、乳首にて授乳する雌をば突き刺す男根」を有するがゆえに、最終的に「自然ノ正シキ法則ニヨリ正当」[122]にかく断ずる、とのべている。わたしはこの見解を、かつて航海をともにしたことのあるナンタケットの友人のシメオン・メイシーとチャーリー・コフィンに開陳したことがあるが、ご両人ともリンネが提供した理由はまったくもって根拠薄弱であるという点では完全に一致した。チャーリーなどは不遜にもリンネ説はペテンであるとさえほのめかした。

議論はさておき、わたし自身としては、聖なるヨナのうしろだてを得て、鯨は魚であるとする古き良き根拠にのっとることを明らかにしておきたい。この根本問題にけりがつけば、つぎは、いかなる内的様態において鯨は他の魚と異なるか、という問題である。リンネは上記の諸点をあげて論じたが、それは要するに、こうだ——鯨が肺と温血を有するのに対して、他のあらゆる魚は肺がなく、かつ冷血であるということ。

第二の問題。鯨をその明白なる外面上の特徴によって定義し、未来永劫にわたって悖《もと》ることとなき標識となすためにはどうすればよいか？　簡潔に言えば、水平の尾をもつ潮を吹く魚と簡潔に定義すればよいのである。これで鯨がつかまったのである。短い定義であるとはいえ、長時間にわたる思考の産物である。セイウチは鯨なみに潮を吹くが、水陸両棲であるがゆえに魚ではない。しかし、定義の前半の「水平の尾をもつ」という条件は、後半の「潮を吹く魚」という条件とあいまって、いっそう説得力を発揮するのである。おそらくどなたもお気づきであろうが、陸《おか》の人におなじみの魚はすべて、水平のではなく、垂直の、上下に立つ尾をもっている。ところが、潮を吹く魚の尾は、かたちこそ相似だが、例外なしに水平についている。

前述の鯨に関する定義によってわたしが意図することは、これまでナンターケットきっての物知りたちが鯨と同定してきた海の生物を鯨類から排除することではないし、また反対に、これまで権威筋によって鯨でないとされてきた魚を鯨類にふくめることでもない。* ゆえに、もっと小型で、潮を吹き、水平の尾をもつ魚は、この鯨学の基礎概念図のなかにふくめておかねばならない。さて、ようやく、鯨属全体を大まかに腑分けする段階に到達したわけである。

＊　今日にいたるまで、ラマティンとかジュゴンとか呼ばれてきた魚(ナンターケットのコフィン家でいう豚魚《とんぎょ》やデブウオ)が多くの博物学者によって鯨として分類されてきたことをわたしは承知していないわけではない。しかし、豚魚は小うるさい品性下劣なやからで、たいてい河口を徘徊して、干草のぬれたのを食し、あまつさえ潮を吹かないがゆえに、わたしはこれに鯨類としての承認状を付与することを拒否し、鯨学の王国から退去さすべく旅券を発行するものである。(原注)

第一。わたしは鯨を大きさによって三つの基本的な巻《ブック》(それをさらに章《チャプター》)にわけ、そのなかに大小すべての鯨をとりこむ。

一、**二つ折り判鯨**〔FOLIO WHALE〕。二、**八つ折り判鯨**〔OCTAVO WHALE〕。三、**一二折り判鯨**〔DUODECIMO WHALE〕[123]。

わたしは**フォリオ〔二つ折り判〕**鯨の典型にはマッコウ鯨〔Sperm Whale〕をあげる。**オクテーヴォ〔八つ折り判〕**鯨の典型にはゴンドウ鯨〔Grampus〕をあげる。**デュオデシモ〔一二折り判〕**鯨の典型にはイルカ〔Porpoise〕をあげる。

二つ折り判。 これには以下の章がふくまれる――㈠マッコウ鯨〔Sperm Whale〕。㈡セミ鯨〔Right Whale〕。㈢ナガス鯨〔Fin Back Whale〕。㈣ザトウ鯨〔Hump-backed Whale〕。㈤カミソリ鯨〔Razor Back Whale〕。㈥イオウバラ鯨〔Sulphur Bottom Whale〕。

第一巻〔二つ折り判〕、第一章〔マッコウ鯨〕――この鯨は、イギリス人のあいだでは古くからトランペット鯨〔Trumpa whale〕、シオフキ鯨〔Physeter whale〕、カナトコ鯨〔Anvil Headed whale〕などの名で漠然と知られていたが、今日フランス人の言うカシャロ〔Cachalot〕、ドイツ人の言うポットフィシュ〔Pottfisch〕のことであり、むずかしく言えばマクロセファルス〔Macrocephalus〕[124]である。疑いもなく、世界最大の住民であり、凶暴なること鯨類随一にして、容貌の荘厳なること他を凌駕《りょうが》し、商品価値の高きこと比類を絶する。かの貴重なる物質、脳油〔spermaceti〕が得られる唯一の種族である。この鯨の数ある特性については機会あるごとに詳細にのべるつもりであるが、ここでは主として名称についてのべるにとどめる。言語学的にいえば、これは不合理である。数世紀まえには、マッコウ鯨は個体としてほとんど知られておらず、またその油は浜辺に座礁した鯨から偶然に採取されたものにかぎられていたが、脳油は、当時イギリスではグリーンランド鯨あるいはセミ鯨の名で知られ、かつそれと同定されていた鯨から採集されたものと一般に信じられていたようである。それに、この脳油は、その英語の最初のシラブル〔sperm-〕が文字どおりしめすように、グリーンランド鯨の精液であるとかんがえられていた。当時はまた、脳油はきわめて希少で、照明に利用されることはなく、塗り薬や飲み薬としてのみ用いられた。それは今日われわれが大黄《だいおう》をもとめるときのように、薬種商《やくしゅしょう》から買うよりほかなかった。時が流れ、脳油の正体もわかってきたにもかかわらず、薬種商人たちが“spermaceti”なる名称をつかいつづけたのは、その希少性に深長な意味をからませて商品価値をつりあげようとしたからにちがいない。そういうわけで、精液油《スパーマセティ》がほんとうに由来する鯨に精液鯨《スパーム・ホエール》なる呼称があたえられることになったにちがいない。

第一巻（二つ折り判）、第二章（セミ鯨）——ある意味では、これはもっとも尊重されてしかるべき鯨である。人類が捕鯨の対象とした最初の鯨だからである。この鯨は鯨鬚《げいしゅ》または鯨ひげとして一般に知られている品物、および「鯨油」〔whale oil〕と格別に呼ばれている製品を提供するが、後者の商品としての価値はおとる。鯨捕りはこの鯨を以下のようなさまざまな名称で呼んでいる——すなわち鯨〔Whale〕、グリーンランド鯨〔Greenland Whale〕、クロ鯨〔Black Whale〕、オオ鯨〔Great Whale〕、ホン鯨〔True Whale〕、セミ鯨〔Right Whale〕など。このように多様な名称をあたえられた種の同一性についてはかなり疑義がある。しからば、わたしが二つ折り判の第二の種としてここに記載した鯨とはいったい何者か？　それはイギリスの博物学者がグレイト・ミスティシータス〔Great Mysticetus〕と呼び、イギリスの鯨捕りがグリーンランド鯨と呼び、フランスの鯨捕りがバレーヌ・オルディネール〔Baleine Ordinaire〕と呼び、スウェーデン人がグレンランズ・ヴァルフィスク〔Grönlands Valfisk〕[125]と呼ぶものにほかならない。これは二世紀以上にわたり、オランダ人とイギリス人が北極海に追跡した鯨であり、アメリカ人の鯨捕りが長らくインド洋に、ブラジル沖に、北米大陸両岸の最北端海域に、はたまた彼らがセミ鯨遊弋海域と呼ぶ世界のいくたの海に追尾してきた鯨である。

イギリス人の言うグリーンランド鯨とアメリカ人の言うセミ鯨のあいだに差異を見る者もいるが、両者はその主要な特質において完全に一致し、また両者の根本的な差異をうらづける決定的証拠はいまだひとつも提示されていない。博物学のある分野に唾棄すべき混乱が見られるのは、きわめて些細な差異にもとづいて無際限な細分化をかさねた結果である。セミ鯨については、マッコウ鯨を解明する途次に、もうすこしくわしくのべる機会があろう。

第一巻（**二つ折り判**）、**第三章**（**ナガス鯨**）――この項目でわたしがあつかうのは、ナガス鯨〔Fin-Back〕、タカシオ鯨〔Tall-Spout〕、ロング・ジョン鯨〔Long-John〕などの各種の名で呼ばれている巨獣《モンスター》であるが、これは世界のほとんどの海で見られ、大西洋を横断するニューヨーク航路の船客がしばしば遠方にみとめる潮吹きは、たいていこの鯨のものである。体長、鯨ひげについては、ナガス鯨はセミ鯨に似ているが、ナガス鯨の胴回りはややほそく、色もややうすく、いくらかオレンジに近い色をしたものもいる。その巨大なくちびるは、一見したところ太綱《ケーブル》に似ていて、大きなひだがななめにより合わせたようになっている。その壮大な形態的特徴は背びれで、“Fin-Back”〔セビレ鯨〕という英語名はそれに由来するのだが、すこぶる目立つ代物《しろもの》である。この背びれは底辺が三、四フィートの鋭くとんがった頂点をもつ三角形をなし、背中の後部から垂直に立っている。体の他の部分はまったく水面下にかくれて見えないのに、この背びれだけが水面上にくっきり姿をあらわしている光景がときに見られる。海が適度に凪《な》ぎ、かすかなさざ波が輪をえがいてひろがり、そこにこの日時計の指時針のような背びれが立ちあがり、さざ波が輪をえがく海面に影を投げかけるとき、背びれをかこむ水面の輪は波が時をきざむ日時計の目盛盤でもあるかのようである。だが、このアハズの日時計(126)は影がしばしば逆行することがある。セビレ鯨すなわちナガス鯨は群居性ではない。この鯨は、ある種の人間が人間嫌いであるように、鯨嫌いなのであろう。きわめて羞恥心《しゅうちしん》にとみ、つねに単独で行動し、最果ての寂寥《せきりょう》たる海の表面にふと姿をあらわす。その高く垂直に吹きあげる一条の潮はまるで不毛の荒野に高くそびえる人間嫌いの槍《やり》のようである。驚異的な遊泳力と速度にめぐまれていて、現下のところいかなる人間の手段をもってしてもこの鯨の追跡は不可能である。この鯨はまたこの種族の追放されたカインのごとくであって、あの日時計の針のような背びれはその烙印《らくいん》であるのかもしれない。この鯨は口中にひげをたくわえているがゆえに、セミ鯨とともに、学問的にはヒゲ鯨〔Whalebone whales〕、つまり鯨ひげをもつ鯨類に分類されているが、これには各種があり、そのほとんどはあまりよく知られていないようである。漁夫たちがハナヒロ鯨〔broad-nosed whales〕、デッパ鯨〔beaked whales〕、トンガリアタマ鯨〔pike-headed whales〕、コブ鯨〔bunched whales〕、ウケクチ鯨〔under-jawed whales〕、ハシナガ鯨[127]〔rostrated whales〕などと呼んでいるのが、そのほんの一部である。

この「ヒゲ鯨」という呼称について、ぜひとも言っておかねばならない重要なことは、そのような命名法はある種の鯨を指示するさいの便法としては有効ではあるが、鯨全体を截然と分類しようとこころみるにあたっては完全に無効であるということである。ひげ、こぶ、ひれ、歯などの顕著な部分や形態を根拠に鯨学の体系構築の基礎としたほうが、鯨が種ごとに独自性をしめすその他の形態上の特質を基礎とするよりは一見したところあきらかに有効であるにもかかわらず、実は無効なのである。なぜか？　ひげ、こぶ、背びれ、歯——これらの部位の特徴は、他の部位やもっと本質的な部分の構造上の特質とは無関係に、あらゆる種類の鯨に分散して存在するからである。たとえば、マッコウ鯨もゴンドウ鯨も、ともにこぶを有しているが、類似はそこまで。それに、このゴンドウ鯨もグリーンランド鯨もともにひげを有しているが、やはり類似はそこまで。さきにあげた他の部位についても、事情はまったくおなじである。各種の鯨において、それらの組合せはまことに恣意《しい》的で、どの種をとりあげても他との類似がなく、そのあまりにも恣意的な孤立性のために、そのような部位を基礎にするあらゆる体系化のこころみは挫折するのが定めである。かくして、鯨類の体系化をはかった博物学者たちは、ことごとくこの岩礁に乗り上げて難破したのである。

しかし、鯨の内部組織、解剖学的構造――内的構造に基礎をおくならば、すくなくとも正しい分類法にたどりつく可能性があるのではないか、とかんがえるむきもあろう。ところが、それが無理なのである。たとえば、グリーンランド鯨の解剖学的所見に鯨ひげの形態的所見以上の顕著な特徴が見いだされるであろうか？　否である。鯨ひげによってグリーンランド鯨を分類することが不可能であることはすでに見たとおりである。たとえ各種の鯨《レヴィヤタン》類の内臓にもぐりこんでいったところで、すでにあげた外見上の差異の五〇分の一ほども鯨類の体系化にとって有意な差異を見いだすことは不可能であろう。では、どんな方法がのこるか？　鯨の巨体をまるごととらえて、その体の大きさにしたがって分類していくよりほかに方法はないのである。そこで採用されたのがこの書誌学的分類法なのである。成功する見込みのある方法はこれ以外にない。これだけが実用的である。さきへ進もう。

第一巻（二つ折り判）、第四章（ザトウ鯨）——この鯨は北アメリカ沿岸でよく見られる。この海域でしばしば捕獲され、港に曳航《えいこう》される。行商人のように背に大きな荷を背負っている。背にやぐらを背負っているゾウのようにも見えるので、ゾウヤグラ鯨〔Elephant and Castle whale〕とも呼ばれる。いずれにせよ、この通称では、小なりとはいえマッコウ鯨もこぶをもつので、こぶはこの種を同定するのには不充分である。その油はさほど貴重ではない。この鯨はどの鯨よりも遊び好きで、どの鯨より陽気に泡をたて、白いしぶきをあげて泳ぎまわる。

第一巻（二つ折り判）、第五章（カミソリ鯨）——この鯨については名前以外にはあまり知られていない。わたし自身もホーン岬沖で遠望したことがあるだけである。隠棲を愛する性質とみえ、鯨捕りも鯨学者も敬遠する。臆病者ではないが、稜線のように切り立つ背中以外のどの部分も人目にさらしたことはない。この鯨のことは、このへんでやめておこう。これ以上のことはわたしも知らないし、だれも知らないのだから。

第一巻（二つ折り判）、第六章（イオウバラ鯨）——これもまた隠棲をこのむ紳士。硫黄色《いおういろ》の腹をしているが、おそらく深海にもぐったさいに地獄の岩盤に腹をこすりつけたせいだろう。この鯨を見かけることはめったにない。すくなくともわたしは南海の果てでしか見たことがなく、しかも遠くからしか見たことがないので、その容貌は知る由《よし》もない。鯨捕りもこれを追跡しない。追跡したところで、水遁《すいとん》の術を用いて遁走してしまう。この鯨は神話につつまれている。さらば、イオウバラ君よ！　きみについての真実を語ることはわたしにはできない。ナンタケットの古老にだってできはしない。

ここで**第一巻（二つ折り判）**はおわり、**第二巻（八つ折り判）**がはじまる。

八つ折り判。** ここにはいるのは中型の鯨で、さしあたり以下のものをあげておく——㈠ゴンドウ鯨〔Grampus〕。㈡クロ鯨〔Black Fish〕。㈢イッカク〔Narwhale〕。㈣シャチ〔Killer〕。㈤サカマタ〔Thrasher〕。

** 鯨に関するこの巻を四つ折り判〔Quarto〕と呼ばない理由はまことに簡単である。このクラスに属する鯨は、まえのクラスに属する鯨よりも小さいが、体型の均衡では前者とかわらないのに、製本上の四つ折り判では小さくなるばかりか、二つ折り判の形体を保持しないからである。ところが、八つ折り判は二つ折り判とおなじ形体を保持する。（原注）

第二巻（八つ折り判）、**第一章（ゴンドウ鯨）**——この鯨はその大きくひびく呼吸音、ないし鼻息によって高名で、陸地の人間のあいだでは「ゴンドウみたいな荒い鼻息」というたとえがあるほどだが、深海ではよく知られた住民であるにもかかわらず、一般には鯨の仲間に分類されていない。しかし鯨《レヴィヤタン》類の主要な特徴のすべてをそなえているので、おおかたの博物学者は鯨とみとめている。大きさは手ごろの八つ折り判サイズで、体長は一五から二五フィートのあいだにおさまり、胴回りもそれに相応している。泳ぐときには群れをなす。通例は捕鯨の対象にはならないが、相当量の油を有し、照明用としては悪くない。鯨捕りのなかには、ゴンドウ鯨の出現はあの大いなるマッコウ鯨殿のお出ましのさきぶれだと主張する者もいる。

第二巻（八つ折り判）、第二章（クロ鯨）——わたしは鯨の名称については、漁師が通例用いている名前を採用することにしてきたが、理由は概してそれが一番適切だからである。ときには曖昧《あいまい》で不適切な名前もあるが、その時にはその旨をのべ、できれば代案をだすつもりでいる。いわゆるクロ鯨について、現にわたしはそれを実行するつもりである。というのは、たいがいの鯨は原則として黒いからである。だから、なんならハイエナ鯨〔Hyena Whale〕と言ってもよい。この鯨の貪欲なことは高名で、そのうえ、くちびるの両端がめくれあがっているせいで、いつもメフィストフェレス(128)のような冷笑を顔に浮かべている。体長は平均して一六ないし一七フィート。あらゆる緯度の海でお目にかかることができる。鉤《かぎ》状の背びれを独特の流儀で水面上に出して泳ぐ奇癖があり、これはローマ人の鉤鼻をしのばせる。あんまり漁獲成績がかんばしくないときなどには、マッコウ鯨を目標とする漁師もたまにはハイエナ鯨を捕獲することがあるが、それは家庭用の安価な油を確保するためである——倹約家の主婦のなかには、客がなく内輪だけのときには、かぐわしい鯨臘のロウソクのかわりに悪臭はなはだしい獣脂のロウソクをともす者もいるからである。この鯨の脂肪層はごく薄いにもかかわらず、三〇ガロン以上の油がとれることもある。

第二巻(八つ折り判)、第三章(イッカクまたはハナ鯨(Nostril whale))——奇妙な名をつけられたもうひとつの事例。この鯨の特異な角《つの》を鼻がのびたものと勘違いしたのがもとだと思われる。体長そのものは一六フィートほどだが、角の長さは平均で五フィート、なかには一〇フィート、いや一五フィートに達するものもいる。厳密に言うと、この角は牙が伸長したものにすぎず、あごから水平よりやや下向きにのびている。しかし角は左側からしか生えておらず、そのせいか、ぶきっちょな左利きの人間にいくらか似た風貌をその持ち主にあたえている。この象牙《ぞうげ》のような牙ないし槍の用途については、正解がない。ある船乗りがわたしに語ったところでは、イッカクは海底でそれを熊手のようにつかって餌《えさ》をあさるのだそうだが、ともかく、メカジキやカマスの両刃の吻《ふん》のようには用いないらしい。チャーリー・コフィンによれば、これは氷に突き刺すためのものだという。イッカクが北極海で水面に浮上しようとして、一面が氷でおおわれているようなとき、この鯨は角で氷を突き刺し、突破口をつくるというのである。しかし、いずれの説にせよ、実証は不可能である。ところで私見だが、かりにもイッカクがこの左に偏向した角を実際に利用するとなれば——何につかおうと勝手ではあるが——政治パンフレットなどを読むときにページをめくるのに利用すれば、はなはだ便利だと勘考するものである。イッカクがキバ鯨〔Tusked whale〕、ツノ鯨〔Horned whale〕、ユニコーン鯨〔Unicorn whale〕と呼ばれているのを耳にしたことがあるが、イッカクはほとんどあらゆる動物界に見られる一角崇拝主義《ユニコーニズム》の興味ある事例であるにちがいない。いにしえの修道院に隠棲した二、三の著者たちから得た知識によれば、海の一角獣《ユニコーン》の角は強力な解毒剤として珍重され、結果として、その調合は巨大な利益をもたらしたという。これはまた、牡鹿の角からご婦人用の気付け薬をつくるのとおなじ要領で、蒸留して揮発性の炭酸アンモニウムをつくり、気絶したご婦人の蘇生の用に供された。元来この角はそれ自体珍品として大いなる好奇の的であった。わたしが読んだ古文書によれば、マーティン・フロービシャー卿が、かの有名な航海——その旅立ちには、エリザベス女王がグリニッジ宮殿の窓からテムズ川を下っていく勇敢なる船を指揮する卿にむかって、宝石をちりばめた手を優雅に打ち振って見送られたというかの航海——からの「帰還にさいして、マーティン卿は女王陛下の御前にひざまずき、一本の雄大なるイッカクの角を献上し、角はその後ながらくウィンザーの城に飾られてありし」とか。またアイルランドの文献によれば、レスター伯(129)もまた、同様に女王の御前にひざまずいて一本の角を献上したというが、これは陸上にすむ一角性の動物のものであったらしい。

イッカクは乳白色の地肌に丸や楕円《だえん》の黒点が豹《ひょう》の毛皮のようにちりばめられて、まことに珍奇な外見の動物である。その油は澄明で高品質をほこる。しかし、その個体数はすくなく、捕獲されることはまれである。主として極地周辺の海に見かけられる。

第二巻(**八つ折り判**)、**第四章**(**シャチ**(**または殺し屋鯨**))——この鯨についてはナンターケットでもあまりよく知られていないが、専門の博物学者となると何も知らない。わたしは遠くから見たことがあるが、大きさはゴンドウ鯨とさほど変わるまい。性質はきわめて獰猛《どうもう》である——いわば鯨族の食人種だ。これはときおり大型の二つ折り判級の鯨にかみつき、いったんかみついたら、巨鯨が死ぬまで蛭《ひる》のようにははなさない。この鯨がいかなる種類の油を有しているかについては聞いたことがない。「殺し屋《キラー》」という名をつけられていることについては、その不適切性のゆえに異議があるかもしれない。陸《おか》でも海でも、人間こそが殺し屋だからである。ボナパルトのやからもサメのたぐいも殺し屋ではないか。

第二巻(八つ折り判)、第五章(サカマタ)――この紳士はその尾びれをもって高名である。それを鞭《むち》のように用いて敵を打つのである。二つ折り判鯨の背にまたがり、鞭うちながらおのれの道を泳いでいくのは、学校の教師の世渡りと似ていなくもない。サカマタはシャチよりも知られていない。この両者は無法の海においてもなお無法者である。

ここで**第二巻(八つ折り判)**はおわり、**第三巻(一二折り判)**がはじまる。

一二折り判――ここにはいるのは小型鯨である。(一)バンザイイルカ〔Huzza Porpoise〕。(130) (二)カイゾクイルカ〔Algerine Porpoise〕。(三)シロクチイルカ〔Mealy-mouthed Porpoise〕。

この主題について格別に研究したことのない方には、一般に体長が四ないし五フィートをこえない魚を**鯨**の仲間にいれることに抵抗感があるかもしれない。鯨ということばには通念として巨大という観念がつきまとうからである。しかし、さきに一二折り判級としてあげた生き物は、わたしの鯨の定義にしたがって、間違いなく鯨である。わたしの定義とは、水平の尾びれをもつ潮を吹く魚――であった。

第三巻(二二折り判)、第一章(バンザイイルカ)――これは地球のほとんどあらゆるところに見られるイルカである。名前はわたしがつけたものだが、イルカにはさまざまな種類があって、それらを区別する必要があるからである。また、そう名づけたのは、彼らがいつも陽気に群れをなして泳ぎ、外洋に出ると、まるで七月四日の独立記念日の群衆が投げあげる帽子のように、天にむかってはねるからである。イルカが出現すると船乗りたちはたいてい歓声をあげる。彼らは元気溌剌《はつらつ》と、きまって微風《そよかぜ》ふく波間から風上《かざかみ》にむかってあらわれる。彼らはいつも風と競いあう風の子だ。彼らは幸運を先ぶれするとかんがえられている。このように活気あふれる魚を見て万歳三唱をせずにすむような者を、神よ、あわれみたまえ、さような者は無心にたわむれる天使のごとき精神と無縁なればなり。栄養のよい、まるまるふとったバンザイイルカからはたっぷり一ガロンの優良な油がとれる。しかし、あごから抽出される純良精緻《せいち》な液体は宝石商や時計職人の垂涎《すいぜん》の的である。水夫たちはそれを砥石《といし》のうえにおとす。イルカの肉は美味。イルカが潮を吹くとは思いもよらないかもしれない。ところが、イルカの潮吹きはごく小さいのですぐには目につかないだけである。こんど機会があれば、よく観察されるがよい。さながらマッコウ鯨のミニチュア判であることがおわかりだろう。

第三巻(一二折り判)、第二章(カイゾクイルカ)――海賊である。きわめて野蛮。おそらく太平洋にしかいない。これはバンザイイルカよりいくらか大きいが、全体のつくりはほぼおなじ。挑発されれば、サメにでもかかっていく。わたしもいくどかボートをおろして追跡したことがあるが、つかまえたためしはない。

第三巻(一二折り判)、第三章(シロクチイルカ)――イルカでは最大級。知られているかぎりでは、太平洋でしか見つかっていない。唯一の英語名は漁師たちがつけたもので――セミ鯨イルカ[Right-Whale Porpoise]。このイルカはたいていいくだんの二つ折り判鯨が遊弋《ゆうよく》するあたりに見つかるからである。体型はバンザイイルカとはいくぶん異なり、胴回りもあれほどまるまると太ってはいない。むしろ、中肉の紳士といった風貌。背びれはない(たいていのイルカにはある)が、優雅な尾びれをもち、目はハシバミ色をしたインド人の目のように哀愁をたたえている。しかし、口のまわりが白くなっているところがその他の美点のことごとくを帳消しにしている。背中から胸びれにかけての全領域は漆黒《しっこく》に黒光りしているが、船なら船首から船尾にかけて船腹に「化粧まわし《ブライト・ウエスト》」と称する喫水線がかかれているように、この鯨には上は黒、下は白とふたつの色を画然と区別する境界線がはしっている。ところが頭部の一部に白がまじり、口はまるっきり白くなっていて、これがいましがた粉袋に頭をつっこんで小麦粉を失敬してきたばかりというような風貌をあたえている。なんとも下品できなくさい風貌だ！　その油は普通のイルカと大差ない。

＊　＊　＊

この分類法は一二折り判よりさきには進まない。イルカより小さい鯨はいないからである。しかし、以上で名だたる鯨はすべてとりあげた。ほかにも、うさんくさい、浮浪者めいた鯨、半神話的な鯨はごろごろいるが、アメリカの鯨捕りたるわたしとしては耳にしたことがあるだけで、この目で見たことはない。そういうのを水夫仲間の呼び名で列挙しておくが、それというのも、わたしがここではじめたばかりの仕事を完成してくれるかもしれない未来の研究者に、このリストは役に立つかもしれないからである。以下に列挙する鯨が、今後もし捕獲され調査されたあかつきには、ただちに、二つ折り判、八つ折り判、一二折り判という大きさにしたがって、この体系にくりこめばよいのである――トックリバナ鯨〔Bottle-Nose Whale〕、クズ鯨〔Junk Whale〕、ウスノロ鯨〔Pudding-Headed Whale〕、ミサキ鯨〔Cape Whale〕、センドウ鯨〔Leading Whale〕、タイホウ鯨〔Cannon Whale〕、ヤセ鯨〔Scragg Whale〕、アカガネ鯨〔Coppered Whale〕、ゾウ鯨〔Elephant Whale〕、ヒョウザン鯨〔Iceberg Whale〕、ハマグリ鯨〔Quog Whale〕、アオ鯨(131)〔Blue Whale〕、等々。アイスランド語、オランダ語、古英語による権威ある文献には、ありとあらゆる無骨な名を冠したあやしげな鯨のかずかずが引き合いに出されているかもしれないが、わたしはそれらをみな廃語として無視する。それらは巨鯨崇拝主義《レヴィヤタニズム》にみちてはいるが、何も意味しないただの響き(132)にすぎないのではないかと疑わずにはおれない。

最後に一言。この体系は本書において一挙に完成さるべきものではないと冒頭でのべておいたが、ごらんのように、わたしはその約束をきちんと守った。ケルンの大聖堂(133)が未完成の塔の天辺《てっぺん》に起重機を置いたままにしているように、わたしはこの鯨学の体系をひとまず未完成のまま放置しようと思う。小さな建造物は最初の工匠の手によって完成するかもしれないが、大いなる建造物、真の建造物は、仕上げの笠石を置くのを後世に託すものである。神よ、われをして何ごとも完成させたもうことなかれ。この本全体が下書きにすぎない――いや、下書きの下書きにすぎない。おお、時間よ、体力よ、現金よ、そして忍耐よ！

第三三章　銛打ち頭《スペックシンダー》

捕鯨船の上級船員に関連する捕鯨船に独特の船内事情について、この段階で、簡便にのべておくのが妥当と思われる。捕鯨船団以外では絶対に見られない銛《もり》打ち階級という上級船員の存在に由来する特殊事情についてである。

銛打ちの職責の重要性をしめすものとして、もう二世紀以上もまえのことに属するが、オランダの捕鯨業においては捕鯨船の指揮権は今日船長と呼ばれている人物に全面的に掌握されていたのではなく、スペックシンダー〔Specksynder〕(134)と称するもうひとりの上級船員と二分されていた事実がある。その文字どおりの意味は「脂を切る者」だが、それがいつのまにか「銛打ち頭《がしら》」の同意語になった。当時にあっては、船長の職権は航海と船内全般の管理・統率に限定されていて、捕鯨部門およびその関連事項はすべて銛打ち頭の管轄に属していた。イギリスの北極海捕鯨業界では、この古いオランダの職務はスペックショニーア〔Specksioneer〕というなまった職名で現在ものこっているが、往時の権威は見る影もない。スペックショニーアは現在では筆頭銛打ちといったところで、船長の下級配下のひとりにすぎない。とはいえ、捕鯨航海の成否は銛打ちの手腕に大いにかかっているので、アメリカ捕鯨業界では捕鯨ボートの重要な指揮者であるばかりか、ある状況下(捕鯨海域における夜直など)では、捕鯨船の甲板上の指揮もまたこの役職者にゆだねられている。それゆえ、海上生活の政治的大原則が命ずるところにより、スペックシンダーは建前として平水夫とは居室を別にしなければならず、職階上は平水夫たちのうえにおかれることになっているが、実質的には、平水夫たちは同僚と見なしている。

ところで、海上における上級船員と平水夫との大きなちがいは何かと言えば――前者は船の後部に、後者は船の前部に住むことである。したがって捕鯨船でも商船でも、航海士たちは船長とおなじ区画に居室をもち、また、たいていのアメリカの捕鯨船では銛打ちは船の後部に起居《ききょ》する。要するに、銛打ちたちは船長室《キャビン》で食事をとり、船長室とは間接的につながっている場所で眠るということである。

南洋捕鯨航海は長期にわたり(これまで人類が行なってきたいかなる航海よりも格段に長い)、それにともなう特有の危険があり、また乗組み全員に共通する利害が、地位の高低を問わず固定給にではなく、共通の運不運、および共通の視力と勇気と勤勉とにかかっている。こういう捕鯨船の特異性が商船一般におけるよりも規律のたるみをもたらすきらいがなきにしもあらずだが、それにもかかわらず、これら鯨捕りたちの共同生活が古代メソポタミアの家父長的家族のごとき原始的様相を呈することがあっても、気にすることはない。すくなくとも後甲板における外見上の規律が実質的に弛緩することはまずなく、ましてや規律が完全に消滅するような事態は絶対に生じない。実際のところ、ナンターケット籍の捕鯨船で船長が海軍の艦長におとらず威風堂々と後甲板を闊歩《かつぽ》しているさまを見かけるはずである。いや、それどころか、おそまつな紺色《こんいろ》のラシャ地の衣装をまとっているくせに、まるで紫のころもをまとう皇帝のように、船長が部下に忠誠を強要しているさまを見かけることもしばしばである。

しかしながら憂愁の気にこころふさぐピークオッド号の船長はその種の浅薄きわまるふるまいとは無縁の徒であった。エイハブ船長がもとめる唯一の忠誠のあかしは、ただ黙って即座に命令に服することだった。彼はだれに対しても、後甲板に足をふみいれるときには靴をぬげなどと要求することはなかったし、またときには、これから詳細にのべるような特異な状況下においては、へりくだってか、おどしのつもりでか、はたまたその逆でか、およそ船長らしからぬことばづかいで部下に語りかけることさえあったが、こういうエイハブ船長であったとはいえ、海上の最高の規範や厳格な慣行を完全に無視するていの人間ではなかった。

いや、エイハブ船長は、そういう規範や慣行の背後にかくれて、それを本性をかくす手立てとしていたふしさえあったことも、やがて明らかになるだろう。あわよくば、こういうしきたりを本来の目的以外の何かもっと私的な目的のために利用しようという魂胆もあったのかもしれない。エイハブの脳中に巣くう一種の暴君性は、ふだんはかなりうまく隠蔽《いんぺい》されていたが、慣行という衣装をまとうとあらがいがたい独裁性の化身となって立ちあらわれることがあった。個人の知性がいかに卓越したものであろうと、それをもって他人を実際的に利用可能なかたちで支配するとなると、規範や慣行というものはもともといくらかこけおどしで卑俗なものであるとはいえ、そういう皮相な技巧やこけおどしの力をかりないわけにはいかないものである。神の選良たる神聖ローマ帝国の真の選挙侯たちが選挙演説などはせずに、この世で最高の栄誉を手にするのは、彼らが一般大衆の低級な水準より格段にすぐれているからというよりは、むしろ少数の世にかくれた選民である「神聖なる無為者」よりかぎりなく劣っているからである。このような愚劣な慣行に極端な政治的迷妄がからまると強力な力学が作動して、ある王室などにおいては白痴的無能者に権力が委譲されることさえおこった。しかしながら例外があって、ロシア皇帝ニコライ一世(135)のばあいのように、帝王にふさわしい頭脳を帝国の地理的版図に見合う王冠がとりかこむと、民衆はその強大なる中央集権の化身たる皇帝のまえにひれ伏すのである。また、人間の不《ふ》撓《とう》不《ふ》屈《くつ》性をあますところなく、かつ強烈にえがくことを本願とする悲劇作者は、いまわたしが示唆したようなことを劇作にとってもきわめて肝要な教訓として夢わすれてはなるまい。

　ところで、皇帝だの国王だのを引き合いにだしたとはいえ、いまわたしの眼前を右往左往しているのは、陰気くさく粗野な感じのナンターケット産のしがない船長エイハブにすぎず、一介の老鯨捕りにすぎないことをかくすつもりはない。それゆえ、あらゆる威風堂々たる衣装や飾りはわたしとは無縁である。おお、エイハブよ！　汝《なんじ》にあって偉大なるものとは、天空からつかみとり、深海へもぐってさがし求め、実体なき虚空にえがきだされしものにほかならないのだ！

第三四章　船長室の食卓

正午だ。給仕の団子小僧が青白いパン生地のようなふやけた顔を船長室《キャビン》の昇降口から突き出して、この小僧にとっての君主でもあり殿でもある船長に食事の用意ができたことを告げる。そのご主人はいましがたまで風下《かざしも》の船尾ボートの舳先《へさき》にすわって太陽の高度を計測していたところだが、いまは日常の便のために鯨骨の脚の上部に取りつけてあるメダル状の図表をたよりに黙々と緯度の計算にはげんでいる。食事の呼び声に何の反応もしめさないところから判断して、不機嫌なエイハブには給仕の声が聞こえなかったのかと思われるかもしれないが、さにあらず。やがて船長は後檣の支檣索《ミズン・シュラウズ》に手をかけると、勢いをつけてひらりと甲板に降り立ち、気のないぶあいそうな口調で「スターバック君、めしだ」と声をかけると、船長室に姿をけす。

その足音の最後の響きが消えて、君主がテーブルについたころと信ずべきあらゆる徴候がととのうと、第一の配下スターバックはやおら身をおこして甲板上を二、三度往復運動してから、羅針儀台《ビナクル》を殊勝げにのぞきこみ、それがおわると、いくぶん陽気な口調になって「スタッブ君、めしだ」と声をかけ、船長室に通じる昇降口をおりてゆく。すると次席の配下スタッブはしばらく索具《さくぐ》のあたりをうろつき、主檣の操桁索《メイン・ブレース》にかるく手をかけてゆさぶり、この重要な索に異常がないかどうかをたしかめ、それから先例にならって「フラスク君、めしだ」というおなじ文句を早口にくりかえし、ふたりのあとにつづく。

ところが末席の配下フラスクは、後甲板にいるのが自分だけだと知ると、一種奇妙な圧迫感から解放されるものとおぼしい。四方八方にやたらとウインクをはなち、靴をぬぎすてると、あのトルコ皇帝の頭上にあたる甲板上で、音こそたてぬが激しい水夫踊り《ホーンパイプ》を威勢よくおどりだす。それから後檣楼《ミズン・トップ》を棚に見たて、巧みな手練《てれん》で帽子をそのうえに投げあげると、甲板から見えるかぎりではあいかわらず陽気にはしゃぎながら階段をおりてゆく。常の行列とは逆に、楽隊がしんがりをつとめるあんばいである。しかし船長室の入口をまたぐ段になると、ふだんは豪放磊落《らいらく》、人をはばからぬフラスクもまったくちがう顔をよそおい、エイハブ王の御前にいたると、まさに地にひれ伏す者、奴隷としてぬかずくのである。

甲板上の開かれた空間では、挑発されると、船長に対してさえ勇猛果敢に反抗する上級船員がいるものだが、そういう船員がおなじ船長の部屋で通例の食事をともにする段になると、船長が上座にすわっているだけで、十中八九は、たちまちにして、平身低頭とまではいかぬまでも、借りてきた猫のようにおとなしくなってしまうのは、きわめて人為的な海上の慣行がはぐくんだ数ある不思議のなかでも最たるものである。これは意外千万なことではあるが、滑稽至極なことでもある。どうしてこのような違いが生じるのか？　これは難問であろうか？　そうでもなかろう。バビロンの王ベルシャザール(136)になったとしてみよう――傲慢《ごうまん》なベルシャザールではなく、慇懃《いんぎん》なベルシャザールに。それでもなお、世俗的な王者としての威厳はいくらかのこることだろう。正当な王者の風格と叡智《えいち》をもって個人の食卓に客人を招待してもてなす者は、その人なりのあらがいがたい権威と他を支配する影響力をしばらくなりと手にするものであって、その人の王者のような威光はベルシャザールの威光を凌駕《りょうが》することもありうる。ベルシャザールがこの世最大の王ではないからである。一度なりとも友をもてなしたことのある者は、皇帝たるの味を知った者にほかならない。この社交的皇帝の魅力には抗しがたいものがあるのだ。さて、こういう考察に船長の職権上の優位性を加算するならば、類推によって、さきにのべたような海上生活の特異性の原因を把握できるのではなかろうか。

鯨骨を象嵌《ぞうがん》した食卓を主宰するエイハブは、さながら白いサンゴ礁の浜辺に、勇敢ながら目上には恭順の意を表する子どもらに取りまかれて黙然と横たわる、たてがみを生やしたアザラシのようであった。航海士たちはそれぞれに、自分の皿に肉がくばられる順番をまっていた。エイハブをまえにして彼らはまるで小さな子どものようであったが、かといって、エイハブのなかに社交的な尊大さがひそんでいるようには見えなかった。彼らは一心不乱に父親が眼前の主菜の肉をさばくナイフに注意を集中していた。天候といった無害な話題にせよ、何にせよ、何がしか、さかしらなことを彼らが言って、この瞬間を冒瀆《ぼうとく》するようなことはとうていかんがえられない。絶対にありえない！　エイハブが牛肉の切身をナイフとフォークではさみ、仕草で皿をさしだすようにとスターバックをうながすと、航海士はその肉片を施し物をうけとるように拝受し、それからうやうやしく肉にナイフをいれ、ナイフが皿にこすれて音をたてたりしようものなら、一瞬びくりとする。肉をかむときにも音をたてないように注意し、のみこむときにもそれなりの用心をする。船長室で行なわれる食事は、ドイツ皇帝が七人の選挙侯と粛々と食事をするのがならいのフランクフルトで行なわれる戴冠式の晩餐会《ばんさんかい》にいくらか似て、絶対的な沈黙のうちに行なわれる。とはいえ、エイハブが食事中の会話を禁じたわけではなかった。ただ彼自身が黙していただけだった。スタッブが喉《のど》をつまらせたときなどに、下の船艙で突如としてネズミが大騒動をおっぱじめてくれるのは、スタッブにとって救いであった。かのあわれな小兵のフラスクは、この陰気な家族のいわば末っ子の子どもだった。フラスクにあてがわれるのは塩漬け牛の脛肉《すねにく》、鶏《とり》の足先といったところか。自分で皿にとってたべるというようなことは、フラスクにしてみれば第一級窃盗罪にあたいしたにちがいない。あの食卓でそんな不調法なことをすれば、正直をむねとする世間さまにむける顔がないと信じているもようだった。ところがふしぎなことに、エイハブはそんなことをフラスクに禁じたことはなかった。よしまた、フラスクが自分でとってたべたとしても、エイハブはそんなことに気づきもしなかっただろう。とりわけフラスクはみずからバターに手をだすことはなかった。その明るい小麦色の肌がくすむからという理由で、この船の船主がフラスクにバターを禁じたとかんがえているのか、あるいはまた、途中で補充がきかない海の長旅では、バターは貴重品で、それゆえ自分のような下っぱにはもったいないと思っているのか、その点はさだかではないが、あわれ、フラスクはバター抜き男だった！

そればかりではない。フラスクは最後に食事におりてゆく人であり、最初に甲板にあがってゆく人である。かんがえてもみてもらいたい！　そういうわけで、フラスクの食事は時間の点でもきりつめられている。スターバックとスタッブはフラスクより先に食事にゆき、しかも最後までのこる特権を有している。スタッブはフラスクよりほんの一段うえの上司にすぎないが、この男がたまたま食欲がなく、食事を早々にきりあげる徴候を見せるようなことがあると、フラスクは席を立たねばならないはめになり、その日は三口ほどしか食べ物を口にできないことになる。フラスクがスタッブよりおくれて甲板に出るのは神聖なる慣行に反するからである。かつてフラスクが内々に打ち明けたところによると、航海士という権威ある地位に昇進して以来、つねに多少とも腹がへっていて、ひもじい状態以外の状態にあった記憶はないという。いくらか食べ物を口にしたところで、それは空腹をいやすというより、空腹を永続させる効用があるだけだったのだ。わが胃袋から平和と満足はとわに去れり、とフラスクは慨嘆したものだ。おれはいまでこそ航海士さまだ。が、おれがまだ平水夫だったときみたいに、水夫部屋で仲間といっしょにおふくろの味みたいな牛肉を手づかみでやっていたころがなつかしい。これが昇進のむくいというものか。栄光のむなしさよ！　人生のばかばかしさよ！　それだけではない。もしピークオッド号の平水夫のなかに、航海士としてのフラスクの仕打ちに恨みをいだき、フラスクにたっぷり復讐して溜飲《りゅういん》をさげたいとねがう者がいるなら、食事どきにフラスクのあとをつけていって、船長室の天窓から、いかめしいエイハブさまのまえで小さくなって息をのんでいるあわれなフラスクのようすを一瞥《いちべつ》してみることだ。

さて、エイハブとその三人の騎士たちがピークオッド号の船長室において世に言う第一食卓を形成する。きたときとは逆の順番で彼らが席を立つと、青ぶくれの給仕がカンヴァス製のテーブル・クロスをきれいにする、というよりは、大いそぎでもとの状態に復元する。するとつぎには、三人の銛打ちたちが遺産のおあまりにあずかる相続人として、食卓に呼ばれる。ここにおいて厳粛かつ高尚な船長室は、しばしのあいだ下僕の部屋と化すのである。

船長の食卓を支配していたほとんど耐えがたい抑圧と目に見えぬ威圧感とは逆に、銛打ちという一段下の連中のテーブルを支配するのは自由気ままの奔放さの極致で、まさに狂乱のデモクラシーといったところ。彼らの上司である航海士たちは自分のあごの蝶《ちょう》番《つがい》がかすかな音をたてるのにさえ気をつかっていたらしいのに、こういう銛打ちたちときては、食べ物をかむのも鳴り物入りで、じつにうまそうにくらう。彼らは王侯貴族のようにくらう。彼らはひねもす香料をつみこむインド航路の船のように胃袋に食べ物をつめこむ。クイークェグとタシュテーゴの食欲は絶倫で、まえの食事のさいに胃袋にできた間隙《かんげき》をうめるために、青ぶくれの給仕がまるごとの牡牛から切り取ってきたかのような、塩漬け牛のあばら肉のかたまりを運んでこなければならないほどだった。もし給仕がそれをてきぱきと処理しなければ、つまりホップ・ステップ・ジャンプの三段跳《と》びの要領でやらなければ、タシュテーゴはフォークを給仕の背中めがけて銛さながらに投げつけるという非紳士的なやりくちで給仕を急《せ》かすのであった。また一度など、とつぜん機嫌を損じたダグーは、給仕に思い知らせるために、いきなり給仕を体ごともちあげて大きな空《から》の木皿のなかにその頭を突っ込んだり、一方タシュテーゴは手にしたナイフで空中に円形をかいて給仕の頭の皮をはぐ練習をはじめるありさまであった。この蒸《む》しパンのような顔をした給仕は、破産したパン屋と病院づとめの看護婦のあいだにできた子どもで、生来きわめて神経質な臆病者だった。そこへもってきて、陰気でおそろしいエイハブがいつも眼前に立ちはだかり、三人の野蛮な連中が周期的に来襲するとなれば、団子小僧の生活は休みなき戦慄《せんりつ》の日々であった。銛打ちたちへの給仕がすむと、小僧はたいてい彼らの魔手をのがれてとなりの厨房に身をひき、すべてがおわるまでドアの隙間からおずおずと連中の動向をうかがっているのだった。

クイークェグがタシュテーゴとむかいあって席につき、そのやすりをかけたような歯をタシュテーゴのそれと対峙《たいじ》させているありさまは、まことに壮観である。二人のなめ前方にダグーが席をとっていたが、これは床のうえだった。ベンチにすわったのでは、霊柩車《れいきゅうしゃ》の羽飾りのように髪をおっ立てたダグーの頭が低い天井につかえてしまうからだった。この大男がその巨大な手足をうごかすたびに、まるでアフリカゾウを船客としてのせたように、天井の低い船長室の造作がきしんだ。にもかかわらず、この巨大な黒人は上品とまでは言わぬが、おどろくべきほど小食だった。比較的といった話ではあるが、あのような小食で、あれほどの生気を、あれほど恰幅《かっぷく》のよい堂々たる体軀《たいく》にみなぎらせるのは、ほとんど奇跡的で信じがたい。おそらく、この高貴なる野蛮人は、空中に充満する根源的精気をたらふく食らい、ふかぶかとのみこみ、そのひろびろとした鼻孔を経由して世界の崇高なる生命《いのち》を吸いこんでいるにちがいない。巨人が肉やパンで形成されたり養分を補給したりするわけがない。しかしクイークェグとなると、食べるときにおそろしく野蛮な音をたてる――そうとうに下品な音だ――それゆえ、小心な団子小僧は、その音を聞くたびに、そのやせた腕に歯型がついていやしないかと、思わず目をやる始末だった。そこへもってきて、タシュテーゴが大声で団子小僧に、出てきな、骨をしゃぶってやるから、などと声をかけたりすると、うすのろの給仕はとたんに体をしびれさせてバランスを失い、厨房の壁にぶらさがっている陶器類にぶつかってめちゃくちゃにしてしまいそうになる。それに砥石《といし》の件がある。銛打ちたちは投げ槍やその他の武器をとぐためにいつもポケットに砥石をしのばせていて、食事どきになると、これ見よがしにナイフをといでみせるのだ。そのとぐ音は団子小僧のこころをいささかなりとも沈静させるていのものでなかったことは言うまでもない。それに、たとえばこのクイークェグ！　この男がまだ生まれ故郷の島ですごしていたころ、人を殺して盛大に饗宴《きょうえん》をひらくという不品行にふけったにちがいないことを、どうして小僧がわすれることができようか。あわれなるかな！　団子小僧よ！　人食い人種に給仕しなければならぬ白人給仕とは、なんとつらい運命であることか。この給仕が腕にかけるべきはナプキンならずして、盾なのである。しかしながら、ありがたいことに、三人の海の騎士たちもやがて腰をあげて出てゆく。たわいないおとぎ噺《ばなし》をすぐに信じる団子小僧の耳には、海の騎士たちがあゆむ一足ごとに体のなかで鳴る骨の音が、ムーア人の三日月刀が鞘《さや》のなかで鳴るように、聞こえていたにちがいない。

しかし、こういう野人たちは、食事こそ船長室でとり、名目上はそこを本拠としていたとはいえ、元来じっとすわっているのが性《しょう》に合わなかったので、彼らが船長室にいるのは食事どきと、就寝直前に自分のねぐらにもぐりこむためにそこを経由するときぐらいで、それ以外のときに彼らが船長室にいることはまずなかった。

この一点においては、エイハブもアメリカ捕鯨船の船長の例にもれなかった。彼らは、一般に、船長室は権利として自分のものであり、ほかの者が入室をゆるされるのは、いかなるときにおいても、もっぱら船長の好意による、とかんがえているようだった。それゆえ、実情としては、ピークオッド号の航海士と銛打ちたちが船長室に入るのは、いわば船長室から出るためだと言ったほうが適切だろう。実際に彼らがそこに入るのは、いわば街路に面したドアそのものが家に入るようなもので、一瞬内側に入るものの、つぎの瞬間には外側にはねかえり、常住の場所は屋外ということになる。だからといって、彼らが失ったものがおおいわけではなかった。船長室は交際の場ではなかった。エイハブは交際の相手ではなかった。エイハブにしても名目的にはキリスト教圏内の人口にかぞえられてはいたものの、実際のところは、異教徒のままだった。ミズーリ州にはいまなお獰猛《どうもう》な灰色熊《グリーズリー・ベア》の最後の残党が生きている流儀で、エイハブはこの世に生きながらえていたのだ。春がすぎ、夏がすぎてから、あの森の酋長《しゅうちょう》ローガン(137)が木の洞穴《ほらあな》に身をひそめて自分の手足をなめながら冬をすごすように、エイハブの魂は、無情の風吹きすさぶ老年期をみずからの体に掘った洞穴にとじこもって暗澹《あんたん》たる苦渋の手足をしゃぶりながら生きているのだ！

第三五章　檣頭《マスト・ヘッド》

わたしに檣頭の見張りの順番が最初にまわってきたのは、まだ気候がおだやかなころだった。この当直は輪番制で、水夫たちのあいだを公平にめぐってくる。たいていのアメリカの捕鯨船は、目的の捕鯨海域に到達するのにまだ一万五千マイル以上もあるというのに、ほとんど出港と同時に檣頭に見張りを立てる。さらに、三年、四年、はたまた五年にわたる航海のすえに船が母港にちかづいたときでさえ、まだ油をいれる空《から》の器《うつわ》がいくらかでものこっているかぎり——つまり、空きビンの一本でもあれば——最後の最後まで檣頭に見張りを立てる。船のマストの最先端にあるスカイスル・ポール(138)が港に停泊中の船のスカイスル・ポールとまじりあうまでは、最後の一頭の鯨をあげる希望をすてないのである。

さて、檣頭に立つという仕事は、陸上であろうと海上であろうと、きわめて由緒ある仕事なので、ここでいささか詳細にのべさせていただく。思うに、マストの天辺《てっぺん》に最初に立った人類はエジプト人であったろう。いろいろ調査したが、エジプト人よりさきにマストの天辺に立った者はいないからである。なるほど彼らに先行するバベルの塔の建設者たちは、全アジアないしアフリカで最高の檣頭を立てようとしたにちがいないが、その石造りの壮大なマストは神の怒《いか》りという大風によって(その頂上に檣冠をのせるまえに)あえなく船外に吹き飛ばされたということなので、このバベルの塔の建設者たちのことをエジプト人の先輩だと言うことはできない。エジプト人を檣頭見張り民族とする説は考古学者たちによってひろく支持されているが、それが根拠とするのはピラミッド建設の当初の目的が天体観測にあったとする仮説である。ピラミッドの四つの側面はすべて独特の階段状につくられており、古代の占星術師たちはその驚嘆すべき長い脚をもちあげながら頂上にのぼり、われわれの時代の見張りが船影や鯨影を見つけて声をあげるように、新しい星を見つけて声をあげたのだろう。つぎは聖スティリテス。(139)この古代キリスト教徒の隠者は砂漠に高い石の柱をたて、その天辺に住みつき、食事は滑車でつりあげて調達し、その後半生をもっぱらそこですごしたとされるが、これこそ不《ふ》撓《とう》不《ふ》屈《くつ》の檣頭見張り人のかがみである。この隠者は霧や霜にもめげず、雨やあられ、みぞれにもまけず、あらゆる苦難を最後までたえぬき、文字どおり自分の持場《ポスト》である柱《ポスト》のうえで死をとげたのである。現代の檣頭見張り人は石や鉄や青銅といった無機物でできている者ばかりで、強風にはめっぽう強いが、異形のものを見て声をあげる仕事になると完全な無能者である。ナポレオン[140]は、パリはヴァンドーム広場の円柱の先端一五〇フィートの中空に腕を組んで立っているが、下の甲板を現在支配している者がだれなのかについては、てんで無関心である。ルイ・フィリップだろうと、ルイ・ブランだろうと、「悪魔のルイ[141]」だろうと、おかまいなしなのである。わが偉大なるワシントン[142]もボルティモアに高くそびえる主檣《メインマスト》に立ち、それはヘラクレスの柱にも比すべく、神ならぬ生身の人間には到達しがたい荘厳の極致を誇示している。ネルソン提督[143]にしても、砲身を鋳《い》つぶしてつくった巻き揚げ機《キャプスタン》のうえに立ち、トラファルガー広場の檣頭上であたりを睥睨《へいげい》し、かのロンドンの濃霧にかすんでほとんど見えなくなるときでさえ、火のないところに煙は立たぬということわざどおりに、かくれたる英雄がそこにいるという証拠としてそこに立っている。しかしワシントンにせよ、ナポレオンにせよ、はたまたネルソンにせよ、下からの叫びには何ひとつ答えようとしない。彼らが見おろす混乱下の甲板から、助言をもとめていくら絶叫しようとも、彼らが答える気づかいはないのである——彼らの慧眼《けいがん》が濃霧でかすむ未来を見とおし、さけるべき前途の浅瀬や岩礁を正確に予見している可能性は大いにあるにもかかわらず、そうなのである。

陸上の檣頭に立つ者と海上のそれとを同列に談ずるのはふとどきに思われるむきもあろうが、実際にはそうでないことは、ナンタケット唯一の歴史家オービッド・メイシーが保証するつぎの一事をもってしてもあきらかである。篤学《とくがく》の士メイシーが語るところによれば(144)、捕鯨業の創始期、つまり獲物を追って船が日常的に出港するようになる以前には、かの島の人たちは海岸線に沿って高い柱を立て、見張りの者は釘《くぎ》で打ちつけた足がかりをつたって柱の天辺にまで、まるで鶏が鶏小屋の二階にのぼる要領でのぼったという。数年まえ、ニュージーランドの湾岸捕鯨業者がおなじ方法を採用し、獲物を発見すると浜辺で待機するボートに合図をおくる漁法を開発した。しかしこの漁法はいまではすたれたので、話題を本来の檣頭、つまり捕鯨船の檣頭にもどすことにする。捕鯨船では、三つの檣頭に日の出から日没まで見張りをつける。水夫たちは(操舵のばあいとおなじく)順番に部署につき、二時間ごとに交代する。南洋のおだやかな気候のもと、マストの天辺――檣頭――に立つのは、まことに爽快である。いや、夢と瞑想《めいそう》を好む者にとっては、それはまさに快楽である。檣頭に立つと、すでにして甲板のうえははるか百フィートの中空にあって、まるで巨大なマストの竹馬にのって深海をわたる者のここちがする。見おろせば、股間を海の王者たる巨獣が、かつてロードス島のかの有名な巨人像[145]の両脚のあいだを行き来した船さながらに、遊弋《ゆうよく》していく。そのとき檣頭に立つ者は、波以外に何ひとつさわぐものもない茫々《ぼうぼう》として無限にひろがる海におのれを没していく。船は陶然としてものうげに波に身をまかせ、貿易風はねむたげにそよ吹き、すべてが人をしてけだるさのなかにとけこませる。かくして南洋捕鯨の日々は、たいていは崇高な無為のうちにすぎてゆく。ニュースはとどかず、新聞も読まない。日常の些事を大げさに書きたてる号外によって不必要な興奮にとらわれることもない。国内の騒動のことや、破産証券や株価の暴落のことなども知らずにすむ。食事の選択に悩まされることもない――三年分の食事、いやそれ以上が、安全に樽《たる》に貯蔵されており、そのうえ献立は年じゅう不変とくる。

こういう南洋の捕鯨船は一航海が三、四年の長きにわたるのが普通で、したがって檣頭ですごす多様な時間をすべて合計すれば、ゆうに数カ月にはなろう。ところが、あたえられた人生のかなりの部分をすごすさだめのこの場所が、寝台、ハンモック、棺桶《かんおけ》、哨舎、説教壇、馬車の客室などといった、人間がしばしば孤独に身をおくのに適した小ぢんまりした装置がもつ寛《くつろ》いだ居住性、あるいは、ひめやかなプライヴァシーの感じをはぐくむのに適した内密性にまったく欠けていることは、まことに残念至極である。見張りが立つ止まり木がある場所は、たいてい下から三番目のマスト、つまり上段《トガン》マストの頂上で、そこに二本のほそい横木(まず捕鯨船でしか見られない)が取りつけてあり、それはトガン・クロス・ツリーと呼ばれている。この二本の横木のうえに立って波にゆられる新米水夫はちょうど牡牛の角《つの》のうえに立っているような寛いだ気分になれるというものだ。むろん、寒い時節には、当直外套《ウォッチ・コート》という形態の家をもってゆくこともできる。しかし、正直なところ、どんなに分厚い当直外套にしても家の代用にはならず、はだかと大差ない。魂が肉体という仮の宿にニカワづけにされていて、内部で自由にうごきまわれず、(冬に雪のアルプス越えをくわだてる愚かな巡礼さながらに)死を覚悟しなければ外に出られないのとおなじ理屈で、当直外套は家というよりはただの包み、いや、体を取り巻くもう一枚の皮にすぎない。体のなかに棚や箪笥《たんす》をしつらえるわけにいかないように、当直外套を手ごろな私室の代用に供するわけにはいかないのである。

以上のことに関して、まことに遺憾なことは、わが南洋の捕鯨船には、グリーンランド鯨をねらう船の見張りたちを氷の海の過酷な気候から守るために発明された「カラスの巣」と呼ばれる羨望《せんぼう》すべき小さなテントないし囲いがないことである。スリート船長(146)

の炉端談義に『氷山のあいだを行く――グリーンランド鯨とグリーンランドにおける失われたアイスランド人の旧植民地跡の再発見を求めて』という名著があるが、そのなかでスリート船長自身の乗船グレイシア号の檣頭当番がもれなく当時発明されたばかりのこの「カラスの巣」の恩恵にあずかったことが魅惑的な語り口で詳細に語られている。スリート船長はそれを自分自身の名誉のために「スリート式カラスの巣」と命名したが、そのうえ、これを発明したのも特許権を有しているのもご本人であるからには、へたな遠慮は無用の気くばり、もし自分の子どもに(その独創的な発明者にして特許権所有者として)自分の名を冠するのがならいなら、自分が生みの親であるその他のあらゆる製品に自分の名を冠するのは、当然至極の権利であると論じている。スリート式カラスの巣の形体はブドウ酒の大樽《おおだる》に似た円筒状をしている。しかし天井はなく、かわりに可動式の暴風スクリーンがついていて、強風のばあいにも頭を風上《かざかみ》にむけていられる仕組みになっている。「巣」はマストの天辺に固定されているので、そこまでのぼっていって底の小さな開口部から「巣」の内部にはいる段取りになる。その背面、つまり船尾側には快適な座席があり、その下はロッカーになっていて、傘《かさ》や襟《えり》巻きや外套をいれておける。前面には革の棚があって、そこにはメガホン、ホイッスル、望遠鏡、その他の航海用具を置いておける。スリート船長がみずから檣頭のカラスの巣に立つときは、この近海を遊弋する迷えるイッカク、つまり放浪する海のユニコーンを撃つために、いつもライフル銃(それも棚に置く)、および火薬ビンと弾丸《たま》を携行する。甲板からその種の珍獣をうまくしとめるのは海水の抵抗のために困難だが、上からねらい撃つとなれば話はおのずと別だという。さて、スリート船長がカラスの巣の有用性について、微に入り細に入り物語ったのは愛情のなせるわざであることは明瞭である。船長はそういうことを詳細に語るばかりか、このカラスの巣に小さいコンパスをそなえつけ、それでもって船内すべての羅針儀磁石《ビナクル・マグネット》に発生する「局部引力」なるものに起因する誤差――つまり船の甲板上にある鉄製品が羅針儀と同一平面上に置かれていたり、とくにグレイシア号のばあいには、おそらく、乗組みのなかにかなりの数の鍛冶屋くずれがいたりすることに起因する誤差――を修正する目的でなされた実験に関する、きわめて科学的な記述もする。このさい船長はきわめて慎重かつ科学的であったとはいえ、また「羅針自差」とか「方位羅針観測」とか「近似誤差」といった専門用語を駆使して、いかにも深遠なる磁気学にかかわる思索に没頭していたかに見えるが、ときには、このカラスの巣の片隅の手をのばせばとどく範囲内に巧妙にかくされていた、いつも満杯にしてあるあの角ビンに注意をひかれることが絶えてなかったわけでないことは、スリート船長ご本人がよく承知しているところであろう。要するに、わたしはこの勇敢にして高潔、かつまた博学このうえない船長を大いに敬愛している者ではあるが、にもかかわらず、手にはミトン、頭には防寒帽といういでたちで、北極へは一足飛びとは言わぬまでも、三足飛びか四足飛びでゆけるほどのところで、マストの高みにすえられたあのカラスの巣にこもって数学の研究に没頭していたスリート船長にとって、角ビンが無二の忠実な友であり慰め手であったことは自明であるにもかかわらず、あの角ビンへの言及がまったくないことをわたしは本人のためにも残念至極に思っている。

なるほど、われわれ南洋捕鯨に従事する者には、スリート船長やその配下のグリーンランド捕鯨の連中が享受しているような安楽な空中の楼閣にはめぐまれていないが、その不利益をつぐなってあまりあるのは、われわれ南洋の鯨捕りが通例ただよう海の魅惑的な静謐《せいひつ》さで、これは北極海の気候とは比較を絶している。たとえば檣頭当直につくとき、わたしなどは、まずはのんびりと索具《さくぐ》をつたってマストをのぼりはじめ、檣楼のところで一服して、クイークェグなりだれなり、その場にいあわせる非番の仲間とちょっとばかり談笑をかわし、それからもう一段うえにのぼり、中段帆桁《トップスル・ヤード》に片脚をだらりとかけて、海の牧場をまず一望してから、ようやく最後の目的の頂上めがけてのぼってゆく。

ここで洗いざらい白状させていただくが、わたしはあまり立派な見張りではなかった。宇宙の問題が頭にうずまいているというのに——思考を刺激してやまぬ高所にひとり放置されているとなれば——「ツネニ刮目《かつもく》シテ警戒ヲオコタラズ、事アラバ声ヲアゲヨ」というあらゆる捕鯨船に共通する金科玉条を遵守《じゅんしゅ》することなど不可能ではないか。

さてここで、心底から忠告させていただく。ナンターケットの船主たちよ！　見張りが何より肝心なあなたがたの業界に、額《ひたい》にしわをよせ、くぼんだ目をした若者をやとわないように気をつけたまえ。そういう若者は、時ならぬときに瞑想にふけり、バウディッチの『航海術』のかわりにプラトンの『パイドン』(147)を頭につめて乗船してくるのだから。さような者には注意されるがよい。鯨を殺すまえには、鯨を見つけなければならない。ところが、目のくぼんだプラトン主義者が見張りでは、世界を一〇周したところで、一パイントの鯨脳油にしても余計にとれるはずがない。さよう、かような忠告が釈迦《しゃか》に説法というのなら、幸い。ところが現今の捕鯨業は、この世の憂《う》さに倦《う》みつかれ、はてにはコールタールと脂身《ブラバー》に格別の感懐をもとめる感傷的で、メランコリーで、かつまた空想癖のある若者たちの逃避の場となっているからである。なんと数おおくのチャイルド・ハロルドが運に見放された失意の捕鯨船の檣頭から、ものうい詩行を口ずさむことか——

うねりゆけ、汝《なんじ》、深き群青《ぐんじょう》の海よ、うねりゆけ！
よろずのいさな船は脂身《ブラバー》をもとめて、むなしく汝のうえをゆく。(148)

このような船の船長は、しばしばそのような地にも海にも足のついていない若き哲学者たちに活をいれようとして、おまえたちは航海というものにまともな「関心」をいだいておらん、と詰《なじ》ったりするが、本当のところは、彼らはまともな野心を微塵《みじん》ももたず、こころの底では鯨なんぞは見たくもないと念じているのだ、と言いたいのだ。が、そんなことは言ってみてもはじまらない。これら若きプラトン主義者たちは、こうかんがえているのだ——おれたちの視力は不完全だ。おれたちは近眼なんだ。ならば、視神経を酷使したところで無駄ではないか、と。この連中はオペラ・グラスを家に置きわすれてきた観客なのである。

「この猿めが」ひとりの銛打ちがこの種の若者のひとりに言ったことがある。「おれたちはもうかれこれ三年も航海しているというのに、おまえときたらまだ一頭の鯨も見つけていない。おまえがあの天辺にあがると、鯨は鶏の歯みたいに消えるとでも言うのか。」たぶん、そうかもしれない。あるいはまた、水平線のかなたには鯨がうじゃうじゃしていたのかもしれない。いずれにせよ、この夢見ごこちの若者の思考のリズムが波の律動と同調して、まるでアヘン吸引者のような虚無的なけだるさ、無意識の幻想にたゆたううちに、ついに若者はおのれの実体を見うしない、足もとの神秘的な海のことを、人間と自然にあまねく浸透する、あの深く、青々とし、底いない魂の目に見える姿だなどと思いこみ、さらにまた、眼前をかすめ去る定かならざる美しきもののことごとくを――判然としない幻影のように浮上してくる鯨のひれのたぐいのことごとくを――魂のなかであわただしく生成消滅するとらえがたい思念の具現であると思いなすのである。このような恍惚《こうこつ》状態にある精神は、潮がひくようにその源泉にたちもどり、ちょうどウィクリフ(149)の散布された汎神論的灰がついには世界中の砂浜の一部となったように、時空をこえて宇宙に浸透することになるのである。

さて、いま汝《なんじ》が享受している生命《いのち》とは、おだやかにゆれうごく船からさずかった生命にほかならぬ。海をとおしてさずかった生命、海をとおして、神のはかりがたい潮《うしお》からも得た生命にほかならぬ。だが、かような眠り、かような夢にふけりながら、すこしでも手足をうごかしてみるがよい。一瞬でも手をはなしてみるがよい。恐怖とともに、おのれをとりもどすことになろう。汝はただデカルトの渦巻き(150)のうえをただようのみ。そしておそらく、うららに晴れたある昼間どきに、ただ阿《あ》鼻叫喚《びきようかん》の一声をのこして、汝はあの澄明な空中を夏の海へと落下してゆき、二度とふたたび浮上することなからん。こころせよ、汝ら汎神論者よ！

第三六章　後甲板

（エイハブ登場、つづいて全員）

あのパイプの一件があってからまもなくのある朝のこと、エイハブは朝食の直後、いつものように船長室《キャビン》の昇降口から甲板に姿をあらわした。田園住まいの紳士が朝食後に庭を散歩するように、洋上にあるたいていの船長はこの時間に甲板を散歩する。

やがて規則ただしい鯨骨の義足の響きが聞こえてくる。甲板上のふみなれた道筋を行きつ戻りつするものだから、そのあたりの甲板は一面に独特の歩行の痕跡をとどめ、まるで氷河期の岩盤のように穴ぼこだらけになっている。それに、エイハブの溝をきざんだ窪《くぼ》みだらけの眉間《みけん》に目をこらすがよい。そこには、さらに奇妙な足あとが見えてくることだろう――眠ることなくあゆみつづける思考の隻脚《せっきゃく》がきざむ足あとが。

ところで問題の眉間だが、この朝のエイハブの、ことさら神経質な足運びがことさらに深く甲板をえぐったように、眉間の窪みもことさらに深くきざまれて見えた。さて、いまやエイハブは想念にみちみちて、ときに主檣《メインマスト》のもとで、ときに羅針儀台《ビナクル》のそばで規則ただしく向きをかえるごとに、その内部の思念もまた向きをかえ、エイハブがあゆむと思念もまたあゆむといったあんばい。想念がエイハブを完全に捕捉していたので、内面の鋳型が外面のすべての動きをかたどっているかのようだった。

「爺《じ》さまを見たか、フラスク？」スタッブがつぶやいた。「ひよこが殻《から》を内側からつついてるぜ。もうすぐ孵《かえ》るぞ」

時は流れる――そのあいだ、エイハブは自室にこもったり、また甲板に出てきたりして、あいかわらずの強烈な妄想をおもてに浮かべてあるきまわる。

夕暮れ近くのことだった。突然エイハブは舷檣《ブルワーク》のかたわらに立ちどまり、そばの甲板にうがたれた穴に鯨骨の脚をさしこみ、片手で支檣索《シュラウズ》をにぎったまま、スターバックに全員集合をかけるように命じた。

「船長！」一等航海士はおどろいて言った。よほどの緊急事態が発生しないかぎり、船上で全員集合がかかることはまずなかったからだ。

「全員船尾に集合だ」エイハブはくりかえした。「おーい、檣頭《マスト・ヘッド》の者！　おりてこい！」

乗組み全員が集合すると、好奇心にあふれた、それでいてまったく不安でなくもない顔また顔が船長を見守った。嵐のまえの水平線にも似たあやしい雲行きが、船長のようすにうかがえたからである。エイハブは舷檣ごしに海に一瞥《いちべつ》をくれ、それから乗組み一同をするどくにらみつけると、やおら穴から義足を抜き、まさしく傍若無人に足音もおもおもしく甲板を往復しはじめた。頭《こうべ》をたれ、帽子を目深《まぶか》にかぶり、いぶかりおどろく乗組みには頓着せず、あるきつづける。とうとうスタッブがフラスクに、エイハブは自分の歩き方を見せびらかすために集合をかけたのかな、と小声でささやいた。しかしこの見世物も長くはつづかなかった。突如として歩をとめると、エイハブはさけんだ――。

「鯨を見たら、おぬしら、なんとする？」

「声をあげまーす！」という野太い声が二〇人ほどの者からたちどころに返ってきた。

「よし！」エイハブは意表をついた自分の質問が、磁力のように効果を発揮して彼らのこころに火をつけたのを見てとり、狂喜してさけんだ。

「そのつぎはなんとするか、おぬしら？」

「ボートをおろして、追跡でーす！」

「どんな剣幕でボートをこぐか、おぬしら？」

「鯨が死ぬか、ボートが沈むか、でーす！」

返事を聞くたびにエイハブの顔は異常に強烈な喜びと満足のために紅潮の度をまし、かたや水夫たちは、こんなたわいもない質問にこんなに興奮している自分たち自身にあきれたかのように、おたがいに顔を見あわせた。

しかし、エイハブがまた穴に義足を固定し、片手をうんとのばして支檣索の上部を万力のようにかたくにぎりしめ、体をなかば回転させるようにゆすりながら、以下のように彼らに語りかけると、一同の興奮はふたたび燃えあがるのだった――

「これまで檣頭に立った者は、白い鯨についてわしが出した命令をおぼえているだろうな。よいか、これを見よ！　この一オンスのスペイン金貨が見えるか？」――太陽に燦然《さんぜん》とかがやく金貨を高くかかげて――「ダブロン金貨[151]だ、いいか――一枚で一六ドルの値打がある。見えるな、おぬしら？　スターバック君、あそこのハンマーをもってきてくれ」

航海士がハンマーをとりにいっているあいだ、エイハブは演説を中断し、金貨にもっとつやを出すつもりか、ジャケットのすそで金貨をゆっくりとこすり、その間、ことばはいっさいつかわずに鼻歌を小声でうたっていたが、その妙にこもった意味をなさない音声は、彼の体内にある生命《いのち》の歯車がきしむ機械音のようであった。

スターバックからハンマーをうけとると、エイハブは片手でそれを高くかかげ、もう一方の手で金貨をみんなに見せながら主檣にちかづき、大声をはりあげた――「おぬしらのうちのだれにせよ、このわしに、眉間にしわのよった、あごのまがった白い頭の鯨を見つけてくれた者には――いいな、おぬしらのうちのだれにせよ、右舷の尾びれに三つ穴のあいた白い鯨を、このわしに見つけてくれた者には――いいか、おぬしら、その白い鯨を、このわしのために見つけてくれた者にはだな、この一オンス金貨を進ぜよう」と。

「ばんざーい！　ばんざーい！」マストに金貨が打ちつけられるのを見て、水夫たちは防水帽を打ち振りながら歓呼の声をあげた。

「いいか、白い鯨だぞ」ハンマーをほうりなげると、エイハブはまた演説をはじめた。「白い鯨なんだ。そいつに目をこらせ、おぬしら。海が白いところに注意せよ。白いあぶくを見ても、声をあげよ」

この間、タシュテーゴ、ダグー、クイークェグは他の連中より格別の関心と驚きをもって見守っていたが、しわがよった眉間とまがったあごのことがもちだされると、それぞれ格別に思いあたるふしがあるらしく、にわかに活気づいた。

「エイハブ船長」タシュテーゴが言った。「その白い鯨は、モービィ・ディックとかいう名前じゃありませんか？」

「モービィ・ディックだと？」エイハブは大声を発した。「すると、タシュ、おまえはあの白い鯨、白鯨を知っているというんだな？」

「やつはもぐるまえに、尾びれであおぐような妙な仕草をしませんか、船長？」ゲイ・ヘッド出身のインディアンは念をおした。

「それに潮吹きも一風かわってる」ダグーが言った。「マッコウの潮吹きにしても、枝分かれがはげしくて、しかもとてつもなく威勢がいい。そうじゃないですか、船長？」

「そして、その鯨、あるよ、ひとつ、ふたつ、みっつ、おお！――銛《もり》あるよ、やつの皮のなか、たくさんあるよ、船長」クイークェグはしどろもどろに言った。「みんなぐにゃぐにゃ、あれみたいに――あれ――」――ことばを必死にさがし、ビンのコルクを抜くしぐさをしながら――「あれみたいに――あれ――」

「栓抜きだ」エイハブはさけんだ。「いいか、クイークェグ、銛はやつの体の中にねじりこんで、ぐにゃぐにゃになっておる。いいか、ダグー、やつの潮吹きは麦束みたいにふといし、毎年の毛刈りのあとに山づみされたナンターケットの羊毛のように白い。いいか、タシュテーゴ、やつは突風のなかの三角帆のように裂けた尾びれをはためかせる。そうだ、みなのもの、それがモービィ・ディックだ――モービィ・ディック――モービィ・ディックだ！」

「エイハブ船長」スターバックが声をかけた。スターバックは、スタッブ、フラスクともども、不審の念をつのらせながら自分の上司をじっと見つめていたが、ようやくこの場の謎をとく鍵に思い当たったらしい。「エイハブ船長、わたしもモービィ・ディックのことは聞いたことがあります――ところで、あなたの片脚をうばったのは、そのモービィ・ディックではないのですか？」

「それをだれがおぬしに言った？」とエイハブは語気をあらげたが、一息いれて「さよう、スターバック、さよう、みなの衆よ、わしの帆柱をうばったのはモービィ・ディックだ。わしをこの死んだ切り株のうえに立つはめにしたのもモービィ・ディックだ。さよう、そのとおりだ」と言い、ふとまた、悲嘆にくれた牡鹿の慟哭《どうこく》のように壮絶で動物的な声をはりあげて号泣し、「そうだ、そうだとも！　わしをちょん切って、わしを永遠のあわれな片輪者の船乗りにしたのは、あの呪わしい白い鯨だ！」とおらんだ。それから両の腕を高々と振りあげ、底知れぬ怨念《おんねん》をこめてさけんだ。「そうだ、そうだとも！　わしはやつを追いまわすぞ、喜望峰をめぐり、ホーン岬をめぐり、ノルウェイの大渦巻きをめぐり、地獄の奈落をめぐり、追いまわし、追いつめるまで、わしはあきらめんぞ。よいか、おぬしら、おぬしらをこの船に乗せたのもそのためだ！　あの白い鯨を大陸の両側の海ばかりか、世界の七つの海に追いまわし、黒い血糊《ちのり》を吐かせ、横倒しにするためだ！　さあ、どうだ、おぬしら、これに手をかすか？　おぬしらは剛の者と見うけるがな」

「合点《がってん》だ、船長！」銛打ちと水夫たちはそうさけびながら、気をたかぶらせた老人のもとにはしり寄った。「白鯨を見のがすな！　モービィ・ディックをほうむれ！」

「よくぞ言った」エイハブはなかばむせび、なかば号泣するようにおらんだ。「礼を言うぞ、おぬしら。給仕！　ラムの水割り《グロッグ》を気前よくもってこい。ところでスターバック君、その浮かぬ顔はどうしたことかね。白鯨を追うのはお気にめさぬとでも？　モービィ・ディックでは気勢があがらぬとでも？」

「白鯨のゆがんだあぎとでも、死のあぎとでも、わたしはひるみません、エイハブ船長、それがちゃんとした商売の道理にかなっているのならば、です。わたしがここにおりますのは、鯨をとるためでして、船長の復讐に手をかすためではありません。たとえあなたの復讐がうまくいったとしても、鯨油にして何バレルになるでしょうか、エイハブ船長？　ナンターケットの市場では、さしたるもうけにはなりませんよ」

「ナンターケットの市場だと！　くそくらえ！　もっと近くによれ、スターバックよ、おぬしはもっと深いところを見なくてはだめだ。金《かね》がすべての基準であるというので、会計士たちが地球という一大清算事務所の資産計算をするために、地球の大円に沿って一インチに三枚ずつのギニー金貨をずらりとならべてみたところで、言っておくがな、それだけの数の金貨よりもだ、わしの復讐の値段のほうが、わが胸のなかでは、ずっと高いのだ」

「爺《じ》さまが胸をたたいてるぞ」スタッブがつぶやいた。「何のためだ？　音は大きいが、うつろな響きだ」

「もの言わぬけものに復讐するなんて！」スターバックが声をあげた。「あれは盲目的本能にかられてあなたにかみついただけです！　狂気の沙汰です！　もの言わぬものに仇討ちするなんて、エイハブ船長、神に対する冒瀆《ぼうとく》です」

「もういちど言っておくが、スターバック――もうすこし深いところを見るのだな。あらゆる目に見えるものは、いいか、ボール紙の仮面にすぎん。だが、個々のできごとには――生きた人間がしでかす、のっぴきならぬ行為には――そこにおいてはだな、何だかよくわからんが、それでもなお筋のとおった何かが、筋のとおらぬ仮面の背後からぬうっと出てきて、その目鼻立ちのととのった正体を見せつけるのだ。人間、何かをぶちこわそうというのなら、仮面をこそぶちこわせ！　壁をぶちこわさずに、どうして囚人が外に出られるか？　わしにとって、あの白い鯨が、迫りくるその壁なのだ。ときによっては、その背後には何もないと思うこともある。だが、それでよいのだ。とにかく、やつはわしにいどみ、わしにせまる。やつのなかには、不可解な悪意で筋金入りの凶暴な力がひそんでいる。わしが主として憎むのは、その不可解なところだ。あの白い鯨がその不可解さの化身であろうと、そのご本尊であろうと、わが憎しみをやつにぶちまけてやる。もう冒瀆とやらを口にするな、いいか、スターバック。もし太陽がわしを侮辱するなら、わしは太陽にでも打ってかかる。太陽が侮辱してよいのなら、わしだって侮辱してよいはずだ。他をねたむ本能があらゆる創造物にゆきわたっているからこそ、この世にはつねに一種のフェア・プレイというものが存在するのだ。だが、そのフェア・プレイとやらさえ、わが主人ではない。それでは、わしを支配するのはだれか？　真実にタガははめられまい。そんな目で見るな！　まぬけな目で見つめられるのは、悪魔ににらまれるより耐えがたいわい！　ほお、ほお、おぬしは赤くなったり青くなったりしておる。わしの癇癪玉《かんしゃくだま》がおぬしを火の玉にしたと見える。だが、いいか、スターバック、カッとなって言ったことは、言わなかったも同然だ。激烈なことばをあびせかけられても、そいつからなら、さしたる不名誉にはならぬ人間もいるものさ。わしはおぬしを怒らせるつもりはなかった。水にながしてくれ。見ろ！　あそこにいる、まだらに日焼けした獰猛《どうもう》な連中の面相を見るがよい――まるでお日さまが彩色した、生きている絵だ。邪宗の豹《ひょう》といったところだ――ものごとに頓着せず、信心もない、ただ生きているだけ。理屈を求めず、理屈を言わず、ただ焦熱の生命《いのち》のほてりを感じている！　そういう連中が乗り組んでいるのだ、いいか、そういう連中が乗組員なのだ！　ことこの鯨に関しては、連中はエイハブと一心同体なのだ。スタッブを見ろ！　笑ってやがる！　あそこのチリ人を見ろ！　鼻を鳴らして興奮しておる。みんなが疾風怒濤《しっぷうどとう》のなかで立ちあがっているというのに、スターバックよ！　おぬしだけが、しおれた若木みたいに立ちあがれないでいる。どうしてなのだ？　かんがえてもみろ。鯨の尻尾《しっぽ》に一突きくれるのを手伝うだけではないか。これしきのこと、スターバックにとっては朝めしまえのことではないか。それ以上の何だというのか？　これしきの漁から、ナンターケット随一の投げ槍《やり》の名手が尻ごみするなんて、めっそうもない。前甲板の水夫どもがみんな砥石《といし》をにぎってはりきっているというのに。ああ、やんぬるかな！　分別にとらわれたか。わかった！　大波にもちあげられてお高くとまったのか！　何とか言え、言うのだ！——ああ、わかった！　おぬしの沈黙はおぬしの声だというのだな。（傍白）わしのふくらんだ鼻の穴から何かが飛び出し、あいつの肺にはいっていきよった。もうスターバックはわしのものだ。反乱でもおこさぬかぎり、スターバックはわしに反抗できぬ」

「神よ、われを守りたまえ——われらすべてを守りたまえ」スターバックは小声でつぶやいた。

しかし、一等航海士を魔術にかけ、暗黙の承諾をせしめたことに有頂天になったエイハブには、スターバックの不吉な祈りも、吹きわたる風が索条をふるわせて鳴る不吉な振動音も、船艙からの低い笑い声も、また一瞬、意気消沈したように帆がマストをハタハタと打つうつろな音も聞こえなかった。とはいえ、伏せられたスターバックの目にもふたたび不敵な生命《いのち》のかがやきがやどり、地底からの笑い声もやみ、風は吹きつのり、帆はふくらみ、船はこともなげに波をけたててはしりつづけた。ああ、訓戒と警告よ、汝《なんじ》らは、何ゆえにきたと思うとすぐ去るのか？　だが、影どもよ、汝らは預言と言うより警告であるのか！　しかも、それは外からくる未来に対する預言と言うより、むしろ内にあってほとばしり出ようとするものの露呈そのものではないのか。なぜなら、われわれを強制するものが外部にほとんどなくても、われわれの存在の内なる必然が、なおもわれわれを前方にかりたててやまないからだ。

「祝杯だ！　祝杯だ！」エイハブはさけんだ。

エイハブは白鑞《しろめ》の大杯に酒をなみなみとつがせると、銛打ちたちのほうを見やり、武器をとりだすように命じた。それから巻き揚げ機《キャプスタン》のそばに立ち、銛を手にした銛打ちたちを自分のまえに整列させ、三人の航海士たちには槍を手にしてその横に並ばせると、その他の船員たちは彼らのまわりをぐるりと取りまいた。エイハブはしばらくそこに立ったまま、乗組みひとりひとりを探るような目つきで見まわしたが、彼らのたけだけしい目も、ひたとエイハブの目をにらみかえしていた。それは草原の群狼の血走った目が、これから先頭きって野牛を追跡しようとしている頭領の目をにらみかえしているさまに似ていた。だが、あわれ！　彼らの前途にはインディアンの仕掛けたわながまっているとは露しらずに。

「のんで、まわせ！」とエイハブはさけぶと、なみなみと酒がつがれた大杯をすぐそばの水夫に手わたした。「無礼講だ。まわせ、まわすのだ！　一気にのんで――じっくり味わう、いいか。悪魔のひづめみたいに熱いぞ。そう、そうだ、みごとなまわしっぷりだ。そいつは体のなかでとぐろをまき、目玉から赤い舌をちょろりと出す。よろしい。ほとんど空《から》だ。杯《さかずき》はあっちへ行って、こっちへもどってくる。わしにもどせ――ほお、もう空だ！　おぬしらは、まるで月日だ、歳月だ。みちる生命《いのち》ものみほされ、やがてなくなるさだめかな。給仕、もう一杯！」

「さて、あっぱれな勇士たちよ、聞いてくれ。わしがおぬしらにこの巻き揚げ機のまわりに集まってもらったのには、わけがある。航海士の諸君、槍をもってわしに寄りそってくれ。銛打ちの諸君は銛をもってあそこに立つ。そして頑健な水夫たちはわしを取りまく。わしは先祖の鯨捕りたちがやっておった高貴な風習を、ここで再現してみたいのだ。いいか、者ども、つぎはだな――ほお！　給仕、はやもどったか？　悪貨はすぐもどってくる(152)と言うが、悪貨にしても、こんなにはやくはもどってこまい。こっちによこせ。いやはや、この大杯はまたガタガタふるえて酒がこぼれるわい。おぬしは舞踏病にでもかかっとるのか――去れ、瘧《おこり》め！」

「三人の航海士、まえへ！　わしのまえで槍を交差せい。よろしい。その交差しているところに手を置かせてくれ」そう言いながら、エイハブはぐっと腕をのばし、三本の槍が放射状をなして交差する一点をつかんだかと思うと、いきなり発作的にそれをねじったが、そうしながらも、エイハブはスターバックからスタッブへ、スタッブからフラスクへと食い入るような視線をそそいだ。それはまるで、名状すべからざる内的衝動に突きうごかされたエイハブが、おのれの磁力にみちた生命《いのち》のライデン蓄電池(153)にたくわえられた火のように燃える情念を、彼らに一撃のもとに伝達しようとはかっているようだった。三人の航海士は、エイハブの強い不屈の意志をにじませる修験者のような相貌にたじろいだ。スタッブとフラスクはエイハブから目をそらし、正直なスターバックは目をふせた。

「だめだ！」エイハブはうなった。「が、たぶん、これでいいのかもしれん。そこなる三人がわしの電撃をまともに受けとめていたなら、このわしの電気がわしからみんななくなってしまっていたかもしれんからな。それに、もしかしたら、おぬしらのほうが死んでいたかもしれん。おそらく、そんなものはおぬしらには不要なのだ。槍をおろせ！　さて、かわりに、航海士諸君、わしはおぬしら三人をわが三人の身内の異教徒の杯《さかずき》もちに任ずる——あそこにいるほまれ高き紳士にして貴族たる勇猛果敢な銛打ちの杯もちにな。なに、役不足だと？　偉大なる法王さまでさえ、その三重冠《テイトラ》を水差しにして、こじきの足をお洗いになるというのに？　おお、わがいとしき枢機卿《すうきけい》たちよ！　おぬしらの謙譲の精神、それがおぬしらに身を低く持することを得さしめん。わしはおぬしらに命じはせん。おぬしらがすすんでするのだ。銛打ちたちよ！　銛の留め紐《ひも》を切り、柄《え》を抜くがよい」

三人の銛打ちたちはだまって命にしたがい、柄から抜いた三フィートほどの長さになる銛の刃を、かかりを上にして手にもち、エイハブのまえに立った。

「その鋭い鋼鉄《はがね》でわしを刺すでないぞ！　さかさだ。尻をうえにするのだ！　ゴブレットの糸底ってのを知らんのか？　柄を突っ込む穴をうえに向けるのだ！　そう、そう、それでよい。さて、杯もちの諸君、まえへ出よ。銛の刃をもて。そいつにわしが酒をつぐあいだ、もっておれ！」エイハブはそう言うと、航海士のひとりひとりにゆっくりとちかづき、それぞれが手にする銛の柄受けの杯《さかずき》に火のような酒を白鑞《しろめ》の大杯からなみなみとそそいだ。

「さて、三人と三人でむかいあって立て。航海士諸君、この必殺の聖杯を銛打ちたちにすすめるのだ！　さあ、かたい盟約でむすばれた同志に、つぐのだ。はは！　スターバック！　もうことは終わったのだ！　お天道《てんと》さまもご照覧になっておられた。のめ、銛打ちたちよ、のんで誓え、捕鯨ボートの舳《へ》先《さき》に立つ命知らずの者どもよ――モービィ・ディックに死を、と誓え。もしわれらがモービィ・ディックを死に追いつめなかったら、神よ、われらをこそ死に追いつめたまえ！」細長いかかりのついた鋼鉄製の銛のゴブレットが高くかかげられ、白鯨に対する憎悪と呪いのことばが発せられると、火酒は一気に音をたててのみほされた。スターバックは青ざめ、目をそらし、身をふるわせた。もう一度、そしてこれを最後に、満々と酒がみたされた白鑞の大杯が狂い立つ水夫たちのあいだを一巡し、やがて一同は船長の打ち振る手を合図に解散し、エイハブ自身も自室にしりぞいた。

第三七章　落日

（船長室《キャビン》。船尾の窓辺。エイハブひとり坐して、窓外をながめる）

海ゆかば、あとに残るは白く泡だつ航跡に青ざめた海、それになお青ざめた顔また顔。その航跡を、ねたみぶかい大波は横ざまに押し寄せては、けしてゆく。ままよ、わしは先をゆくだけだ。

水平線のかなた、とわにあふれる大洋の周縁で、波はワイン色に赤くそまる。黄金の額《ひたい》が青にひたる。あの水くぐる太陽は――正午からおもむろに落ちはじめ――ついに落ちる。されど、わが魂はひたすらにただのぼる！

ひたすらの上《のぼ》り坂に、わが魂は疲れる。わが魂が頭にいただく冠が、すると、重すぎるのか？　このロンバルディアの鉄の王冠(154)は、わしには荷が勝ちすぎるのか？　しかし、その王冠にはあまたの宝石が輝いている。それを頭にのせるこのわしには、その威光は見えないが、しかしながら、わしはひそかに感じている――その輝きが人の目をくらませておることを。これが鉄であって――承知のことだ――金《きん》ではないことを。冠にひびが入っていること――それも承知だ。そのギザギザの先端が頭にくいこみ、ひどく痛む。脳が堅固な金属に直接ぶちあたるみたいだ。そうだ、わしの頭蓋骨《ずがいこつ》は鋼鉄《はがね》の頭蓋骨だ。頭を棍棒《こんぼう》でたたきあう戦闘でもヘルメット無用の頭蓋骨だ、わしのは。

眉間《みけん》が乾いて熱いが、はて？　ああ、かつて日の出がさわやかにわしを鼓舞し、日の入りがやさしくわしを慰撫《いぶ》してくれたときがあったが、そんなときは、もはやない。このうるわしの光も、もはやわしのこころをなごませることはない。いまや、うるわしきもの、それがすべてわが苦痛のたねだ。もうこのわしには、何もたのしめんからだ。高い知性にめぐまれていながら、平凡な、たのしむ力に欠けているのだ。これほど隠微に、これほど意地悪く呪われている者がほかにいるだろうか！　楽園のもなかに呪われてある者よ！　さらば――さらばだ！　（手を振りながら、エイハブ窓辺を去る）

それほど厄介な仕事でもなかったな。すくなくとも、ひとりぐらいは強情なやつがいるものだと覚悟していたのに。ところが、わしが歯車をひとつはめこんだら、みんなの歯車がかみあって、うごきだしてしまった。あるいは、こうも言えるな、わしのまわりにあつまってきた連中は火薬塚みたいなもので、わしがマッチだった、とな。ああ、つらいことだ！　他人に火をつけるという仕事は！　火をつければ、マッチ棒そのものだって身がほそるわい！　わしがやったことは、わしがやろうとしたことだし、わしは、やろうとしたことはかならずやってのける！　連中はわしのことを狂人だと思っている――スターバックがそうだ。だが、わしは悪魔にとりつかれているだけだ。わしは二重に狂った狂人だ！　わしの狂気は、おのれの狂気の正体を理解するときにのみおさまるたぐいの厄介な狂気だ！　わしの手足がもぎとられるという預言があった、そして――なるほど！　わしは脚を一本やられた。それなら、こんどはわしが預言してやる――わしの体をばらばらにしたやつをばらばらにしてやる、とな。さて、そうなると、預言した者が預言を実行する者となる。その両者が一体になると、大いなる神々よ、それはおぬしらより大いなる存在になるぞ。わしはおぬしらをあざ笑い、愚弄してやる。(155)おぬしらはたかがクリケット選手だ、口のきけないバークや目の見えないベンディゴーなみの拳闘家だ！　わしはそこいらのガキどもがガキ大将に言うような泣きごとは言わんぞ——もっと大きいやつを相手にしてよ、ぼくをぶつのはやめてよ！　などとな。おぬしら、神々よ、おぬしらはわしを打ちのめしたが、わしはまた立ちあがったぞ。だが、そのとき、もうおぬしらは姿をくらましおった。その綿袋のかげから出てくるがよい！　そこまでとどく鉄砲はわしにはない。出てこい、エイハブさまの挨拶《あいさつ》をうけてみよ。出てきておれさまをひるませてみよ。おれさまをひるます？　それは無理だ。おれさまをひるますことなどできん。それができんとなれば、おぬしらが方針をかえる番だ！　そこで勝負はあった！　人間さまの勝ちだ。わしをひるますだって？　わが確固不動の目的に通じる道には鉄路がしかれていて、わが魂はそのレールのうえをひたはしるのだ。千尋《せんじん》の谷をわたり、重畳《ちょうじょう》たる山の懐をぬけ、河床をくぐり、ひたすら驀進《ばくしん》する！　鉄路に邪魔物はない、屈折もない！

第三八章　たそがれ

（主檣《メインマスト》のかたわら。スターバックはそれにもたれている）

わたしの魂はあえなく敗北した。圧倒された。しかも、ひとりの狂人に！　あのような戦場で正気が武器を放棄するとは、なんたる屈辱！　だが、あの人はわたしに深い穴をうがち、火薬をうめ、わたしの理性を完全に吹きとばした！　わたしにはあの人の不逞《ふてい》な意図は見え見えだ。にもかかわらず、その意図に手をかさねばならぬような予感がする。わたしの意志とは無関係に、なんとも名づけようもない何かが、わたしをあの人にしばりつけ、わたしには断ち切るすべのない綱でわたしを有無を言わさず引きずっていく。おそろしい老人だ！　わしを支配できる者がいるか、とあの人は豪語する――あの人はあの人のうえにいるすべての者に対しては平等主義者だが、下にいるすべての者に対しては暴君なのだ！　ああ、わたしには自分のみじめな役割がいやというほどよくわかる——わたしは反抗しながら服従し、なお悪いことに、憐憫《れんびん》をおぼえながらも憎んでいる！　わたしはあの人の目に、もしそれがわたしのものなら五体もなえてしまいそうなすさまじい悲しみの色を見る。だが、まだ望みはある。時と潮は無際限にある。小さな金魚にも金魚鉢というガラスの球体があるように、あの憎しみをうけた鯨にも遊弋《ゆうよく》する海という球体があるではないか。天をも蔑《なみ》するあの人の目論見《もくろみ》でさえ、神がとどめてくださるかもしれん。鉛でもないのなら、わがこころよ、浮きたて！　しかし、わたしという時計をすべて支配する、肝心かなめのこころの錘《おもり》がすっかりさがってしまっているというのに、それをもう一度うえに巻きあげるための鍵がない。

（前甲板からどんちゃん騒ぎの歓声がする）

おお、神よ！　人間の母親から生まれたとも思えぬあんな異教徒どもとおなじ船で航海するさだめとは！　やつらはサメの群がるどこかの海辺で生み落とされた連中なのだ。あの白い鯨は、やつらの邪神《デミゴーゴン》(156)なのだ。聞くがよい！　あの地獄の宴《うたげ》の騒ぎを！　あの船首での狂乱を！　あの船尾の静寂を！　これは人生の姿に似てはいないか。泡立つ波を切ってすすむ陽気に浮かれ騒ぐ船首は、暗いエイハブをのせる船尾をひきずっている。その船尾の船長室《キャビン》でエイハブはもの思いにふけり、船長室直下の航跡は死の海のようによどみ、遠くからは群狼が喉《のど》を鳴らすような潮騒の音が聞こえてくる。その遠吠えがわたしのこころをさわがす！　静かにせよ！　酔漢どもよ、見張りを立てよ！　おお、人生よ！　こういうときなのだ、魂が打ちひしがれ、知識を強要されるのは——野蛮で知識とは無縁の者どもが食を強いられるように。おお、人生よ！　いまこそ、汝《なんじ》の奥底にひそむ恐怖におびえてしかるべきなのだろう！　だが、わたしはちがう！　そんな恐怖はもはやわたしを去った！　わたしのなかにまだ存在するたおやかな人間らしい感情をもって、残酷な幻想の未来よ、わたしは汝に戦いをいどんでみせる！　諸星《もろぼし》の感能力《インフルーエンス》よ、わがそばに立ちて、われを支え、われを導け！

第三九章　夜直はじめ

前檣楼《フォー・トップ》

（スタッブ、操桁索《ブレース》をつくろいながら独白）

はっ！　はっ！　はっ！　えへん！　まずは咳《せき》ばらい！——おれは、あれからずっと、あのことをかんがえていたが、とどのつまり、ゆきつくところは、あの「はっ！　はっ！」なのだな。なぜかって？　笑うのが、理解不能なことに対する、いちばん賢明な、簡便な対策だからさ。何がおころうと、確実になぐさめになることがひとつだけある——予定説さ。エイハブがスターバックに何を話したか、全部は聞いていなかったけど、おれの見たところ、スターバックはあの晩おれが感じたのとおなじことを感じたみたいだな。あの人もあのモンゴル大王(157)にしてやられたのさ。おれは勘づいていたさ。わかっていたさ。天分があれば、さっそく預言しておくところだった――あの親爺《おやじ》の頭蓋骨《ずがいこつ》の相を見て、すぐにピンときたものな。ところでスタッブよ、利口者のスタッブ君よ――それがおれの肩書きなんだが――なあ、スタッブよ、それがどうした、スタッブ君よ？　おまえさんだって、もぬけの殻みたいなもんじゃないか。これから先どうなるか、おれにもさっぱりわからんが、笑って砕けろ、さ。おそろしいものの背後には、何やら滑稽なものがひそんでいるものさ！　笑えるね。ファー、ラ！　リラ、スキラ！　わが露《つゆ》もしたたる女房さまは、いまごろお家《うち》で何をなさってるのかな？　さめざめと泣いていらっしゃるかな？――それともご帰還早々の銛《もり》打ちたちを相手に、軍艦旗みたいにヒラヒラはためき、浮かれていらっしゃるのかな？　そうなら、おれさまだって、こういこう――ファー、ラ！　リラ、スキラ！　おお――

今宵《こよい》はのもうよ、こころもかるく、

陽気で浮気な、あの娘《こ》のために、
グラスのふちにあふれる泡も、
くちびるふれなば、消えゆくものよ。(158)

いい歌だな、これは――おや、だれかな、おれを呼んでいるのは？　スターバックかな？　アイ、アイ、サー――(傍白)あの人はおれの上司だ。おれの間違いでなければ、あの人にも上司がいる――アイ、アイ、サー、この仕事をかたづけて――すぐに行きますよ。

第四〇章　深夜の前甲板

銛《もり》打ちたちと水夫たち

(前檣帆《フォースル》の幕が上がると、夜直の者たちが見える。立つ者、ぶらつく者、さまざまな姿勢でねころぶ者。みんなが合唱)

あばよ、さよなら、スペイン娘!
あばよ、さよなら、スペイン女!
船長さまの命令だ――

ナンターケットの水夫1

おい、おい、やけに女々《めめ》しいのをやってるじゃないか。消化によくないぞ。威勢のいいとこ、いこうぜ。さあ、歌おう!

（歌う。つづいて一同）

船長どのは板のうえ
　遠眼鏡《とおめがね》片手に突っ立って
見逃すものか、いさなうお
　白い潮吹く、いさなうお。
ボートに綱桶《つなおけ》わすれるな、それ、それ、それ。
　立つなら舳《へ》先《さき》に、きまっとる、どんとこい。
こぐなら、腕がちぎれるまでよ！　えんやこら、えんやこら。
　そしたら、あがるぞ、みごとな鯨。
けっぱれ、者ども！　こぐのだ、者ども！　心臓なんか気にするな！
そら、見ろ、雄々《おお》しい銛打ちどんが、鯨めがて銛をうつ！

後甲板より航海士の声

八点鐘《はちてんしょう》、打て！

ナンタケットの水夫2

歌はやめろ！　八点鐘だぞ！　聞こえるか、鐘つき小僧？　鐘を八回たたけ、いいかピップ！　黒んぼめ！　夜直はおれが起こしてやる。おれの口はだな、大樽口《おおたるぐち》ってんだ——呼び出しにうってつけさ。さて、さて、(昇降口に頭を突っ込んで) 右舷当番、夜直につけ！　右げーん、とうちょーく、起きろー！　八点鐘だぞ！　交替だぞ！

オランダの水夫

今夜はみんな豪快にいびきをかいてるな、兄弟よ。たしかに、やけにねむたい夜だ。これはあのモンゴル大王がふるまった酒のせいだとおれは見るな。あの酒で元気のでるやつもいれば、げんなりするやつもいる。おれたちは歌う、やつらは眠る——そうだ、まるで船艙の酒樽みたいに転がってやがる。もういっぺん、どなってやれ！　この銅製の漏斗《じょうご》をもってって、それを口にあてて、どなってやれ。娘っ子の夢なんか見てるんじゃないと一喝してやれ。いまや復活のときだと告げてやれ。最後のキスをして、最後の審判にくるときだと教えてやれ。そう、そう、その調子——その調子だ。おまえさんの喉《のど》はまだアムステルダム・バターにやられていないらしいな。

フランスの水夫

おい、みんな、しずかにしろ！　ブランケット湾に錨《いかり》をおろして寝るまえに、もうちょっぴりジグ[159]を踊ろうじゃないか？　ほら、当直がえりのやつもやってくる。みんなスタンバイ！　ピップ！　ピップ小僧！　タンバリンで景気をつけろ！

ピップ

（むっつり、ねむたげに）

タンバリン、どこにあるか、知らないよ。

フランスの水夫

それじゃ、腹をたたけ、耳を振れ。さあ、みんなジグをやろうぜ。陽気にやろうぜ、ほら！　何だって、踊りたくねえだって？　さあ、さあ、インディアン式に一列になって輪になって、足をふみ鳴らして踊ろうよ。さあ、いくぞ！　足だ！　足だ！　足をふみ鳴らせ。

アイスランドの水夫

兄弟よ、おれはそのフロアが気にいらん。はずみすぎだ。おれの趣味にあわんね。おれは氷のフロアになれてるもんでね。冷水《ひやみず》をひっかけるようなことを言ってあいすまんが、ゆるせ。

マルタ島の水夫

おれの趣味にもあわんね。女はどこにいるんだ？　てめえの右手でてめえの左手をにぎってさ、てめえにむかって、はい、こんばんは、なんて言うばかがどこにいる？　相手だよ！　相手なしで踊れるかってんだよ。

シシリー島の水夫

そうさ、娘っ子と草っぱらがありゃ——おれだって踊るさ。踊って、跳《は》ねて、バッタにでもなってみせるさ。

ロング・アイランドの水夫

おや、おや、ご機嫌ななめですな。おまえたちみたいに陰気なやつばかりじゃないんだからな。さあ、陽気に踊ろうよ、踊らにゃ、そん、そん。またすぐ仕事がまっている。そら、音楽がはじまるぞ。そーら、いけ！

アゾレスの水夫

(昇降口をのぼりながら、タンバリンをほうりあげる)

ほら、タンバリンだ、ピップ！　あそこの巻き揚げ機《ウィンドラス》の係柱《ビット》にのぼれ！　さあ、みんな、踊れ！

(半分ほどの者がタンバリンにあわせて踊る。ほかは階下《した》へおりる者、索具《さくぐ》の束のあいだで眠る者、寝そべる者など。さかんに野次がとぶ)

アゾレスの水夫

（踊りながら）
それいけ、ピップ！　バンとやれ、ベル・ボーイ！　ディン、ドン、ジャン、ジャラ、それやれベル・ボーイ！　火花が散るまでやれ、鈴がふっ飛ぶまでやるんだ！

ピップ

鈴ですか？——ほら、またひとつ飛んだ。あんまりぶったたくからですよ。

シナの水夫

なら、歯を鳴らせ。ガタガタ鳴らせ。おまえ、鐘が鳴る鳴るパゴダあるよ。

フランスの水夫

こりゃおもしろい。気が狂いそうだ。ピップ、おまえのタンバリンをそこでかまえてろ。おれがくぐりぬけてみせる！　帆なんか破っちまえ！　体も帆なみに、ズタズタにしろ！

すだけ、もったいない。

タシュテーゴ

(ゆったりとタバコをふかしながら)

あれが白人ってもんだ。あれのどこがおもしろい。くそおもしろくもない! 汗を出すだけ、もったいない。

マン島の老水夫

あの若造どもは陽気に踊っているが、踊る板子のその下がどこだか知ってるんだろうな。「おまえさんの墓場のうえで踊ってあげるわよ、きっと」、てのが、向かい風をものともせず辻に立って、ときには右急旋回をやってのける魔女みたいな夜の女たちの、いちばんきつい捨てぜりふだぜ。ああ、キリストさま! 尻の青い水夫たちに頭蓋骨《ずがいこつ》の青い乗組みたちをあわれみたまえ! 学者さまの言うことにゃ、地球はひとつの球《ボール》だそうだ。世界中をひとつの舞踊場《ボール・ルーム》にして踊るのも悪くない。踊りに踊れ、おまえたちはまだ若い。おれもむかしは若かったもんだ。

ナンターケットの水夫3

休め！——ふーっ！　こりゃ凪《なぎ》に鯨を追うよりつらいな——一服すわせてくれないか、タシュ。

（一同ダンスをやめ、あちこちに人の輪ができる。そのうちに空が暗くなる——風も立つ）

東インドの水夫

バラモンさまよ！　おい、みんな、もうすぐ「帆おろせ！」が出るぞ。天で生まれて、洪水をおこすガンジスさまが風になったぞ！　シヴァ神(160)が額《ひたい》をくもらせたぞ！

マルタ島の水夫

（よりかかりながら、帽子を振る）

波が立ってきた——白い帽子をかぶった波がジグを踊りはじめた。もうすぐ帽子の房を振りはじめるぞ。波がみんな女だといいのにな。そしたら、おれは溺《おぼ》れてやる、死ぬまでシャッセを踊ってやる。女たちと踊り踊れば、熟《う》れてはちきれんばかりのブドウの実みたいな乳首こそ両腕の大枝のかげにかくれてよく見えなくても、燃えるように熱い乳房はちらちら見えてさ——これぞこの世の天国さ。

シシリー島の水夫

（寝そべりながら）

きいた口をたたくな！　いいか、若いの——手足をしっかりからませて——しなやかに——こってりとし——ふわふわと！　くちびるだ！　おっぱいだ！　おしりだ！　なでまわすんだ！　際限なく、タッチ・アンド・ゴー！　突いては、はなす！　はなしては、突く！　いっちゃだめだぞ！　いったら、おしまいだ。え、わかるか？（思わせぶりに）

タヒチ島の水夫

（筵《むしろ》に寝そべりながら）

おらが島のはだかで踊る娘たちはええな！——ヒーヴァ・ヒーヴァ！　ああ、谷はあさくて、ヤシは高いタヒチよ！　おれはいまもおぬしの筵に寝てるけど、その下にやわらかい土はもうないな！　おぬしが森で織られているのをおれは見た、筵よ！　おぬしは緑にぬれて光っていたぞ——島からおぬしをつれてきた日には。だけど、いまでは、おぬしもだいぶ色あせ、ひからびた。ああ、泣ける――おぬしも、わしも、わしも、おぬしも、時の流れにゃどうにもならん！　あの遠い空にとんでいけたら、どうだろうか？　ピロヒティーの山頂から落下して、岩をくだき、村をのみこむ流れのとどろく音が聞こえるだろうか？――風だ！　疾風《はやて》だ！　すっくと立って、いざ迎えうて！　(飛び起きる)

ポルトガルの水夫

波がやたらに舷側を打つぞ！　縮帆《リーフィング》の用意だぜ、みんな！　風はおいらと一戦まじえるつもりだ、すぐに、めったやたらに突いてくるぞ。

デンマークの水夫

ギシギシ鳴るな、おんぼろ船よ！　だけど、きしるあいだはまだ生きてるってことよ！　よかろう、がんばれ！　あそこの航海士さまが、おまえをがっしり支えてくださる。あの人は勇敢な人だな――海の塩がこびりついた雨ざらしの大砲でバルチック海と戦う要塞《ようさい》の島カテガット(161)みたいに、な。

ナンターケットの水夫4

あの人だって、命令をうけてやってるだけだ、いいかい。エイハブの爺《じ》さまがあの人に、スコールなんかいつだってやっちまえ、と言っているのを聞いたことがある。ピストルで竜巻を撃つみたいな話だ——爺さまは、船を鉄砲玉みたいに嵐のなかにぶちこめ！　って魂胆だ。

イギリスの水夫

やれ、やれ！　あの老人はたいした玉よな！　わしらはあの人の鯨を追い立てる勢子《せこ》よな。

一同

アイ！　アイ！　そうだ！　そうだ！

マン島の老水夫

三本の松のマストがゆれるわ、ゆれるわ！　松というのは別の土地に移植するとよく育つというが、この船には船乗りという役立たずの土くれしかない。舵《かじ》取りよ、用心しろ！　この空模様は、陸《おか》のつわものの心臓をやぶり、海の船の竜骨をへし折るたぐいの空模様だ。わしらの船長にはあざがあるが、ほれ見ろ、遠いかなたのあの空にもあざがある――毒々しい赤みがかった色にふちどられ、あとは黒一色のあざがある。

ダグー

それがどうした？　黒がこわけりゃ、おれのこともこわかろう。おれは黒い山から切り出された黒んぼだ。

スペインの水夫

（傍白）あいつ、難癖つけてやがる、うむ――こっちも積もる恨みで頭にきてる。（ダグーにちかづきながら）なあ、銛打ちよ、おまえさんがた黒んぼは人間の暗黒面を代表しとる――しかも悪魔じみた暗黒面をな。腹が立ったか。

ダグー
(むっとして)
べつに。

サンチャゴ島(162)の水夫
あのスペイン野郎め、狂ったのか、酔っ払ったのか。だが、そんなことはあるまい。そうなら、モンゴル大王の火の水があの男にだけ長もちするということになるからな。

ナンターケットの水夫5
おっと、何か光った——いなずまかな? 間違いない。

スペインの水夫
ちがう、ダグーが歯を見せたのだ。

ダグー

（立ちあがって）

おまえの歯こそ、のみこみやがれ、この小びとめ！　白んぼの腑抜けめ。

スペインの水夫

（ダグーに、にじりよる）

ナイフでグサリといくぞ！　うどの大木のひょうろくだまめ！

一同

けんかだ！　けんかだ！　けんかだ！

タシュテーゴ

（タバコをふかしながら）

上でもけんか、下でもけんか――神さまもけんんか、人間もけんか――みんながけんか！　いいかげんにしろ！

ベルファストの水夫

けんかだ、けんかだ！　マリアさま、けんかです！　あいだにはいれ！

イギリスの水夫

フェア・プレイでいけ！　スペイン人からナイフをとりあげろ！　リングでやれ！
リングでやれ！

マン島の老水夫

リングならもうできている。見てみろ、あそこを。水平線がつくるリングだ。あのリングのなかでカインがアベルをやったのよ。(163)あれがうるわしの勝負、ただしき成敗か！　さにあらず？　なら、なんで神はリングをつくりたまえしや？

後甲板より航海士の声

動索要員《ハリヤード》！　上段横帆《トガンスル》につけ！　中段横帆《トップスル》の縮帆、スタンバイ！

一同

スコールだ！　スコールだ！　いそげ、みんな！　（一同、ちりぢりに去る）

ピップ

（巻き揚げ機《ウインドラス》の下にうずくまり）

みんな？　神よ、みんなを助けたまえ！　キリキリ、プッツン！　そら三角帆の索が切れた！　ぶらん、ぶらん！　あぶない！　ピップ、しゃがめ、最上段帆桁《ロイヤル・ヤード》が飛んでくるぞ！　これじゃ、大晦日《おおみそか》を竜巻が吹きあれる森ですごすよりやばいな。こんなときに、だれが栗の実をとりに木になんかのぼるもんか？　ところがあの連中ときたら、あきれたもんだ、悪態をつきながらマストをのぼってく。ぼくは、のぼらんよ。ここにいる。あの連中の前途はあかるいのかな、なにせ天国への道だもんな。しっかりつかまれ！　畜生、ひどいスコールだ！　マストにのぼってる連中のほうが、もっとやばいな——こりゃ白い疾風《はやて》だ、黒い空に白い雲がたちこめる白疾風だ。それに白い鯨、白鯨——ぶるぶるる！　おだぶつおだぶつ！　みんながそのことを話してたな、あの白鯨のことを——ぶるぶる！——たったのいっぺん、今夜聞いただけだけど——まるでタンバリンみたいに、ぼくの体がぶるぶるふるえる——あの蛇《へび》みたいな老船長が、みんなに誓わせたんだ、そいつを追っかけろって！　おお、黒い雲のうえの高いところの、どこかにまします大きな白い神さまよ、この低いところにおります小さな黒んぼの少年をあわれみたまえ。こわいもの知らずの男たちから、この黒んぼの少年を守りたまえ！

＊　　＊　　＊

第四一章　モービィ・ディック(164)

わたしイシュメールも、あの乗組みのひとりであった。わたしの叫びは彼らの叫びといっしょになって天《あま》がけり、わたしの誓いは彼らの誓いととけあってひとつになった。わたしの内なる恐怖のせいで、ひときわ高くさけぶたびに、わたしは自分の誓いをハンマーできたえ、より堅固な鍊鉄《はがね》にしあげていった。何か凶暴な、何か神秘的な共感がわたしの内部に生じていたのだった。エイハブの抑えがたい怨念《おんねん》をわがことのように感じていたのだった。乗組み一同ともども、わたしはその凶悪な怪物の来歴に貪欲な耳をかたむけ、また一同ともども、その怪物を殺戮《さつりく》して復讐をとげることを誓ったのだ。

かなり以前から、ときおり間をおいてのことだったが、主としてマッコウ鯨をねらう捕鯨業者が漁場とする、文明から遠くはなれた僻海《へきかい》で、群れをはなれた孤独な白い鯨が目撃されていた。しかし、捕鯨業者のすべてがその存在を承知していたわけではなかった。さらに言うなら、そのごく一部の者が白鯨を見かけたことがあるだけのことで、この鯨を白鯨と承知して実際に戦いをいどんだ者の数となると微々たるものであった。というのは、捕鯨船自体は膨大な数にのぼり、そのうえ世界の海に無秩序に展開していたばかりか、他船が忌諱《きい》するような緯度で無謀な探検をあえてする捕鯨船がおおかったので、一二カ月か、それ以上ものあいだ、有用な情報にあずかれる他船に遭遇する機会がまずなかったからである。それに捕鯨船の一航海の期間がやたらに長く、母港からの出港時期がまちまちであることにくわえて、その他もろもろの事情が直接・間接にからまって、世界の海に活躍する捕鯨船団にモービィ・ディックなる特定の鯨に関する個別情報がひろまるのを長らくはばんできたからである。また数隻《すうせき》の船がかくかくのときに、しかじかの海域で、並はずれた大きさと狡猾さをそなえた一頭のマッコウ鯨に遭遇して一戦をまじえたが、攻撃側が多大の損害をうけただけで、鯨にはまんまと逃げられてしまったというたぐいの報告があったばあい、くだんの鯨をモービィ・ディックそのものにほかならぬと信じた者がいたとしても、さほどふしぎなことではあるまい。しかし逆に、近年のマッコウ捕鯨業においては、攻撃をしかけてきた怪物の大いなる凶暴性、狡猾性、悪意についての多様な事例が頻繁に報告されているものだから、それとは知らずに、偶然にモービィ・ディックと一戦をまじえた鯨捕りたちがいたとしても、たいていは自分が経験した特異な恐怖の体験を特定の鯨のせいにすることはなく、いわばマッコウ鯨一般にかかわる脅威の事例としてうけとめる傾向があった。エイハブとあの鯨との悲惨な遭遇にしても、これまでのところ、世間ではそのような受け止め方をされてきたきらいがある。

以前に白鯨について聞いたことがあった者で、偶然にご本尊を目にすることになった者は、当初のところは、まず例外なく、他のマッコウ鯨に対するときと同様に、勇猛果敢にボートをおろして追跡したものである。しかし、結局のところ、このような追撃戦に随伴するおきまりの災害は——手首や足首をくじくとか、手足の骨を折るとか、手足を食いちぎられるとかではおさまらず——ずばり生死にかかわる性質のものがおおかった。このような惨劇がくりかえされた結果、鯨捕りたちのモービィ・ディックに対する恐怖心はますます増大し、増幅をかさねて、さしもの豪胆をもってなる鯨捕りたちも、白鯨のうわさがたまたま伝わってくるだけで肝を冷やすのであった。

無稽なうわさが尾ひれをつけるのは当然だが、鯨との死闘の実話もまた凄惨《せいさん》の度をくわえることになった。倒れた樹木からキノコが生えてくるように、驚嘆すべき恐ろしい事件の根元から無稽なうわさがおのずと生まれてくるばかりか、海上生活では、陸上生活以上に、すこしでも本当らしいところがあれば、それに固執した途方もないうわさが蔓延《まんえん》するのである。この点では海が陸を凌駕《りょうが》しているわけであるが、捕鯨業においてしばしば蔓延するうわさの荒唐無稽性と戦慄性《せんりつせい》の程度は、他のいかなる海上生活の事例をも凌駕している。というのは、集団としての鯨捕りは、あらゆる船乗りの例にもれず迷信と無知という伝統からまぬかれてはいないが、あらゆる水夫のなかで、彼らほど驚愕すべき海の神秘と直接にまじわっている者がいないのもまた事実である。彼らは海の魍《もう》魎《りょう》と、顔と顔をつきあわて対面するばかりでなく、おのれの手を相手のあごにかけて襲いかかるのである。千里もの海を帆走し、千もの浜を通過しても、彫刻で装飾された暖炉にたどりつくわけでもなく、太陽が燦々《さんさん》とふりそそぐもとで歓待をうける見込みがあるわけでもない緯度と経度の遼遠な絶海にあって、ひたすらおのれの稼業にはげむ鯨捕りは、その空想に無数のおどろおどろしい奇想をはらませる感応力につつまれているのである。

だから、絶海の縹渺《ひょうびょう》たる空間をさすらうあいだに白鯨の誇張されたうわさがますます誇大になり、白鯨にあらゆる種類の病的な幻想を付加し、白鯨を超自然的な存在の分身と見なす未熟な胎児のような観念までをはらませ、ついにはモービィ・ディックをいまだかつてない恐怖の権化にしたてあげることになるのも不思議はなかった。その結果、この鯨は大方の心胆を完璧に寒からしめ、ために、モービィ・ディックのうわさを耳にした鯨捕りたちのほとんどは白鯨のあぎとに立ち向かう勇気を喪失してしまったのである。

しかし、この件には、これ以外のもっと重要で実際的な諸条件がからんでくる。マッコウ鯨を他のすべてのレヴィヤタンと敬意をこめて区別し、マッコウ鯨に格別の威信を付与する鯨捕り全体としての心情は今日においてもなお死んではいない。そういう連中のなかには、グリーンランド鯨、すなわちセミ鯨に戦いをいどむには充分な頭脳と勇気を有しながらも——職業的な経験不足のせいか、能力不足のせいか、内気のせいか、それはともかく、マッコウ鯨との交戦だけはまっぴらだと言う者が存在するのである。ともあれ、おおくの鯨捕り、ことにアメリカ籍以外の船で捕鯨に従事する連中はマッコウ鯨と交戦状態で遭遇した経験がないばかりか、この鯨についての彼らの唯一の知識にしても、むかし北海で捕獲の対象となった下賤《げせん》な怪物に関する知識の域を出《い》でず、お話にならない。彼らは船のハッチに腰をかけ、暖炉のそばでおとぎ噺《ばなし》に聞き耳をたてるお子さまなみの関心と恐怖心をもって、南洋捕鯨の奇想天外な物語に耳をかたむけるのが関の山である。大いなるマッコウ鯨の常軌を逸した脅威を身にしみて感じることのできる者は、船の舳先《へさき》に立って巨鯨の行く手をはばむ者をおいてほかにないのである。

また、現在では直接的経験によって確認されているマッコウ鯨の威力は、かつての伝承時代の記録にもその影をおとしていて――オラセンやポーヴェルセン[165]などの――書斎派博物学者の著作にも、マッコウ鯨はあらゆる海の生物にとって脅威であるばかりか、想像を絶した凶暴性の持ち主であって、つねに人間の血に飢えている、といった記述が見つかる。ずっと下《くだ》ってキュヴィエの時代になっても、ほぼ同様な印象は払拭されていない。たとえば、キュヴィエはその博物誌のなかで、あらゆる魚(サメもふくむ)は、マッコウ鯨を見ると「絶大なる恐怖にかられ」「あわてふためいて逃げまどい、猛烈な勢いで岩にぶつかり、ために即死をとげるものもまれではない」と確認している。このような報告は捕鯨業全般にわたる経験によって是正されてきたとはいえ、マッコウ鯨の凶暴性に関する鯨捕りたちの迷信は、ポーヴェルセンの人肉嗜好性《しこうせい》に関する迷信にいたるまで、捕鯨業の栄枯盛衰をかいくぐって、いまなお鯨捕りたちの心中に生きつづけているのである。

そういうわけで、モービィ・ディックに関するうわさや影におびえる鯨捕りのすくなからずは、この特定の鯨への言及があると、たちまちマッコウ捕鯨業が始まったばかりのころを思い出すのであった。当時は、セミ鯨漁では百戦錬磨の鯨捕りも、この新規の危険な戦闘への参加となると、ほかの種類の鯨を追いかけるのはいいけれども、マッコウ鯨のような妖怪を追跡して槍《やり》をむけるのは生身の人間のなすべきことではない、そういうことをなせば、たちまちあの世行きということに相場がきまっている、というような理屈をつけて逡巡《しゅんじゅん》するのであった。この点に関しては、参照にあたいする興味ある文献がいくつかある。

とはいえ、こういう事情にもかかわらず、すぐにでもモービィ・ディックを追跡してみたいとねがう者も多少はいたし、たまたまこの鯨のことを遠まわしに漠然と聞いただけで、災害の実情についてはほとんど知らぬまま、また付随する迷信などには頓着せず、機会があったらいつでも戦闘に参加するのをいとわぬ剛の者となれば、その数はもっとおおかった。

取りざたされた荒唐にして無稽な諸説のなかでも、ついには迷信ぶかい人たちの心中で白鯨とかたく結びつくことになったもののひとつに、モービィ・ディックは遍在するという途方もない奇想があった。モービィ・ディックが南北両半球の同一緯度で同一時刻に実際に見かけられたというのである。

それこそ迷信ぶかい精神の所産であることは間違いないが、それでもなお、この奇想にはわずかながら迷信なりの信憑性《しんぴょうせい》といったものがある。海流の秘密については、きわめて詳細厳密な研究が行なわれてきたにもかかわらず、いまだに解明されていない部分がおおいように、マッコウ鯨の海面下の行動の大部分もその追跡者には未知であるゆえ、ときおりその行動について奇妙で矛盾する推測がなされてきた。とくにマッコウ鯨が深海にもぐってから、きわめて短時間に驚嘆すべき速度で遠隔の地点に移動する神秘的な行動様式についての憶測などがその事例である。

太平洋の極北の海で捕獲された鯨の体内から、グリーンランド海域で放たれた銛《もり》の刃先が見つかる事例はアメリカやイギリスの捕鯨船ではよく知られており、またかなり以前にスコーズビーの権威ある報告書にも記載されているところである。また、こういう事例のいくつかにおいて、二箇所における鯨に対する攻撃がさほど長い時間的間隔をおいてなされたものではないことが報告されているが、これはあながち否定さるべきことではない。鯨捕りのなかには、この事例から類推して、人類にとって長年の懸案であった北極圏経由で大西洋と太平洋をむすぶ「北西航路」の開発は、鯨にとっては問題でも懸案でもないと信じている者もいるからである。そういうわけで、以下は生きた人間の生きた経験にもとづく説であってみれば、古くから語りつがれてきたポルトガルの内陸部にあるエストレーラ山にまつわるふしぎな話(その山頂付近には湖があったとされ、その水面に船の残骸が多数浮かびあがってきたという)、あるいはもっとふしぎなシシリー島シラクサ近辺のアレトゥーサの湖にまつわる話(166)(その水は「聖地」から地下経由でながれてくるという)などは、なるほど荒唐無稽な伝説ではあるが、鯨捕りたちがみとめる現実とよろしく比肩しうるものである。

こういうふしぎな話に通暁し、そのうえモービィ・ディックがいくたの果敢な攻撃を受けたにもかかわらず悠然と難をのがれて生きのびていることを承知の鯨捕りたちのなかには、さらに迷妄の度を加えて、モービィ・ディックは遍在するばかりでなく不死(不死性とは時間における遍在性にほかならない)であるとか、モービィ・ディックはそのわき腹に槍を林のように突き立てられようと、無傷のまま泳ぎ去るとか、さらにまた、たとえモービィ・ディックが瀕死の血糊《ちのり》を吹きあげるようなことがあろうとも、それはしたたかな擬態であるにすぎず、その証拠に、やがてまた、何百リーグも先の血潮にけがれぬ波間でふたたび清らかな潮を吹きあげているさまが見られると主張する者もいる

が、これはさして驚くにあたいしないことであろう。

しかし、こういう超自然的な憶測をはぎとったとしても、この怪物の現実の体軀《たいく》と正真の性格には、なお人の想像力を異様な力で刺激してやまないものがあった。というのは、この怪物を他のマッコウ鯨から区別するものは、その常軌を逸した巨体にあるというより、すでにどこかでのべたことだが(167)――そのしわだらけの雪白《ゆきじろ》の額《ひたい》とピラミッドのように高くそびえるこぶにあったからである。この二つこそが、その顕著な特徴である。この特徴をもって、際限もなく海図にもない絶海にあっても、この鯨を知る者は、それがモービィ・ディックであることをはるか遠方から特定することができるのである。

その体軀の他の部分も、おなじ経帷子《きょうかたびら》の白一色におおわれており、それがそのまま縞《しま》をなし、斑点をつけ、大理石模様にかざられていたので、最終的に、白鯨という異名をとったのであるが、白昼に濃紺の海を銀河のような乳白色に泡だつ航跡を黄金色《こがねいろ》にきらめかせながらすべってゆくあざやかな雄姿を目撃したほどの者は、その命名の適切さに首肯せざるをえないであろう。

さりとて、この鯨にあれほどまでの根源的な恐怖感を付与したものは、その並はずれた巨体でも、特異な色でも、変形した下あごでもなく、この巨鯨が攻撃するにさいしてつねに発揮した、いまや語り草となっている比類なき狡猾さにあった。とりわけ、その退却法の狡猾さは驚嘆のまとであった。意気揚々と追跡する者どもの前方を、いかにも周章狼狽のていで遁走しながら、急に方向転換をして猛然と彼らに襲いかかり、ボートを粉砕したり、それを本船に逃げかえらせたりしたことが、しばしば報告されている。

この鯨を追跡して生命《いのち》をおとした者もすくなくない。しかし、これに類した災害が陸地でもおこったという話はあまり聞かないが、捕鯨においてはめずらしいことではない。めずらしいことではないが、白鯨追跡にまつわる惨事のおおくは、白鯨側の計画的残忍性のせいと見なされ、この鯨が原因で人が死んだり、手足をもぎとられたりすると、これを知力をもたぬ主体の仕業とはなかなか考えがたいのが実情であった。

されば、生命を賭して白鯨を追う者たちが、かみくだかれたボートの破片や引き裂かれて沈みゆく同僚の手足がただようさなか、鯨の不吉な憤怒《ふんぬ》がかもす凝乳のように白く泡立つ海面を泳いで、まるで幼児が花嫁にほほえみかけるように静謐《せいひつ》で、あっけらかんとした陽光がふりそそぐあたりに避難したとき、彼らがいかほど狂おしい怒《いか》りに燃え立つことを余儀なくされたかは想像にかたくあるまい。

ある船長などは、三艘《さんそう》のボートに穴をあけられ、オールも部下も渦にのまれて回転しているなかで、打ちくだかれたボートの舳先《へさき》の索切りナイフを手に握りしめ、アーカンソーの荒くれ男が決闘の相手に対するように、その刃渡り六インチの短刀を鯨の生命《いのち》の深部めがけて突きさそうと無謀にも襲いかかったものである。その船長こそ、エイハブだった。そのときだった、鯨の鎌のかたちをした下あごが一閃したかと思うと、モービィ・ディックは草刈り人が野で草を刈るようにエイハブの脚を刈りとっていった。頭にターバンをまいたトルコの刺客にせよ、はたまたヴェネチアやマレーの殺し屋にせよ、これほど狙いすました早業と悪意をもってエイハブを討《う》つことはできなかったであろう。それゆえ、ほとんど命運を賭したこの遭遇以来、エイハブがくだんの鯨に熾烈《しれつ》な復讐心をいだきつづけたことに不思議はあるまい。また、病的なまでに過敏になったエイハブが、自分の肉体的苦痛のみならず、知的・精神的憤懣《ふんまん》のことごとくを、モービィ・ディックのせいにしてしまったことにも不思議はあるまい。かくして、ある種の深遠な洞察力と感受性の持ち主にとって、自己の内部を侵食し、ついには心臓の半分と肺臓の半分までをも食らいつくし、残余の部分で生きることを余儀なくさせると感じられるほどの諸悪の根源の偏執狂的化身として、白鯨はエイハブの眼前を不断に遊弋《ゆうよく》することになったのである。そもそもこの世のはじまりから存在した、あのえたいの知れぬ悪意、近代徒(168)のキリスト教徒ですらが世界の半分をその領するところとみとめ、古代東方の拝蛇教徒が蛇《へび》の姿に象徴して崇拝した神秘的知としての悪意――それに対してエイハブはぬかずいて拝することこそなかったが、その観念を、妄想とも言うべき怨念と不具なりの全身全霊をもって、憎むべき白鯨に転嫁したのであった。人を狂気にさそい、かつさいなむもののすべて、人生のよどみをかきたてるもののすべて、悪意をひめる真実のすべて、脳髄をくだき凝固させるもののすべて、人生と思考に隠微にひそむ悪魔主義のすべては、狂ったエイハブにとっては、みなモービィ・ディックに目に見えるかたちで擬人化されており、ゆえに実際に討ってかかることができる攻撃の対象となったのであった。エイハブは鯨の白いこぶに、アダム以降の全人類の怒りと憎しみの総計をつみかさね、また、おのれの胸を臼砲に、ほてる心臓を弾丸に、白いこぶめがけて発射したのであった。

エイハブの偏執狂が肉体的切断と同時に発生したとはかんがえがたい。ナイフを手にして怪物に襲いかかったとき、エイハブは突如として噴出した激烈な個人的憎悪に身をゆだねただけであって、感じたのはおそらく肉体的な切断の痛みだけだったと思われる。しかし、この事件で帰港を余儀なくされ、いく月にもいく週にもわたる長い期間、エイハブと苦悩とはひとつのハンモックのなかで同衾《どうきん》したまま、真冬のさなかに、あの咆哮《ほうこう》するパタゴニアの岬を通過する途次に、その引き裂かれた肉体が流す血と押しつぶされた魂が流す血がまじりあい、融合してエイハブの狂気を形成したのである。こうして、エイハブが最終的に偏執狂のとりこになったのが、鯨との遭遇のあと、帰港の途中であったことは——その航海中に、ときおりエイハブは凶暴な狂人ぶりを発揮し、片脚を喪失したとはいえ、そのエジプトの彫像をしのばせる胸板の直下にはおそるべき生命力がひそみ、それが譫妄《せんもう》状態のときにはことさらに凶暴化するゆえ、航海士たちが、ハンモックのなかでさえ暴れくるう船長をかたくしばりつけたまま航海をつづけねばならなかった事実によっても——ほぼ間違いないことが確認できる。そしてエイハブは、この拘束服をつけたまま、疾風に狂ったようにゆれる船の揺れにあわせてゆれていったのである。そのうち、もっとしのぎやすい緯度に到達すると、船は補助帆《スタンスル》を張っておだやかな赤道海域をすべるように航行していたが、そのころになると、どう見ても老人の譫妄状態はホーン岬の荒波ともども背後に去ったらしく、エイハブはその暗い穴ぐらから明るくて祝福された陽光のもとに姿をあらわすようになり、そのうえ、蒼白ではあったが、以前のように毅然《きぜん》とした落ち着きのある相貌をとりもどし、その口からおだやかな声で命令が発せられるようになると、航海士たちはおぞましい狂気が船長から去ったことを神に感謝したものだが、そのときでさえ、エイハブは自我の隠蔽《いんぺい》された部分でひそかに狂いつづけていたのである。人間の狂気はしばしば狡猾であって、すこぶる猫に似ている。消えたと思っても、じつはもっと微妙なものに変身しているだけかもしれないのだ。エイハブの正真正銘の狂気がおさまったわけではなく、凝縮して小さくなっただけなのである。北欧の王者ヴァイキングのようなハドソン川はつねに水量を減ずることなく、キャツキル山系の「高地《ハイランド》」の峡谷を流れるときには狭い[169]ながらも深い渓谷をうがって流れるのとおなじ理屈である。しかし、偏執狂が狭い渓谷を流れるときにも、その膨大な狂気の水が一滴たりとも失われるわけではないように、その広漠たる狂気から、エイハブ生来のすぐれた知性が一滴たりともそこなわれるわけではなかった。エイハブは、かつては生きている主体だったが、いまや生きている道具になっていた。もしこのように激烈な比喩がゆるされるのならばだが、エイハブの局所的狂気は全体としての正気を襲って攻略し、その戦利品たる砲門のことごとくを狂気が目標とするものに集中したのである。その結果、エイハブは力を失うどころか、正気な手段によって筋のとおった目標を達成したときよりも千倍もの力をもって、そのただひとつの目標にむかって邁進《まいしん》するようになったのである。

　これだけでもたいしたことであるが、エイハブのもっと大きい、暗い、深い部分についてはまだ何も言っていない。しかし深遠性を通俗化してみてもはじまらないし、真理というものはいつだって深遠なものだ。こころけだかく、愁《うれ》いふかき人びとよ、いまわれわれはいわば忍び返しがめぐらされたクリュニー館《やかた》(170)の中心部に立っているわけだが――それがいかに壮大で魅惑的であろうとも、とりあえず建物そのものの見物はおあずけにして――そこから螺旋《らせん》階段をつたって地下におりてゆき、こころけだかく、愁いふかき人びとよ、広大なローマの公衆浴場の遺跡におり立とうではないか。そこは人間が豪奢《ごうしゃ》な塔を林立させた地上のはるか下だが、そこには人間の偉大さの根源、その畏怖すべき本質が苔《こけ》むす状態で埋もれているのだ。遺跡の下に埋もれた遺跡、頭も手足もないトルソーを玉座とする殿堂！　その玉座もすたれ、その虜囚の王を大いなる神々はあざ笑うが、しかしなお、この王は、女人柱像《カリアテイド》さながら、眉間《みけん》にしわを寄せながらも時代の層をかさねるエンタブラチュアの重みに耐えている。こころけだかく、愁いふかき人びとよ、螺旋階段をおりてそこにゆき、かの誇りたかき、悲しみの王に聞くがよい！　そなたはわが血縁者にあらずや、と。かの悲しみの人こそが、そなたらを生んだのだ、若き流浪の王族たちよ。そして、そのいかめしい父祖からのみ、古き国家機密はもらされるのである。

さてエイハブはこのことを、こころの底でうすうす感じていた——自分の手段は正気だが、その動機と目的が狂っているのだ、と。しかし、彼はこの事実を抹消したり、変更したり、回避したりする力をもたぬばかりか、長いあいだ人類をあざむき、いまなおあざむきつづけているのが自分であることも承知していた。だが、この欺瞞《ぎまん》は自分で感得しうるていのものであっても、意志によって左右しうるていのものではなかった。しかしながら、この欺瞞にまんまと成功したので、鯨骨の脚をつけてとうとう港におり立ったときにも、ナンタケットの人たちはみな、エイハブの相貌に、たまたま襲われた惨事に骨の髄まで震撼された者の自然な悲しみを見ただけだった。

エイハブが海上でしめした譫妄状態についてのうわさも、一般には同様の原因に帰せられた。また、その後ピークオッド号が今回の航海に出る当日にいたるまで、日々その額に暗鬱《あんうつ》の度を蓄積していたふさぎムードについても同様であった。にもかかわらず、そのような陰鬱症の徴候を根拠に再度の捕鯨航海をエイハブにまかせるのを危惧する議論はでてこなかったのである。反対に、あの慎重にして抜け目のないナンタケットの連中は、まさにそのような理由によってこそ、憤怒と狂乱のうちに鯨を追う血なまぐさい捕鯨という仕事にエイハブが適しているという奇想をいだいたのであった。しっかりと食らいついて離れようとしないある不治の観念の牙に内側からさいなまれ、外面は火のように燃える者がいるとすれば、そのような者こそが、あらゆる動物のなかでも凶暴なること類をみない怪物に銛を打ち込み、槍をさしむけるのに最適の人物であるかもしれない。あるいはまた、なんらかの理由によって肉体的にそのような攻撃が不可能な者がいるとすれば、そのような者こそが、部下を鼓舞してそのような攻撃にさしむけるのに最適の人物であるかもしれない。が、それはともかく、エイハブはその抑制しがたい怒りに封をし鍵をかけ、そういう狂った秘密を胸に秘めながら、白鯨捕獲を唯一無二の目的として今回の航海に積極的に加担したことは間違いなかった。陸地にいるその古なじみのだれかが、夢にもせよ、エイハブの胸にうごめいているものに気づいたなら、その人は廉直な魂を震撼され、そのような悪魔的人物の手から船を奪還するのに全力をつくしたことであろう！　彼らが思いさだめていたことは利潤をあげる航海であり、その利益は造幣局で製造される貨幣で計算されねばならなかったのである。ところがエイハブが思いさだめていたことは、大胆不敵な法理をこえた仮借《かしゃく》なき復讐であった。

かくして、ここにいるのは、呪いをこめてヨブの鯨を世界をへめぐって追跡することに思いさだめた、神をおそれぬ白髪の老人であり、この老人を頭目とする乗組みがまた、主として背徳者、無頼漢、食人種からなる雑駁な集団——そのうえ、スターバックの孤立無援の美徳と孤高の精神はまさしく無用の長物であり、スタッブの底抜けの陽気さは無関心と無謀の産物にほかならず、フラスクは全身これ凡庸のかたまり——といった道徳的支柱を欠いた集団であった。このような乗組みが特別に選別され、エイハブの偏執狂的復讐を幇助《ほうじょ》するために契約をむすぶことになったのは、何がしかの悪魔的な運命が参与したのではないかと思いたくもなるというものだ。なぜみんながあれほど熱狂的にかの老人の憤怒にこたえたのか——いかなる邪悪な魔術によって彼らの魂が呪縛されて、ついにはエイハブの憎しみが彼ら自身の憎しみと区別しがたくなったのか、エイハブにとって不倶戴天《ふぐたいてん》の敵である白鯨がどうして彼ら自身の不倶戴天の敵になったのか、いったいどうしてこのようなことになったのか——つまり彼らにとって白鯨とは何だったのか、彼らの無意識の領域で、白鯨が漠然としていながらも疑問の余地なき実在として生命《いのち》の海を遊弋する大いなる悪魔と見えてきたらしいのはなぜか——こういうことの一切を説明するためには、このイシュメールがもぐれる以上の深みにまでもぐらねばなるまい。人間ひとりひとりの内部には地層があり、そこには坑夫がはたらいている。その坑夫は、つねに変化してやまぬつ、る、は、しのこもった音によって、自分が掘りすすんでいる坑道の行く手を予見することができるだろうか？　あらがいがたい腕によって導かれていると感じない者がいるだろうか？　七四門の大砲をそなえた巨艦にひかれる小舟がどうして巨艦の動きに抗しえようか？　私事にわたるが、わたしは時にまかせ場にまかせてやってきたが、それでも、あの鯨の追跡に血道《ちみち》をあげていたあいだは、あの怪獣に悪の権化以外の何ものをも見ることはできなかった。

訳注

（1）"Usher to a Grammar School" とは一六世紀にイギリスで創設されたラテン語やギリシャ語を主教科とした私立中等学校（グラマー・スクール）の助教ないし代用教員のことである。ところで、この原語の "usher" はもともと案内人を意味する。それがのちほど生徒を学問世界へ導くのを職務とする教師を補佐する者を意味するようにもなった。ちなみにメルヴィルが敬愛したサミュエル・ジョンソン（一七〇九―一七八四）はその「大博士」への経歴の第一歩を "usher"、つまり中等学校の助教としてはじめ、メルヴィルもまた一八歳のときピッツフィールド南方の僻村で小学校の代用教員を一年ほどつとめたことを手始めに、何度か小学校の助教をつとめたことがある。また "usher" が本の冒頭に出てくることは、最初にこの本に "usher in" する「案内人」が出てくる仕組みで、周到な工夫でもあろう。

（2）各種の語族からあつめた鯨の名の表記には版によって多少の異同がある。本訳書が主として底本とする Northwestern-Newberry Edition, 1988（以後、ＮＮ版と略す）の「校訂」にしたがい、従来ギリシャ語の鯨名として "χητος" と表記されていたものを "κητος" に訂正する。おなじくアングロ・サクソン語の "WHŒL" という表記を "WHÆL" に、アイスランド語の "WHALE" という表記を "HVALUR" に訂正する。また原文では "WAL" は "Dutch" となっているが、"WAL" はドイツ語の鯨であり、オランダ語では "WALVIS" である。メルヴィルの時代のアメリカではドイツ語のことをときに"Dutch"と称した。これまでの邦訳では、この項目はすべて「オランダ語」となっているが、ここでは「ドイツ語」とした。「エロマンゴ島」はメラネシアのニュー・ヘブリディーズ諸島に属す島。

（3）　この八一個（「補の補」の前口上もふくむ）からなる「抜粋」の主たる目的は鯨および捕鯨の叙事詩的な壮大と崇高のイメージをこの物語に付与することにあったと思われる。引用はときには意図的に、ときには不注意により、かならずしも正確ではない。その出所、引用の異同についてはNN版の八一三―八三〇頁にくわしく論じられている。ただしNN版のレファレンスはメルヴィルが参照した、あるいは参照したと思われる版を基準にしている。ゆえに、該当文献の英国版の初版のデータやアメリカ版以外の版のデータが指示されないばあいがあるので、必要に応じて *Moby-Dick; or, The Whale*, Edited with an Introduction and Commentary by Harold Beaver, 1972, Penguin English Library その他を随時参照して補充した。そのようにして得られた文献および人物に関する年月などのデータは〔　〕を付して本文に小さな文字で組みこみ、訳注をつける煩をさけた。なお「抜粋」のうち三つは捕鯨というより「反乱」にかかわる引用文献である。それは反乱をテーマとする第五四章「タウン・ホー号の物語」や、第一二三章「マスケット銃」などと呼応する「抜粋」と見なしうる。

（4）　この物語の第一人称の語り手の名は、旧約聖書に出てくるイシュマエルに由来する。聖書のイシュマエルはイスラエル人の祖とされるアブラハムが、その正妻の一時的な不妊のゆえに、正妻の同意を得て奴隷女ハガルに生ませた長男である。にもかかわらず正妻サライが嫉妬して、ハガルにつらくあたるようになったので、それに耐えかねたハガルが砂漠に逃亡して生んだのがこのイシュマエルである。「創世記」一六・一二によれば、そのとき神は「彼〔イシュマエル〕は野生のろばのような人になる。彼があらゆる人にこぶしを振りかざすので、人々は皆、彼にこぶしを振るう」(『聖書――新共同訳』日本聖書協会。以下、本訳注における聖書からの引用はこの版による)と預言した。それからずっとあとになって、サライが百歳になったときに、神のおぼしめしによって、アブラハムとのあいだにイサクという男の子が生まれるにいたり、ハガルとイシュマエルは再度アブラハムの家から追放された。ゆえに「イシュマエル」という名には、遺産を絶たれた者、追放者、放浪者、世にはむかう者というふくみがある。この名にはそういう由来があるために、親が自然な愛情からこの名を自分の子どもにつけることはまずない。*American given Names*, Oxford UP, 1979 の著者ジョージ・ステュアートは、「イシュメール」という名前について、「メルヴィルの『白鯨』で鮮烈に用いられているが、その他の場でこの名が出てくることはきわめてまれである」と記している。

また一般的に、このイシュマエルがアラブ人の祖に、イサクがユダヤ人の祖に、なったとされている。このような由来の名を「長老派教会のふところに生まれ育った」(第一〇章)白人青年の語り手がみずから名のることの意味は深長かつ複雑である。しかも、この呼び名は『白鯨』全体に二〇回出てくるだけであり、二二二頁でピーレグ船長が名前の確認のために口にする二回をのぞいて、すべてイシュメールが自分自身に対する言及ないし呼びかけとして用いている。これは小説としてはかなり不自然なことである。「イシュメール」という名はこの小説がほぼ完成したころに、急遽付加されたものかもしれない。第一章冒頭の"Call me Ishmael."とその次の第二センテンスのあいだには目に見えぬ「斜線」(スラッシュ)があるとも言え、このことも、その推測を支持する。

(5)　小カトー(前九五―前四六)。古代ローマの哲人、政治家。カエサルに抗して共和政の自由のために戦ったが、形勢の不利を悟ると、ストア派の哲理にもとづき自決した。

(6) マンハッタン島のこと。つぎの段落に出てくる地名もみなマンハッタンの地名。
(7) ニュー・ハンプシャー州南部のソーコ川が形成する画趣にとんだ美しい渓谷。メルヴィルは一八四七年に新婚旅行でここをおとずれた。
(8) ロング・アイランド南岸の行楽地。
(9) 「前檣《マスト》のまんまえ」(right before the mast)とは平水夫の居住区であり、主要な活動領域でもある。アメリカの作家・法律家リチャード・デーナ(一八一五—一八八二)に一八四〇年刊の *Two Years Before the Mast* という作品があり、これはふつう『平水夫としての二年間』と訳されている。ちなみにメルヴィルはこの小説を読んでいる。船首楼(forecastle)は前檣(foremast)付近にある甲板上の構築物や甲板そのもの、また甲板下の水夫部屋をさす。最上段檣頭(royal mast-head)はマストのいちばん高いところ。いずれも平水夫が生活したり作業したりする主要領域。反対に、船長や航海士、それに鉦打ちたちといった「上級船員」の領域は船尾の後甲板にある。
(10) ハルディカヌート家は一一世紀にイングランドを支配したデンマークの王家。ヴァン・レンスラー家とランドルフ家はアメリカのニューヨーク州とヴァージニア州の名家。前者はニューヨークがまだオランダ植民地だったころからの名家で、軍人にして政治家のスティーヴン・ヴァン・レンスラー(一七六五—一八三九)が著名。メルヴィルの母親はこの家系につながり、スタンウィックスの戦い(一七七七年)でイギリス軍を撃破した名将ピーター・ガンスヴォート大佐はその先祖のひとり。またメルヴィルの父方の祖父には、ボストン・ティー・パーティ一揆(一七七三年)で重要な役割を演じた愛国者トマス・メルヴィル少佐がいた。後者のランドルフ家はインディアンの女王ポカホンタスの血をひくヴァージニア貴族を形成する一家で、政治家、雄弁家として名声を博したジョン・ランドルフ

（一七七三―一八三三）や第三代大統領トマス・ジェファソン（一七四三―一八二六）などの名士を輩出した。

(11)　メルヴィルは水夫またはボーイとしてリヴァプールへの初航海（一八三九年）をする以前の一八三七年にも、小学校の代用教員をつとめたことがある。訳注（1）参照。

(12)　ルキウス・アンナエウス・セネカ（前四頃―後六五）。通称、小セネカ。ローマの哲学者、政治家、著述家。ストア派の哲学の信奉者で、神意による宿命はこれを毅然として受け入れるべきだとして、陰謀により道徳的非難をうけたときに自殺した。

(13)　「金銭の欲は、すべての悪の根です。金銭を追い求めるうちに信仰から迷い出て、さまざまのひどい苦しみで突き刺された者もいます」（「テモテへの手紙一」六・一〇）。「金持ちが神の国に入るよりも、らくだが針の穴を通る方がまだ易しい」（「マタイ」一九・二四、「マルコ」一〇・二五、「ルカ」一八・二五）。

(14)　ピタゴラス（前六世紀頃）は放屁をもよおすがゆえに豆を食べるのをいましめたというが、船首、船首楼、前甲板を居住区や主要な仕事場とする平水夫が放屁や排便をすれば、その悪臭が船尾に居住区や主要な仕事場をもつ船長その他の上級船員のほうに流れてゆくのはさけがたい。ちなみに、捕鯨船では平水夫用の便所も船首にあった。

(15)　ギリシャ神話の「運命の三女神」のこと。クロートーは人間の生命《いのち》の糸をつむぎ、ラケシスはその糸の長さを決め、アトロポスはその糸を断ち切る。

(16)　一八四〇年には、アメリカ史上初の喧騒をきわめた大統領選挙戦が行なわれた。インディアン殲滅戦で名をあげ、オハイオとインディアナを白人入植地として開放するきっかけをつくったウィリアム・ヘンリー・ハリソン(一七七三―一八四一)がジョン・タイラー(一七九〇―一八六二)と組んでホイッグ党を代表し、民主党候補の現職大統領マーティン・ヴァン・ビューレン(一七八二―一八六二)を打ち破って第九代アメリカ大統領になったが、選挙戦の疲れがもとで、就任わずか一カ月の一八四一年四月に急死した。その三カ月まえの一八四一年一月三日、二一歳のメルヴィルはフェアヘイヴンを出港して大西洋・太平洋への捕鯨航海の旅に出た。一八四二年一月六日、ロシアとイギリスのアフガニスタンの覇権をめぐる第一次アフガン戦争で、イギリス軍はカブールにおいてアフガン人による手痛い反撃にあい、殲滅された。死んだイギリス兵およびインド兵の数はじつに一万人にもおよんだという。

(17) パタゴニアはアルゼンチン南端の寒冷な砂漠とステップの不毛地帯であるが、氷河や岩山などの壮麗な景観にとむ。大西洋とアンデス山脈にかこまれ、その南端にはマゼラン海峡をはさんでティエラ・デル・フェゴ島があり、そのまた最南端のチリ領のウォラストン諸島中最南の小島オルノス島にあるのがホーン岬である。ここは年じゅう嵐が吹き、海が荒れて航海上の難所である。ちなみにピークオッド号ははじめこのホーン岬まわりで太平洋に出る予定だったが、パタゴニア沖をやや北上したところにあるプレート漁場で急遽予定を変更して、喜望峰まわり、インド洋経由で太平洋に出ることになる。その経緯については第四四章「海図」を参照。

(18) カーペット布地でつくられた簡便な旅行用かばん。メルヴィルはホーソーン宛の私信(一八五一年四月)で、ホーソーンの『七破風《しちはふ》の屋敷』(一八五一年)に言及して、「カーペット・バッグひとつで」――つまり「自我」だけをひっさげて――「永遠」へ旅立つ作家の宿命について高揚した口調で語っている。

(19)　チュロスもカルタゴも古代地中海の港湾都市であるが、前九世紀にカルタゴを建設したのはチュロスのフェニキア人であった。このチュロスとカルタゴの関係がナンターケットとニュー・ベッドフォードの関係に相似していることを言っている。ナンターケットはマサチューセッツ州コッド岬南方約五〇キロの大西洋上にある面積約一五〇平方キロ、長さ二二キロの島。もともとインディアンしか住んでいなかった平坦な砂地ばかりの不毛な土地柄で農業はふるわなかったが、一六五九年から白人による入植がはじまり、一六九〇年代にはクエイカー教徒が大量に入植してここに一大捕鯨基地を建設し、この島の捕鯨業はアメリカ革命(一七七四―一七八三年)直前には最盛期に達し、当時は一五〇隻の捕鯨船を保有したという。そして一八世紀末、対岸のアクーシュネット河口にニュー・ベッドフォードを建設して鯨脳油と鯨油の本土への輸入港とし、またこの町を捕鯨基地として発展させたのもナンターケットのクエイカー教徒たちだった。メルヴィル自身がフェアヘイヴンから捕鯨船「アクーシュネット号」に乗り、ニュー・ベッドフォードを右舷に見て、アクーシュネット川の河口から大西洋・太平洋の捕鯨の旅に出発した一八四一年には、ニュー・ベッドフォードだけで一七〇隻の捕鯨船を擁し、四千人が捕鯨産業にたずさわり、当時のアメリカの鯨脳油・鯨油の全生産量の三分の一をまかなっていたという。

(20)　「創世記」一九・二四―二五には「主はソドムとゴモラの上に天から、主のもとから硫黄の火を降らせ、これらの町と低地一帯を、町の全住民、地の草木もろとも滅ぼした」とある。このふたつの町に神が禁じた「悪徳」がはびこったせいである。ちなみに前者に由来する英語 "sodomy" には「男色」の意がある。

(21)　トペテとは地獄のことだが、「暗闇の黒さ」は英語の聖書では "blackness of darkness"(「ユダの手紙」一三)となっているが、日本語の聖書では単に「暗闇」となっている。次行の「泣き、わめき、歯ぎしりする者」については「マタイ」八・一二を見よ。

(22) パウロの警告を無視した船を襲った暴風。「人々は望みどおりに事が運ぶと考えて錨を上げ、クレタ島の岸に沿って進んだ。しかし、間もなく『エウラキロン』と呼ばれる暴風が、島の方から吹き降ろして来た」(「使徒言行録」二七・一三—一四)。

(23) 西欧中世で書物の印刷に用いられたゴシック文字。

(24) 「ある金持ちがいた。いつも紫の衣や柔らかい麻布を着て、毎日ぜいたくに遊び暮らしていた。この金持ちの門前に、ラザロというできものだらけの貧しい人が横たわり、その食卓から落ちる物で腹を満たしたいものだと思っていた。犬もやって来ては、そのできものをなめた。やがて、この貧しい人は死んで、天使たちによって宴席にいるアブラハムのすぐそばに連れて行かれた。金持ちも死んで葬られた。そして、金持ちは陰府《よみ》でさいなまれながら目を上げると、宴席でアブラハムとそのすぐそばにいるラザロとが、はるかかなたに見えた」(「ルカ」一六・一九—二三)

(25) アメリカで禁酒協会が最初に結成されたのは一八〇八年、ニューヨーク州サラトガにおいてであったが、禁酒のすすめが全国規模の運動になりだしたのは一八四〇年代になってからであり、その行き着いた先が一九一九年の禁酒法の成立であった。

(26) 土、空気、火、水。

(27) 「ヨブ記」(四〇・二五—四一・二六)に出てくる水棲の巨大な幻獣「レビヤタン」は、神をのぞき世界最強の海の生き物とされている。また神の力の象徴とされている。「詩篇」七四・一四では、この怪獣は神によって殺されて荒野のヘブライびとの食べ物として供された多頭の怪獣とされている。

また「イザヤ書」二七・一では、神はイスラエルの敵を象徴する蛇を殺すとされている。なお、本書『白鯨』ではしばしば鯨の同意語として使われているが、そのばあい、訳語としてはいくらか英語化された表記「レヴィヤタン」をとった。ただし「抜粋」に出てくるホッブズの「国家」の象徴としての怪獣は、その書の英語読みに近い「リヴァイアサン」にした。また、聖書の引用箇所では、「レビヤタン」とした。

(28)　この曖昧朦朧とした一幅の油絵の記述は、その曖昧さにもかかわらず、イギリスの画家J・M・W・ターナー(一七七五―一八五一)のやはり朦朧とした一種の抽象画である「捕鯨船」(一八四五年)を明瞭に思い出させる。ちなみにメルヴィルはターナーを敬愛し、その絵の銅版画を収集していた。ロバート・ウォレスに『メルヴィルとターナー』(一九九二年)という両者の芸術観と技法を比較研究する大著がある。ちなみに、この絵の主題をメルヴィルが「暴風にもまれるホーン岬まわりの船」としたのは、メルヴィル自身が乗った捕鯨船アクーシュネット号もこの難所まわりで太平洋に出たことと無関係ではあるまい。

(29)　おそらく南米ペルー海岸にある岬のことだろうが、その「白い《ブランコ》」岬は「白鯨」の「白」と関係づけるためにえらばれた岬の名であろう。

(30)　旧約聖書の「ヨナ書」によれば、アミタイの子ヨナは、アッシリアの都ニネヴェが滅亡するという預言をその都市につたえるよう神に命じられたが、その使命を回避すべくヨッパ(現在のテルアヴィヴ・ヤッファ)の港から船出して海に逃れた。ところが暴風にあって船乗りたちによって海に投じられ、大魚にのみこまれ、三日三晩ののちに陸に吐き出されたので、ついに神命にしたがい、ニネヴェの人たちに預言をつたえ、ためにニネヴェは救われることになる。しかし、この「ヨナ」とあだ名された老人は、悔い改めることなく「水夫たちに、金と引き換えに、酩酊と死を高く売りつけていた」ところから判断するに、「すみやかなる滅び」はさけがたい種類の人間だろう。

(31) 捕鯨船員が暇つぶしに鯨の歯や骨、ときにはセイウチの牙などにジャック・ナイフのような粗末な道具を用いて海の景色、捕鯨のようす、さまざまな模様、標語などを彫り込み、そのあとに煤《すす》やインクなどを刷り込んでからふきとって完成させる装飾品。今日ではその希少性のために芸術品や骨董品として高値を呼んでいる。第五七章の第二段落参照。

(32) マンハッタン島の南端にある公園。かつてニューヨーク港の守りをかためた砲台の跡がある。

(33) 丈の短いぴったりした水夫用のジャケット。

(34) 喫水線下の修理をするための防水がほどこされた頑丈な箱で、そのなかに人がはいって作業をする。

(35) ここで初登場する、この物語でいかにも重要な役割を果たしそうなこの人物は、ここで姿をけしたまま第二三章「風下の岸」までふたたび姿をあらわすことはない。メルヴィルは作家としてのつごうでバルキントンの活用を断念したので——小説のプランを変更したので——わざわざ「風下の岸」なる一章をもうけてバルキントンへのはなむけとしたのかもしれない。

(36) 宿の亭主がイシュメールのことを「スクリムシャンダー」と呼ぶ真意は忖度するよりほかはないが、イシュメールを一種の芸術家と見てとってのことか。訳注(31)参照。

(37) アイスランドの火山。ときおり大噴火をくりかえすが、そうでないときは雪におおわれている。表面は冷静だが、内面はカッカとしていることのたとえ。

(38) 牛身人頭のミノタウロスが幽閉されたクレタ島の複雑な迷路(ギリシャ神話)。

(39) アメリカの銀器や刃物の製造会社。
(40) 捕鯨船の乗組みではあるが、捕鯨そのものには直接たずさわらない船員。
(41) ジョン・レドヤード、マンゴ・パークはともに一八世紀後半に活躍した探検家。
(42) フィージー、トンガ、エロマンゴなどは実在の南太平洋の島々であるが、あとはあやしい。しかしクイークェグはこの種の島の出身という設定だろう。
(43) セレベス島とニューギニア島とのあいだにあるインドネシアに属する香料群島。
(44) 正式には "The Seaman's Bethel on Johnny-Cake Hill"。現在でも捕鯨博物館の反対側に立っているが、これは一八六六年の火災のあとで再建されたもの。
(45) インドのボンベイ沖のエレファンタ島にあるヒンドゥー教の石窟寺院。
(46) テムズ川河口の浅瀬。おおくの船が座礁した。
(47) 当時の聖書解釈的年代による数値。ただし各種の「年代解釈法」があり、アイルランドのアッシャー大主教(一五八一—一六五六)の計算によれば、天地創造が行なわれたのは前四〇〇四年であった。ところが一九世紀になると前二、三世紀になされた『七〇人訳聖書』(*Septuaginta*)の年代計算に復帰する傾向がおこり、これによると天地創造は前五四一一年に設定されたので、通説にしたがってアダムの寿命を九三〇歳だったとすれば、『白鯨』(一八五一年)が出版されたのはアダムの死後六千三百余年という計算になる。すなわち「六〇世紀もまえ」になる。
(48) ボストンの有名な牧師エドワード・テイラー(一七九三—一八七一)とニュー・ベッドフォードの海員教会の牧師イーノック・マッジ(一七七六—一八五〇)の合成か。メルヴィルは、一八四〇年一二月二七日、アクーシュネット号で太平洋に出かけるまえに後者の説教を聞いている。

(49) 前段落のケベック要塞はセント・ロレンス川の断崖上に立つ北米随一の難攻不落を誇った城砦。エーレンブライトシュタイン砦はドイツのライン河畔、コブレンツの対岸の岩山を利用した城砦。メルヴィルは前者を一八四七年、後者を一八四九年に見学している。

(50) 「コリントの信徒への手紙二」九・二七を見よ。そこには「むしろ、自分の体を打ちたたいて服従させます。それは、他の人々に宣教しておきながら、自分の方が失格者になってしまわないためです」とある。

(51) イエス・キリストはしばしば「万世不易の岩盤」にたとえられる。

(52) 「箴言」一三・二四に「鞭を控えるものは自分の子を憎む者。子を愛する人は熱心に諭しを与える」とある。

(53) 「骨相学」は頭蓋骨の形態によって人間の性格を研究する当時流行の疑似科学。個人のみならず、人種についても、その頭蓋骨の形態的特質によってステレオタイプをつくりあげ、人種的偏見を助長した。ゆえに、メルヴィルのように、ポリネシア人クイークェグの頭蓋骨と白人ジョージ・ワシントンの頭蓋骨を「好意的に」比較するような骨相学者は、当時はまずいなかったであろう。

(54) ここでイシュメールは自分のことをピューリタンの一派「長老派教会」に属する純粋なクリスチャンであると宣言しているわけだが、キリスト教の黄金律とは「人にしてもらいたいと思うことを、人にもしなさい」(「ルカ」六・三一、「マタイ」七・一二)である。ところがこの教えを忠実に守ると、重大なジレンマにおちいる。すなわち、クイークェグという「偶像崇拝者」を「こころの友」としてえらんだイシュメールは、クイークェグがしてもらいたいと思っているように偶像ヨージョをおがまねばならないはめになる。これは、立派なクリスチャンであるためには偶像崇拝者にならねばならない、という理屈で、この矛盾、撞着は無類におかしい。また「出エジプト記」(二〇・三—五)には、「あなたには、わたしをおいてほかに神があってはならない。あなたはいかなる像も造ってはならない。上は天にあり、下は地にあり、また地の下の水の中にある、いかなるものの形も造ってはならない。あなたはそれらに向かってひれ伏したり、それらに仕えたりしてはならない。わたしは主、あなたの神。わたしは熱情の神である」とある。するとイシュメールはこのモーセの十戒のひとつも完全に無視しようとしていることになる。ちなみに、引用の日本語訳聖書で「熱情の神」となっているところは、メルヴィルが読んでいた欽定訳聖書(一六一一年)では“a jealous God”となっている。イシュメールの思惑とは反対に「ねたむ神」と解することもできる。

(55)　一九世紀には隆盛をきわめたロング・アイランドの捕鯨港。

(56)　このロシア大帝は、一六九七年に「大使節団」をヨーロッパに派遣し、自分も名を変えてこの一員に加わり、造船技術をまなぶためにイギリスの海軍工廠で一介の工員としてはたらいた。

(57)　フェアヘイヴンとニュー・ベッドフォードはこの川をはさんで位置している。訳注(16)を参照。

(58)　イギリス海峡にある灯台。

(59)　一八世紀末にポーランドを分割したのはプロシア、ロシア、オーストリアの三国。アメリカがテキサスを合併したのが一八四五年、ユタ、ネヴァダ、ニュー・メキシコ、アリゾナ、カリフォルニアを合併したのが一八四八年。そのころ大英帝国はすでにインドを支配下におさめていた。

(60)　「彼らは、海に船を出し／大海を渡って商う者となった／彼らは深い淵で主の御業を／驚くべき御業を見た」(「詩篇」一〇七・二三—二四)。

(61)　一五六三年に制定された英国国教会の信仰箇条。

(62) “titbit”には“a choice morsel of food”の意味があるが、船の名前としての“The Tit-bit”というのは「すぐ」にはピンとこない。

(63) 「ピークオッド」あるいは「ピーコット」は(マサチューセッツのではなくコネチカットの)インディアンの部族名であるが、この部族は一六三七年にピューリタンたちに襲われてほぼ全滅した。白人が北米で行なったインディアン大規模殺戮のはしりである。このことをメルヴィルが「古代メディア人のように絶滅した」部族と記述しているのは正しい。この絶滅させられたインディアンの名をもつ捕鯨船ピークオッド号が、白人船長の指揮のもとにアメリカ合衆国そのもののような多様な人種からなる乗員をのせて、白人の心性の象徴そのもののような「白く巨大な鯨」を追跡して、かえってその「白い鯨」の反撃をうけてほとんど完璧に絶滅させられるというこの『白鯨』という小説の錯綜した寓意は、そう簡単には解明できそうにない。

(64) 聖トマス・ア・ベケット(一一一八頃―一一七〇)のこと。カンタベリー大司教をつとめたが、王の刺客によって大聖堂の敷石のうえで殺害された。

(65) ここで「ピークオッド号」は長い「舵柄」をもつ舵を装備しているように書かれているが、あとでは(第六一章、第一一八章を見よ)回転式の「舵輪」を装備していることになっている。

(66) ニューヨーク州に住んでいたアルゴンキン・インディアンの一部族。

(67) ナンタケットの方言は圧倒的にクエイカー教徒の用語法の支配下にあり、たとえば第二人称には欽定訳聖書に用いられた“thou”や“thee”を用いた。

(68) ナンタケットから本土のコッド岬までは北に約五〇キロはなれているが、マーサズ・ヴィニャード島は西のすぐ近くにある。

(69)「エイハブ」というのは元来不吉な名である。旧約聖書(「列王記上」一六・二八―二二・四〇)によれば、アハブはエホバを捨て、邪神バアルに仕えて偶像崇拝者になった。彼は「サマリアにさえバアルの神殿を建て、その中にバアルの祭壇を築いた。アハブはまたアシュラ像を造り、それまでのイスラエルのどの王にもまして、イスラエルの神、主の怒りを招くことを行った」人物である。アハブは最後には戦闘で死に、その死体をはこんだ戦車を池で洗おうとしたところ、「犬の群れが彼の血をなめ、遊女たちがそこで身を洗った」という。『白鯨』のエイハブはこのアハブに似ているところもあるが、ピーレグ船長は「エイハブにはエイハブなりの人間性がある」(本書二二七頁)と指摘している。

(70) ピーレグの名も、すぐ後に出てくるビルダッドの名も聖書に由来する。ピーレグは「正しき人」であったが、ビルダッドもヨブに災難がふりかかってきたとき、それが神の裁きであることをヨブに説いてなぐさめた「信仰篤き人」である。ところでピークオッド号の大株主であり、船員の選択をまかされているふたりの「船長」は、乗組みよりも船主の利益を優先したので、イシュメールは不当に低い配当金で乗船契約をすることになるが、これも船主やこの船に投資した「貧しき者たち」に対しては良心的なるゆえんであろう。

(71) クエイカー教徒はプロテスタントに属する一派で、別名「フレンド派」(Society of Friends)。一般に日本では「キリスト友会」と呼ばれている。一七世紀イギリスの急進的ピューリタンの神秘主義に端を発する。信者たちが、自己の信仰を肉体の震動によって表現したため、この名がある。創始者ジョージ・フォックス(一六二四―一六九一)は、既成の宗教に満足できず、人々に「内なる光」(良心=神)に基づく宗教生活をすすめた。同派は、聖霊に関する教義に注目し、神と人間の魂との密接な関係によってもたらされる回心を何よりも重視した。また、イエス・キリストの教えに絶対にしたがうことを旨とした。しかも、それを自己にそなわる「内なる光」のみを仲介に行なったので、たとえば神が平和を求めていることを「内なる光」によって無媒介に感得すると、たとえ社会的通念に反しようとも、行動において兵役拒否などをもふくむ平和主義に徹した。ゆえに「戦うクエイカー教徒」とはいくらか語の矛盾なのである。

(72) この「配当」(lay)という賃金制度は一六世紀デンマークのグリーンランド鯨漁ではじまったとされる。メルヴィルの時代では、船長が八番から一七番配当、つまり全利潤の八分の一から一七分の一を受けとるのがふつうだった。つづけて一等航海士が二〇番配当、二等航海士が四五番配当、三等航海士が六〇番配当、操舵手が八〇から一二〇番配当、平水夫が一二〇から一五〇番配当、新米に対する「長番配当」(long lay)が一六〇番から二〇〇番配当というところが相場であった。

(73) 「あなたがたは地上に富を積んではならない。そこでは、虫が食ったり、さび付いたりするし、また、盗人が忍び込んで盗み出したりする。富は、天に積みなさい。……あなたの富のあるところに、あなたの心もあるのだ」(「マタイ」六・一九―二一)

(74) 「創世記」五・三一に「レメクは七百七十七年生き、そして死んだ」とあるから、配当順位の低さもさることながら、こう七が並ぶ数字は縁起もよくない。

(75) イシュメールが他人にその名で呼ばれる唯一のケース。訳注(4)参照。

(76) マーサズ・ヴィニャードの最西端の岬。タシュテーゴの生地でもある。

(77) 植民地時代のニュー・イングランドではピューリタン左派の「組合教会」(Congregational Church)が支配的で、ほとんどの町にはその派の「教会」(meeting-house)があり、そのうちいちばん古く由緒正しいのが「第一組合教会」だった。

(78)「執事」(Deacon)は牧師を補佐するために平信者からえらばれる。執事の名「デュートロノミ」は旧約聖書のモーセ五書中の第五書「申命記」(Deuteronomy)からとられたもので、人名を聖書中からとるのがならいであった当時でさえ、聖書の「書名」からとるのはまれであり、極端であり、それゆえ大げさで、滑稽な感じさえする。

(79) ユダヤ人に敵対していた部族。偶像を崇拝した人たちとされる。キリスト教徒たちの用いる悪口。

(80) ピーレグ船長はクイークェグのことをわざと当地のハマグリの名「クォーホッグ」と間違えて呼び、ひそかに彼の「改宗」をはかっていたのかもしれない

(81) クイークェグは文字が書けないので、署名のかわりに「奇妙なまるい入れ墨模様」をしるすことになるが、この記述では正確にはどのような「符丁」をしるしたのかがわからない。それゆえ、これまでの内外の『白鯨』諸版は「しるし」のかわりに各種の印刷符号を代用してきたが、本書では無限大記号に似たロックウェル・ケント(一八八二―一九七一)のイラストを借用した。なおポリネシア人は顔の入れ墨模様の一部を署名として用いる習慣があったという説もある。もっとも、ここでクイークェグは「腕」の入れ墨模様の一部を模して署名がわりにしているのだが。

(82) この人物の左腕がどのように具合が悪いかはどこにも書いてない。それどころか、第二一章の冒頭で、イシュメールとクイークェグの肩に手をかけたりもしている。

(83) 旧約聖書最大の預言者。アハブ(エイハブ)の没落を預言し、そのとおりになった。訳注(69)参照。

(84)「何故、お前たちはわたしの民を打ち砕き、貧しい者の顔を臼でひきつぶしたのか」(「イザヤ書」三・一五)

(85) リヴァプールの売春婦が出没する横町。

(86) アイザック・ウォッツ(一六七四—一七四八)。生前、数おおくの賛美歌集を編纂した。

(87) こう書かれていると、この後もしばしばイシュメールは「蹴られる」ように思われそうだが、夢のなかでのことはさておき、イシュメールにかぎらず、船長に水夫が「蹴られる」記述はこれが最初で最後である。このことをNN版の編者は、『白鯨』創作のある段階では、エイハブではなくピーレグがピークオッド号の船長をつとめる予定だったと推測する根拠のひとつにしている。

(88) この章でイシュメールは捕鯨のために大いに弁ずるのであるが、その情報源としてはトマス・ビールの『マッコウ鯨の博物誌』(一八三九年)、ウィリアム・スコーズビー・ジュニアの『極地報告、および北洋捕鯨の歴史と記述』(二巻本、一八二〇年)、J・ロス・ブラウンの『ある捕鯨航海の素描』(一八四六年)などを大いに利用したことが知られている。訳注(115)参照。

(89) アメリカ海軍士官の名刺の肩書きはU.S.N.(United States Navy)であった。

(90) 一七世紀オランダの有力な政治的指導者ヤン・デ・ヴィット(一六二五—一六七二)が、海軍と捕鯨船団や商船団を統合して国力の増進をはかった時代。

(91) ジェイムズ・クック(一七二八—一七七九)はオーストラリア、ニュージーランド、南極大陸を探検し、ジョージ・ヴァンクーヴァー(一七五八頃—一七九八)はオーストラリア、ニュージーランドの地図を作成し、北米北西海岸を踏査した。ふたりはともにイギリス人。少し後に出てくるアダム・ヨハン・フォン・クルーゼンシュテルン(一七七〇—一八四六)は北太平洋を探検したロシアの航海家。一八〇四年には通商をもとめて長崎に来航したこともある。また、ここで言及されている「探検航海」とは米国海軍の軍人チャールズ・ウィルクス(一七九八—一八七七)の指揮のもとに行なわれた太平洋・大西洋の探検のことをさす。その報告書『アメリカ合衆国探検物語』(一八四四年)は五巻からなり、その記述と図版は、当時、太平洋に関するもっとも権威ある資料であった。

(92)　ペルーは一八二四年、チリは一八二八年、ボリヴィアは一八二五年にそれぞれ独立したが、鯨捕りが「この地域に永遠の民主主義を確立するようすが」になったかどうかは疑問である。

(93)　オーストラリアをオランダ人やスペイン人が発見したのは一七世紀初頭であるが、一七八八年に囚人用の植民地としてこの大陸を開発したのはイギリスの捕鯨船であり、一七七八年以降のことに属する。またポリネシア諸島を最初におとずれたのもアメリカの捕鯨船ではなくイギリスの捕鯨船で、ほぼ同時期のことだった。アメリカの捕鯨船団が日本近海に最初に出没したのもイギリス人だった。本格的に日本の太平洋沿岸沖の漁場、いわゆる「ジャパン・グラウンド」に進出するようになったのは一八二〇年頃からである。桑田透一『開国とペルリ』(日本放送出版協会、一九四一年)の「序」に「ペルリは日本開国の恩人にあらず、真の恩人は日本近海の鯨族である」とあるように、一八五四年に調印された日米和親条約のアメリカ側のねらいのひとつは捕鯨船に対する欠乏品の補給と漂流船員の保護にあったことはたしかである。ちなみにペリーの艦隊が最初に浦賀沖に姿を見せたのが一八五三年、ハリスが下田に駐在して実際に国交がはじまったのが一八五六年であるから、一八五一年に『白鯨』を発表したメルヴィルが「日本の開国は目前にせまっている」と書いたのは真に迫っている。また桑田によれば「日本近海に出没せる米国捕鯨船は一八四三年(天保十四年)に百八隻を算し、越えて四年目の一八四六年(弘化三年)には二百九十二隻と約三倍し、同年から一八六〇年(万延元年)に至るまでは少くも百隻の米捕鯨船の出漁を見……慶応の初年頃まではなほ年々六七十隻は日本近海に出没してゐた」(二四頁)という。

(94) アングロ・サクソンの偉大なる王アルフレッド(八四九―八九九)のこと。「抜粋」の九番目を見よ。

(95) エドマンド・バーク(一七二九―一七九七)は『崇高と美の観念の起源に関する哲学的探究』(一七五七年)などの著作でも有名だが、政治家としても有能で、大臣や国会議員になり、当時のイギリス政府のアメリカ政策に反対する演説を議会で行ない、アメリカ捕鯨のために弁じ、『フランス革命についての省察』(一七九〇年)という本ものし、これはヨーロッパ中で読まれた。

(96) ピーター・フォールジャー(一六一七頃―一六九〇)の妻。その娘アバイアはボストンのジョサイア・フランクリンの後妻におさまり、その一〇番目の息子がベンジャミン・フランクリン(一七〇六―一七九〇)であった。

(97) 前者の原注については第九〇章を、後者の原注については、第八二章を見よ。

(98) 秋の終わりに南半球の中天にかかる大型の星座。

(99) ここでメルヴィルは自分自身のことに言及している。初期のアメリカ作家で大学を出ていないのはメルヴィルぐらいであった。メルヴィルの知己でもあった『平水夫としての二年間』の著者デーナ(訳注(9)参照)はハーヴァード大学出であり、フェニモア・クーパー(一七八九―一八五一)にしてもイェール大学に二年在学した。ホーソーン(一八〇四―一八六四)はボードン大学出であったし、ポー(一八〇九―一八四九)は一年で中退こそしたが、ヴァージニア大学で学んだ。

(100) この短い「追記」という章は、『白鯨』が『鯨』の題名でイギリスにおいてアメリカ版よりさきに出版されたときにはなかった。英国版ではイギリス王室に対する揶揄のゆえに自主削除したものか。

(101) ナンターケットのクエイカー教徒のあいだではありきたりの名前。この実直で信心ぶかく、それでいて功利主義的でもある男の名は、最近ではスターバックス・コーヒー・チェーンによって日本でも知られるようになった。このチェーンのホームページには「スターバックスの名前はハーマン・メルビルの小説『白鯨』に登場するコーヒー好きの一等航海士スターバックに由来しています」とある。ただし、スターバックが「コーヒー好き」であったかどうかは保証のかぎりではない。

(102)　マサチューセッツ州では一九世紀になっても、植民地時代からの慣例で「断食日」があった。

(103)　船上において経度測定に用いる、きわめて精度の高い時計。イギリス人ジョン・ハリソン(一六九三—一七七六)の発明による。一日に誤差三秒という正確さ。海上における船の位置はこの時計がしめすグリニッジ時間と天測による「現地時間」との差にもとづいて計算される。

(104)　「トリスメギストスの言うところによれば、神はひとつの円であり、その中心は、あらゆるものの存在がそれに由来する不変の本質にほかならず、かつどこにも存在するが、その周縁、すなわち神の不可知的無限性はどこにも存在しない」(トマス・ブラウン卿『謬見の伝染』第七巻第三章)。メルヴィルはブラウンの愛読者だった。

(105)　ここに出てくるのは、卑しい身分や貧困から出発しながら、それぞれの分野で「偉大な仕事」をなしとげた人たちであるが、この言及にはメルヴィル自身の境遇に対する思い入れもふくまれている。メルヴィルは作家になるまで、父親が破産したこともあって、貧困に苦しみ、平水夫や水兵としての苦しく困難な生活を体験した。バニヤン(一六二八—一六八八)は鋳掛け屋としてはたらきながら議会派として清教徒革命戦争(一六四四—一六四五年)に参加し、一六五三年には教団に加わり、ベッドフォード周辺で説教をしてまわり、そのために一六六〇年には逮捕されて一二年間も監獄生活を強いられながら、人生を天国への旅と見たてた寓話『天路歴程』(一六七八、一六八四年)を書いて名をあげた。『天路歴程』は、アメリカではメルヴィルの時代にもひろく読まれていた。メルヴィルが『白鯨』をささげたホーソーンもこの本をこよなく愛した。セルバンテス(一五四七―一六一六)はもちろん『ドン・キホーテ』(一六〇五、一六一五年)の作者であるが、彼も裕福ではなく、大学も出ていない。たしかに彼の左腕には不具合があったらしいが、「切断」されてはいなかったようだ。この章「騎士と従者(その一)」はその題名からして『ドン・キホーテ』をしのばせる。アンドリュー・ジャクソン(一七六七―一八四五)も極端に貧困な幼少時代をへて、やがてインディアンの撲滅戦やイギリスとの戦争で戦果をあげて軍人として名声を博し、大衆をまきこんだ選挙運動を展開して第七代大統領(一八二九―一八三七年)になり、各種の「民主的」改革を行ない、民衆による支配というレトリックをアメリカ政治に定着させた人物だった。

(106) "Stubbs" ならニュー・ベッドフォードやナンターケットにはざらにある名前であるが、"Stubb" というそっけない実名はない。ただ、その普通名詞的意味から推測すると、スタッブは背が低くずんぐりしていたのかもしれない。

(107) フラスクは「フラスコ」または「酒ビン」を意味するから、彼の酒好きの傾向を示唆しているのかもしれないが、フラスクの体格については「短い角材」のように「ずんぐり」しているがゆえに「キング・ポスト」とあだ名されているとの記述もある。

(108) ペルシャ王クセルクセス(前四八六頃―前四六五年在位)の別名。「エステル記」一・一に「クセルクセスは、インドからクシュに至るまで百二十七州の支配者であった」とある。

(109) アナカーシス・クローツ(一七五五―一七九四)はプロイセンの男爵だったが、フランス革命(一七八九年)に共鳴してパリ入りし、一七九一年七月には三六カ国の代表を引き連れて国民議会に乗り込み、全人類が「革命」の理念のもとに団結することを訴える演説をした。彼はその代表団を「人類の使節団」と称し、自分のことを「人類の弁士」と称した。

(110) ベンヴェヌート・チェリーニ(一五〇〇―一五七一)作の、ペルセウスが打ち落としたメデューサの首を勝ちほこってかかげる有名なブロンズ像「ペルセウス」は現在でもフィレンツェにあるが、その銅版画をメルヴィルは所有していた。メデューサは頭髪が蛇で黄金の翼をもち、見る者を石に化す力をもつ三人姉妹のゴルゴンのひとりだが、他の姉妹とちがって不死ではなかった。ゆえにペルセウスに殺される(ギリシャ神話)。

(111) マスト(檣)を左右の舷牆(bulwark)に支持するために張る幾条もの索が"shrouds"すなわち支檣索であるが、日本でも船員のあいだでは「シュラウズ」で通用しているらしい。索を張るマストによって"main shrouds"(主檣シュラウズ)、"mizzen shrouds"(後檣シュラウズ)などと呼ぶ。

(112) ほとんど赤道直下にありながら、二八五〇メートルの高地に位置するエクアドルの首都キトは、年間の気温差が一度以下という常春《とこはる》の気候にめぐまれている。

(113) アイルランド・イングランド民謡で、人の夢をつかさどるいたずら好きの妖精の女王。シェリーに同名の詩篇があり、シェイクスピアの『ロミオとジュリエット』(一・四・五四)にも出てくる。

(114) イギリスの最高勲章。一三四八年ごろのエドワード三世の制定によると言われている。ガーターとは「靴下留め」のことであり、俗説によれば、王とダンスをしていたさる伯爵夫人がガーターを落とし、これを笑った者に、王が"Honi soit qui mal y pense."(悪を思うものに災いあれ)とフランス語でとがめ、その靴下留めを拾ってみずからの脚につけたことから、その騎士道精神をたたえて採用されたと言われる。正式の服装として、ガーター勲章は左膝下につける。また女王はこの勲章をさずけるとき、剣の背で叙勲者の肩をたたく。

(115) 「鯨学」の「最高権威者たち」のうちメルヴィルが恩恵をこうむり、よく利用したものについてはすでに言及した(訳注(88)参照)。ここではヘンリー・T・チーヴァー『鯨とその捕獲者、またはプレブル提督が帰航の途次に収集せる捕鯨者の冒険談と鯨の生態』(一八四九年)を付加しておく。

(116) ジョルジュ・キュヴィエ男爵(一七六九—一八三二)とルネ・プリミヴェール・レソン(一七九四—一八四九)はともにフランスの動物学者、ジョン・ハンター(一七二八—一七九三)は早い時期に鯨の解剖学的所見を『王立協会会報』に発表した人物。

(117) ここに列挙されている「鯨の権威者たち」のなかには、すでに「抜粋」で取り上げられている者もいるが、ウリッセ・アルドロヴァンディ(一五二二—一六〇五)はイタリアの博物学者、コンラッド・フォン・ゲスナー(一五一六—一五六五)はスイスの生物学者・博物学者、ジョン・レイ(一六二七—一七〇五)は動植物の体系的分類を試みたイギリスの博物学者、フランシス・ウィロビー(一六三五—一六七二)はレイの弟子、ロバート・シバルド(一六四一—一七二二〔"Sibbald's rorqual"「シロナガス鯨」はその名にちなむ〕)はスコットランドの博物学者・医学者で王立エディンバラ医科大学の創設者、カール・フォン・リンネ(一七〇七—一七七八)はスウェーデンの植物分類学者、ラセペード伯爵(一七五六—一八二五)はフランスの博物学者ビュフォン(一七〇七—一七八八)の弟子。リチャード・オウエン(一八〇四—一八九二)はイギリスの解剖学者・古生物学者。『ミリアム・コフィン』(一八三四年)の著者はジョゼフ・C・ハート。フランシス・アリン・オームステッドは『ある捕鯨航海の物語』(一八四一年)の著者。なお、フレデリック・キュヴィエ(一七七三—一八三八)はキュヴィエ男爵の弟にあたり、『鯨類の博物誌』(一八三六年)を著した。

(118)　この「オウエン」はリチャード・オウエンを指すが、『白鯨』の主題との関連においてオウエン・チェース(一七九六―一八六九)のことも思い出させる。後者はナンターケットの生まれで、捕鯨船エセックス号の一等航海士をつとめ、同船が一八二〇年一〇月にマッコウ鯨に沈没させられてから大海をボートでただよい、仲間の死肉を食べるような苦難をあじわった。このことは第四五章「宣誓供述書」のなかで、マッコウ鯨がときとして意図的に船を襲うことがある事例として言及され、チェースの体験記『太平洋上において巨大なるマッコウ鯨に襲われ、ついに沈没するに至ったナンターケットの捕鯨船エセックス号にまつわる遭難の物語』(一八二一年)からの引用によって補強されている。本訳書の中巻五九、六〇頁参照。

(119)　ロンドンの中心部にある広場。ここで王の即位が宣言されるのがならわしとなっている。

(120)　フレデリック・デベル・ベネット『世界一周捕鯨航海記』(一八四〇年)。「抜粋」を見よ。

(121)　「ヨブ記」四一・四―九。

(122)　ここはラテン語のまま引用されているが、もちろん、リンネの説は科学的にただしい。鯨が魚でなく、哺乳類であることは今日ではだれもが知っている。鯨捕りもやったことのあるメルヴィルがほんとうに知らなかったはずはない。第八七章「無敵艦隊」では鯨のハーレム、授乳、へその緒をつけた子鯨のことなどがえがかれているし、第九五章「法衣」はもっぱら鯨捕りたちによる鯨のペニスの奇想天外な利用法を語る章である。ゆえにメルヴィルが鯨を「水平の尾をもつ潮を吹く魚」と定義したときの「魚」(fish)は形態が魚に似ている水生動物のことであると解すればたりる。「ヨナ書」二・一にも「主は巨大な魚に命じて、ヨナを呑み込ませられた」とあるが、この魚が鯨であることに疑問の余地はない。また「創世記」七・二二にはノアの洪水のために「その鼻に命の息と霊のあるものはことごとく死んだ」とあり、これは鼻で息をするものは例外なく死んだということであろうから、鼻で息をする鯨も溺れて死んだことになり、理屈にあわない。聖書も鯨を魚と定義しているのである。世の不信ならざる者は、すべからく鯨を「魚」と信じておいたほうが無難なのである。

むろん上記のことは「科学的」記述ではない。今日では、鯨は生物学的には、いわゆる鯨ひげを上あごから生やす「ヒゲ鯨」と歯をもつ「歯鯨」の二亜目に大別され、ナガス鯨、セミ鯨、ザトウ鯨などがヒゲ鯨に属し、マッコウ鯨やシャチ、それにイルカ類が歯鯨に属することは周知のことである。つまり現在、鯨は大きさによらず、歯のあるなしによって分類されていると言える。

(123) 二つ折り判(Folio)、八つ折り判(Octavo)、一二折り判(Duodecimo)は印刷業者や出版業者が本の大きさを言うのに用いる専門用語で、この順で小さくなる。「全紙」を二つに折ったものが“Folio”で本のなかではいちばん大型、四つに折ったものが“Quarto”、六つに折ったものが“Sixmo”ないし“Sexto”、八つに折ったものが“Octavo”、一二に折ったものが“Twelvemo”ないし“Duodecimo”、一六に折ったものが“Sixteenmo”ないし“Sextodecimo”、一八に折ったものが“Eighteenmo”ないし“Octodecimo”となるが、なぜメルヴィルが「四つ折り判」以下を「八つ折り判」まで省略し、「一二折り判」より先は完全に省略したかについては、三五二頁の原注を見よ。

(124) ここでメルヴィルは鯨の名についての「学」をひけらかして、ギリシャ語、フランス語、ドイツ語を引き合いに出している。“Trumpa whale”は先ぶとのトランペットに姿が似ているところから。また“Physeter whale”はギリシャ語の「潮を吹くもの」(physeter)から。“Anvil Headed whale”は「鉄床《かなとこ》」(anvil)のような形態から。“Cachalot”はフランス語で「歯が生えている」を意味する“cachalut”に由来し、この歯鯨を代表するマッコウ鯨の名として由緒正しい語であると言える。“Pott-

fisch" は英語で言えば "pot fish" つまり「ツボ鯨」といったところか。"Macrocephalus" はギリシャ語で「大きな頭」の意。

ちなみに、このすぐ後の箇所でメルヴィルはマッコウ鯨を「世界最大の住民」としていて、これは今日的知見からすれば正確さを欠くが、そんなことに目くじら立ててみても有益ではない。今日ではシロナガス鯨が「世界最大の住民」であることはだれでも知っているが、南極洋をすみかとするシロナガス鯨はメルヴィルの時代にはまだ知られておらず、そのつぎに大きいナガス鯨は「驚異的な遊泳力と速度」のために当時の帆船では「追跡は不可能」(本訳書三四八頁)、「捕捉不能」(第八一章)であったので、メルヴィルにその正確な知見がなかったとしても不思議はない。またマッコウ鯨よりいくらか大きいホッキョク鯨、グリーンランド鯨についてもメルヴィルには直接の知見はなかっただろう。しかし今日でもマッコウ鯨が歯鯨のなかで最大の鯨であることに疑問の余地はない。メルヴィルが問題にしていたのは実際の大きさよりも、喚起するイメージの大きさだったのであろう。

(125)　スウェーデン語としてメルヴィルが転記している "Growlands Walfish" は正確ではなく、すくなくとも現在では "Grönlands Valfisk" と表記するのが正しい。これは「グリーンランド鯨」の意である。なお、ここ、および次の段落でメルヴィルは、温帯水域のセミ鯨と北極海のグリーンランド鯨には本質的な差異がなく、同一種と見なしてよいと主張しているわけだが、これに対してC・W・ニコルは「これは間違いだ」と断定し、「メルヴィルの無知は、同時代のヤンキーの鯨とりが総体に無知だったことを示している」(「『白鯨』に対する異端的見解」、大橋健三郎編『鯨とテキスト』国書刊行会、一九八三年、三八〇頁)と付言している。ところが逆に、このことはメルヴィルの先見性をしめす事例としてもあげられる。最近ではセミ鯨とグリーンランド鯨を同種とする意見が有力になってきているからである。以下を参照されたい。

「一七〇〇年代に本種〔セミ鯨〕はホッキョククジラ〔グリーンランド鯨の和名〕とは違うと考えられて別の学名がつけられたが、ホッキョククジラと本当に別種であると確認したのは一八〇〇年代のなかばを越してから、Eschricht によってである……しかし黒田長礼(一九五三年)は、これを同種であるが三つの亜種と考え、太平洋産のものに関しては Eubalaena glacialis japonica と記載している。しかしこれより先、クジラの分類学の権威として知られる大英博物館の Fraser も、これを一種と考え、亜種も認めていない。また一九五六年、わが国でも研究を開始し、同年二頭、一九六一年に三頭、一九六二年に三頭を捕獲して調査した。これらの結果、やはり同一種であり亜種を分ける必要はないと考えられるようになった」(西脇昌治『鯨類・鰭脚類』東京大学出版会、一九六五年)。

(126) 「イザヤ書」三八・八に「見よ、わたしは日時計の影、太陽によってアハズの日時計に落ちた影を、十度後戻りさせる」とある。

(127) ここに出てくるハナヒロ鯨、デッパ鯨、トンガリアタマ鯨、コブ鯨、ウケクチ鯨、ハシナガ鯨、それに前出のカミソリ鯨、イオウバラ鯨、トランペット鯨、シオフキ鯨、カナトコ鯨などは、訳者の苦肉の命名であって、これらの名が日本で通用しているわけではない。

(128) ゲーテ(一七四九—一八三二)の『ファウスト』に登場する悪魔で、主人公ファウストが、地上の快楽を体験しつくす代償として魂を売った相手。悪の誘惑者。

(129) このへんのあやしげな話はたぶんにメルヴィルの「発明」らしい。リチャード・ハクルート(一五五二頃—一六一六)も『イギリス人の主要な航海』(一五八九、一五九八—一六〇〇年)ではたしかにマーティン・フロービシャー卿(一五三五頃—一五九四)の出港にさいしてエリザベス女王のお見送りがあり、また女王がイッカクの角をおもちであったことに言及があるそうだが、フロービシャー卿が角を献上した事実はなく、この逸話は女王の恋人だったとされるレスター伯（一五三二頃―一五八八）にあてつけたメルヴィルの揶揄だろう。

(130)「八つ折り判」に属するイルカのシャチとサカマタはれっきとした日本語だが、「一二折り判」に属する英語のイルカたちは、日本の漁師たちがシロイルカ、スナメリ、ネズミイルカ、イシイルカ、イロワケイルカ、メガネイルカ、マイルカ、マダライルカ、ハシナガイルカ、ユメゴンドウ、ヒレナガゴンドウ、ハナゴンドウ、……などと多彩に呼んでいるイルカのどれに相当するかを断定する能力は訳者にはないので、英語にちなんだ架空の日本語名をあたえておいた。

(131)　ここにあげられているような小型鯨を、メルヴィルは「廃語として無視する」と断言しているが、その気持はよくわかる。世界には予想外に鯨の数も種類もおおいのである。「世界には八三種類のクジラがいる」と小松正之『クジラその歴史と科学』（ごま書房、二〇〇三年）は書き出されている。むろん、そのなかにイルカもはいる。そのイルカも英語圏では“dolphin”（くちばしがあるイルカ）と“porpoise”（くちばしがないイルカ）の二種類にわけられている。水族館などでよく見かけるバンドウイルカやマイルカは鼻先がのびているが、これがドルフィンの特徴である。これに対して、頭がつるりと丸いのがポーパスの特徴である。イシイルカやネズミイルカがこれにあたる。そのうえ淡水にすむカワゴンドウやヨウスコウイルカのたぐいもいる。また、たいていのドルフィンの大きさは三メートル以下、ポーパスは二メートル以下であるので、歯鯨のなかで最大で体長も二〇メートルになんなんとするマッコウ鯨とくらべると卑小感は否めず、イルカがメルヴィルの巨鯨崇拝主義の間尺にはあわないのも無理はない。

(132) この部分の英語 "mere sounds, full of Leviathanism, but signifying nothing" は、『マクベス』五・五・二七のせりふ「音と響きだけで、何も意味しない」(full of sound and fury, signifying nothing)をしのばせる。

(133) 北ヨーロッパ最大のゴシック式聖堂。一二四八年に起工され、いちおう一三二二年に完成して献堂されたが、本格的に完成されたのは一八八〇年。メルヴィルは一八四九年にこの大聖堂を見学した。そのとき「未完成の塔の天辺に起重機を置いたままにして」あるのを見たのだろう。

(134) "Specksynder" は字義どおりには「脂身を切る者」を意味するオランダ語 "specksnijder" のメルヴィルによる誤記。

(135) ロシア皇帝ニコライ一世(一七九六―一八五五)はペルシャとトルコの戦争にかかわり、ポーランドの反乱を鎮圧し、帝国内の全人民のロシア化をこころみ、ついにはトルコ合併までもくろんだが、イギリスとフランスの反対にあってクリミア戦争がおこり、その戦争中に死亡した。『白鯨』出版の四年後のことであった。

(136) ここでピークオッド号の最後の船長エイハブは、バビロン帝国最後の王になぞらえられている。「ダニエル書」五・一―三〇によれば、ベルシャザール王は千人の貴族をあつめて大宴会をひらいたが、そのときふしぎな文字が王宮の壁にあらわれ、これをダニエルは帝国がペルシャ人とメディア人の手に落ちる預言と読んだ。

(137) 一八世紀のミンゴ族インディアンの酋長の名。最初は白人と友好的であったが、自分の一族が白人に虐殺されるにおよび、強硬に白人への協力をこばみ、白人に抵抗した。むろん、ここでは森の孤独な勇者「灰色熊」にたとえられている。

(138)「スカイスル」(skysail)とは「最上段横帆」(royalsail)のそのまた上に張る小さな帆のことであり、「スカイスル・ポール」(skysail-pole)とは、その小さい帆を張るマストの最上端部分に継ぎたされる小さい柱をさす。

(139)聖シメオン・スティリテスは五世紀シリアの苦行者で、柱のうえに一五年も住んだという。ちなみに“Stylites”はもともと「柱」の意。

(140)ナポレオン・ボナパルト(一七六九—一八二一)のこと。

(141)ルイ・フィリップはフランス王(一八三〇—一八四八年在位)、ルイ・ブラン(一八一一—一八八二)はフランスの社会主義的傾向をもつ政治家にしてジャーナリスト。「悪魔のルイ」はルイ・ナポレオン・ボナパルト(一八〇八—一八七三)のことで、第二共和国の統領をつとめてからフランス国王ナポレオン三世になりあがった老獪で野心的な人物。

(142)ジブラルタル海峡の東端に海峡をはさんでそびえるふたつの岩石。

(143)ホレイシオ・ネルソン(一七五八—一八〇五)はイギリス海軍の大提督で、トラファルガー岬沖の海戦(一八〇五年)でフランス・スペイン連合艦隊に壊滅的な打撃をあたえて、ナポレオンの英国進撃の野望を打ちくだいた。

(144)『ナンターケットの歴史』(一八三五年)。

(145)地中海のロードス島に古代ギリシャ時代に建造された巨大なブロンズ像。港を股にかけて立っていたという。「世界の七不思議」のひとつ。

(146)ウィリアム・スコーズビー・ジュニアに対する揶揄をこめたメルヴィルのあだ名(“Sleet”には「みぞれ」の意味がある)。スコーズビー・ジュニアは『極地報告、および北洋捕鯨の歴史と記述』(一八二〇年)において「カラスの巣」を発明したのは自分の父親であることを得意げにのべている。

(147) ナサニエル・バウディッチ(一七七三―一八三八)の『新アメリカ実用航海術』(一八〇二年)は、当時の標準的な航海術の教科書ないしハンドブックだった。プラトンの『パイドン』は、死を目前にしたソクラテスがその友と、死と不滅についてかわした議論を記録する。この破滅を予定されたピークオッド号に乗り組む若者がもちこむにはふさわしい本でなくはない。

(148) バイロン(一七八八―一八二四)の『チャイルド・ハロルドの遍歴』(一八一二―一八一八年)第四篇第一七九連のもじり。

(149) 一四世紀イギリスの宗教改革者ウィクリフ(一三三〇頃―一三八四)の死体は掘り起こされて焼かれ、その灰は小川に流されたという。そしてその灰は、彼の教義そのもののように、海をわたって世界にひろがったとされた。NN版以前の諸版では、ここはトマス・クランマー(一四八九―一五五六)となっている。クランマーも殉教者であったが、その灰が小川に流されたという事実も故事もない。

(150) デカルト(一五九六―一六五〇)は精神と物質は独立した実体であるとかんがえた二元論者であったが、宇宙はいくつもの軸を中心に回転する多数の「渦」からなるとし、宇宙創造の問題は究極的には力学の問題であるとした。少し後に出てくる「落下」はその典型的な現象。

(151) かつてのスペインおよびスペイン領アメリカの金貨で、一ピストール(三三から三六シリング)の二倍の価値があった。

(152) 贋金を使っても、それは遅かれ早かれ、つり銭などにまじって本人にもどってくるということわざから。

(153) オランダのライデン大学で一七四六年に発明された静電気用の蓄電池。ガラス製だったので「ビン」の名がある。

(154) 神聖ローマ帝国の戴冠式に用いられた鉄の王冠。その鉄にはキリストが十字架にはりつけにされたときの釘もふくまれていたとされる。

(155) バークもベンディゴーも一八三〇年代から四〇年代にかけてのイギリス・ボクシング界のチャンピオン。

(156) この「邪神」は、NN版以前の『白鯨』諸版では、"demogorgon"でなく"demigorgon"となっている。NN版の校訂者はこれをメルヴィルの単なる思い違い、またはミスプリントと見なして、コメントをくわえることなく前者に訂正している。たしかに"demigorgon"という語は英語の辞書にも百科事典にも出てこない。しかし現在絶版のペンギン版『白鯨』(一九七二年)の卓抜な注釈者ハロルド・ビーヴァー(訳注(3)参照)は、これをメルヴィルによる"demogorgon"と"demiurgos"の意図的な合成語と見なす。ただし、無意識の合成語であったかもしれないが。

ところで、デミウルゴスとは㈠真の創造者の「理念」にしたがって感覚的世界をつくりあげた二次的な創造者であったが、㈡西欧中世のグノーシス派はキリスト教的善に対立する邪悪の根源であり、邪悪な世界の創造者と見なした。日本における真摯なメルヴィル研究のはしりでもある寺田建比古『神の沈黙――ハーマン・メルヴィルの本質と作品』(筑摩書房、一九六八年)は、㈡のグノーシス主義の立場からメルヴィルとその作品を解釈する、わが国における古典的なメルヴィル研究書のひとつである。たとえば寺田は「アハブが体験している白鯨は、キリスト教のコンテクストにおける、善なる神でもなければ、悪なるサタンでも決してなく、まさしく、グノーシス的に体験せられた《根源的自然》、プラトン的＝キリスト教的価値意識にとって自己に破壊的に敵対するものとして体験せられた世界存在の根源、すなわち、グノーシス派において《デーミウルゴス》と呼ばれる神に対応するものに外ならない」(一〇八頁)と言う。日本最初の本格的メルヴィル研究書の意図と成果を記念して、ここではあえてNN版の校訂にしたがわないことにした。

(157) エイハブのこと。

(158) チャールズ・フェノー・ホフマン(一八〇六—一八八四)の詩“Sparkling and Bright”の一節。メルヴィルはホフマンと交友があった。

(159) 三拍子の活発なダンス。

(160) バラモンが天地を創造し、ヴィシュヌがそれを維持し、シヴァがそれを破壊し、のちにそれを再創造するというヒンドゥー教の三位一体の教義は、三つ目のシヴァ神像によって象徴されている。そのシヴァ神が「額をくもらせる」と荒天がしのびよる。

(161) デンマークとスウェーデンをへだてる海峡にある島。その島には要塞がある。

(162) ヴェルデ岬諸島最大の島。

(163) 「カインが弟アベルに言葉をかけ、二人が野原に着いたとき、カインは弟アベルを襲って殺した」(「創世記」四・八)。人類最初の兄弟殺しとされる。

(164) 一八一〇年にチリ沖で「モチャ・ディック」(Mocha Dick)なる固有名詞をたてまつられることになるマッコウ鯨が発見された。この鯨の凶暴性はほとんど伝説的で、一九回にわたり銛を打ち込まれ、三〇人以上の人命をうばい、三隻の捕鯨船と一四艘の捕鯨ボートを破壊し、二隻の商船を沈没させた。このめざましい鯨の記事は『ニッカーボッカー』(一八三九年、五月)に「モチャ・ディック、または、太平洋の白い鯨」という題の読み物として発表された。これをメルヴィルが読んでいたことはほぼたしかであり、したがってモービィ・ディックの名がモチャ・ディックに由来することは今日ではほぼ定説になっている。

(165) この二人は『アイスランド紀行』(一八〇五年)の著者であるが、この本からの情報はその著者名の誤記("Olassen"でなく"Olafsen"がただしい)もふくめてトマス・ビールの『マッコウ鯨の博物誌』(一八三九年)からの孫引きである。ゆえにNN版の校訂者はその正確な「孫引き」を保存する意図をもってあえて訂正しなかった。訳者もそれにしたがう。ちなみにフレデリック・キュヴィエの『鯨の博物誌』に関するメルヴィルの知見ももっぱらビール経由。

(166) 水の精アレトゥーサはギリシャの(「聖地の」ではない)川の神をのがれ、地下水となって海底をくぐり、シシリー島の山頂に噴出して湖をつくったという(ギリシャ神話)。

(167) 第三六章を見よ。

(168) 二世紀のグノーシス派にはじまるキリスト教異端の一派で蛇を崇拝した。彼らは旧約聖書のエホヴァを最高の創造神とはみとめず、単なるデミウルゴス(訳注(156)参照)の片割れと見なし、代わりにエホヴァが人間にあたえるのをこばんだ善悪を知るための「知識」を人間にあたえたがゆえに、蛇を人類に恩恵をさずけたものとして格別に崇拝した。彼らにとって、蛇は人間をして神に関する真の知識を求める者とせしめたがゆえに、人類の解放者でもあったのである。

(169) ハドソン川は、ニューヨーク州のキャツキル山系の渓谷を流れるとき、もっとも川幅がせまい。

(170) パリの古代ギリシャ遺跡に一四九〇年に建てられたゴシック式の館で、現在では中世の工芸・美術品の博物館になっている。メルヴィルはこの館の地下を一八四九年に「探検」した。

白《はく》　鯨《げい》（上）〔全3冊〕　メルヴィル作

2004年8月19日　第1刷発行
2025年9月16日　第26刷発行

訳　者　八木敏雄《やぎとしお》

発行者　坂本政謙

発行所　株式会社　岩波書店
〒101-8002　東京都千代田区一ツ橋2-5-5

案内 03-5210-4000　営業部 03-5210-4111
文庫編集部 03-5210-4051
https://www.iwanami.co.jp/

印刷・三秀舎　カバー・精興社　製本・中永製本

ISBN 978-4-00-323081-7　Printed in Japan

読書子に寄す

――岩波文庫発刊に際して――

岩波茂雄

真理は万人によって求められることを自ら欲し、芸術は万人によって愛されることを自ら望む。かつては民を愚昧ならしめるために学芸が最も狭き堂宇に閉鎖されたことがあった。今や知識と美とを特権階級の独占より奪い返すことはつねに進取的なる民衆の切実なる要求である。岩波文庫はこの要求に応じそれに励まされて生まれた。それは生命ある不朽の書を少数者の書斎と研究室とより解放して街頭にくまなく立たしめ民衆に伍せしめるであろう。近時大量生産予約出版の流行を見る。その広告宣伝の狂態はしばらくおくも、後代にのこすと誇称する全集がその編集に万全の用意をなしたるか。千古の典籍の翻訳企図に敬虔の態度を欠かざりしか。さらに分売を許さず読者を繫縛して数十冊を強うるがごとき、はたしてその揚言する学芸解放のゆえんなりや。吾人は天下の名士の声に和してこれを推挙するに躊躇するものである。このときにあたって、岩波書店は自己の責務のいよいよ重大なるを思い、従来の方針の徹底を期するため、すでに十数年以前より志して来た計画を慎重審議この際断然実行することにした。吾人は範をかのレクラム文庫にとり、古今東西にわたって文芸・哲学・社会科学・自然科学等種類のいかんを問わず、いやしくも万人の必読すべき真に古典的価値ある書をきわめて簡易なる形式において逐次刊行し、あらゆる人間に須要なる生活向上の資料、生活批判の原理を提供せんと欲する。この文庫は予約出版の方法を排したるがゆえに、読者は自己の欲する時に自己の欲する書物を各個に自由に選択することができる。携帯に便にして価格の低きを最主とするがゆえに、外観を顧みざるも内容に至っては厳選最も力を尽くし、従来の岩波出版物の特色をますます発揮せしめようとする。この計画たるや世間の一時の投機的なるものと異なり、永遠の事業として吾人は微力を傾倒し、あらゆる犠牲を忍んで今後永久に継続発展せしめ、もって文庫の使命を遺憾なく果たさしめることを期する。芸術を愛し知識を求むる士の自ら進んでこの挙に参加し、希望と忠言とを寄せられることは吾人の熱望するところである。その性質上経済的には最も困難多きこの事業にあえて当たらんとする吾人の志を諒として、その達成のため世の読書子とのうるわしき共同を期待する。

昭和二年七月